Amour, mensonges et pièges

Données de catalogage avant publication (Canada)

Finley, Guy
Amour, mensonges et pièges
Traduction de: To tell the truth.
1. Vérité – Aspect psychologique. 2. Communication interpersonnelle.
3. Connaissance de soi. 4.Relations humaines. I. Titre.
BF637.T77F5614 2000 153.6 C00-940526-7

DISTRIBUTEURS EXCLUSIFS:

- Pour le Canada et les États-Unis:
MESSAGERIES ADP*
955, rue Amherst
Montréal, Québec
H2L 3K4
Tél.: (514) 523-1182
Télécopieur: (514) 939-0406
* Filiale de Sogides ltée

- Pour la France et les autres pays:
HAVAS SERVICES
Immeuble Paryseine, 3, Allée de la Seine
94854 Ivry Cedex
Tél.: 01 49 59 11 89/91
Télécopieur: 01 49 59 11 96
Commandes: Tél.: 02 38 32 71 00
Télécopieur: 02 38 32 71 28

- Pour la Suisse:
DIFFUSION: HAVAS SERVICES SUISSE
Case postale 69 - 1701 Fribourg - Suisse
Tél.: (41-26) 460-80-60
Télécopieur: (41-26) 460-80-68
Internet: www.havas.ch
Email: office@havas.ch
DISTRIBUTION: OLF SA
Z.I. 3, Corminbœuf
Case postale 1061
CH-1701 FRIBOURG
Commandes: Tél.: (41-26) 467-53-33
Télécopieur: (41-26) 467-54-66

- Pour la Belgique et le Luxembourg:
PRESSES DE BELGIQUE S.A.
Boulevard de l'Europe 117
B-1301 Wavre
Tél.: (010) 42-03-20
Télécopieur: (010) 41-20-24

Pour en savoir davantage sur nos publications,
visitez notre site: **www.edjour.com**
Autres sites à visiter: www.edhomme.com · www.edtypo.com
www.edvlb.com · www.edhexagone.com · www.edutilis.com

L'Éditeur bénéficie du soutien de la Société de développement des entreprises culturelles du Québec pour son programme d'édition.

Nous remercions le Conseil des Arts du Canada de l'aide accordée à notre programme de publication.

Nous reconnaissons l'aide financière du gouvernement du Canada par l'entremise du Programme d'aide au développement de l'industrie de l'édition (PADIÉ) pour nos activités d'édition.

Dépôt légal: 2e trimestre 2000
Bibliothèque nationale du Québec

ISBN 2-8904-4670-0

GUY FINLEY

Amour, mensonges et pièges

Traduit de l'américain
par Marie Perron

le jour,
éditeur

AVANT-PROPOS

Ce livre est en quelque sorte un « guide pratique de la délivrance intérieure ». Je destine cet ouvrage à tous ceux qui savent qu'un obstacle inconnu se dresse sur leur chemin, un obstacle que seul pourra déloger « quelque chose » qu'on ne saurait nommer.

Vous trouverez ici des conseils amicaux et des indices éclairés pour apprendre à éveiller la conscience de votre vrai moi et pour contrer les difficultés que vous posent les limites de votre pensée rationnelle. Vous y découvrirez les causes secrètes de vos comportements autopunitifs et les moyens d'en venir à bout.

Chaque chapitre comporte des douzaines de révélations spirituelles stimulantes et de techniques destinées à favoriser votre évolution personnelle. Par questions et réponses, nous vous dévoilons des méthodes éprouvées pour chasser vos émotions négatives et pour renforcer les liens qui vous unissent aux paliers supérieurs de votre moi.

Tous les chapitres se terminent par des exercices spirituels. Ces pratiques efficaces ont été conçues pour transformer l'enseignement du Vrai en pratique du Vrai et pour aider à transformer une simple promesse de liberté en enrichissement personnel. Vous y découvrirez aussi des moyens à la fois immémoriaux et inédits de favoriser votre développement intérieur en tirant parti de vos relations professionnelles et personnelles.

Ce livre démontre que c'est en étant fidèle à soi-même que l'on conquiert le monde. Il regorge de données très encourageantes concernant le chemin de la Vie réelle et les moyens à prendre pour découvrir ce chemin par soi-même sans devoir compter sur quiconque. Les centaines de vérités apaisantes qui parsèment ce livre vous apparaîtront sous leur vrai jour : des amies depuis longtemps perdues. Plus vous vous souviendrez d'elles, plus elles vous aideront, en retour, à éveiller votre conscience de qui vous êtes.

GUY FINLEY

INTRODUCTION

L'on peut affirmer sans crainte que les grands livres sont ceux qui reflètent le mieux la réalité, ceux qui nous permettent de percer notre vie à jour en nous révélant nos subtilités : tout ce qui, en nous, est sage et noble, sombre ou mensonger, unique et ingénieux. Ces révélations nous grandissent, car elles nous incitent à nous découvrir ou à nous redécouvrir. Rares sont les écrits qui nous touchent à ce point. Mais il existe aussi une autre catégorie de prose qui, non contente de refléter notre réalité, nous aide à la *transformer*. Ces ouvrages ont la réputation de nous *défaire*. Leur contenu exige une complète réorganisation du moi, non pas en fonction de ce que nous avons été mais en fonction des vérités que ce contenu donne à voir à notre conscience.

De tels écrits ne font pas que rehausser provisoirement notre sentiment d'individualité. Ils font de nous des éléments vivants – ces idées qui soufflent d'abord en nous avant de respirer pour nous –, et ravivent un ineffable souvenir : nos problèmes n'ont d'autre origine que l'oubli de ce que nous sommes vraiment. Tandis que ces idées mûrissent peu à peu en nous, nous découvrons enfin le sens de notre univers déchiré ; un univers nouveau et agrandi sourd alors de notre être, et voilà que nous nous engageons, affranchis du temps et heureux, sur le chemin de sa découverte.

Je vous invite à m'accompagner au long de ce périple. Nous irons au-delà de l'imagerie et, par la suite, nous surmonterons même le fardeau de la peur. Lorsque nous parviendrons enfin à destination, nous serons *libres*. Pourquoi ? Parce que ce voyage nous entraînera profondément en nous-mêmes. Nous retrouverons notre héritage perdu, notre patrie, ce pays situé au cœur du Vrai.

◆ ◆ ◆

La petite enseigne au-dessus de la porte d'une nouvelle boutique de la ville était toute simple. Les lettres carrées sculptées dans le bois disaient : Marchand de vins rares. Juste au-dessous de la première enseigne, une enseigne plus petite, en forme de flèche, pointait vers la porte ouverte en permanence. On y lisait cette invitation, en lettres de couleurs vives :

Bienvenue aux visiteurs ! Goûtez la différence !

Il y avait toujours de la lumière à l'intérieur, afin que les passants n'aillent pas croire que la boutique était fermée.

Un jour, un jeune homme entra chez le marchand ; après avoir salué le vieil homme avec politesse, il demanda à goûter quelques-uns des crus offerts en vente au public. À son étonnement, le marchand lui dit qu'il ne vendait qu'un seul vin, rare il est vrai, et qu'il lui en servirait volontiers un verre pour qu'il y goûte.

Tandis qu'il attendait que le marchand lui verse à boire, le jeune homme ne put se retenir de penser tout haut. « N'est-il pas difficile d'avoir une entreprise prospère quand on n'a qu'*un* seul produit à offrir ? »

La réponse que le marchand lui fit avec le sourire le déconcerta quelque peu. « Je suppose que tout dépend de la nature de l'entreprise. » Ce disant, il lui tendit un verre rempli d'un vin au riche bouquet, d'une sombre couleur de rubis, et poursuivit : « Ce vin ne plaît pas à tout le monde », dit-il, sans paraître s'en excuser. Puis, prenant le jeune homme dans sa confidence, il ajouta : « Mais d'aucuns, en goûtant de ce vin, n'en veulent plus goûter aucun autre. »

« Nous verrons bien », dit le jeune homme en portant le petit verre ambré à ses lèvres. « Il faudrait que ce soit un très grand vin. » Puis, s'efforçant de montrer qu'il était un amateur expérimenté, il huma le liquide rubis, le fit tourbillonner quelques instants dans son verre et en but lentement, avec assurance, une toute petite gorgée.

Un léger tremblement, presque un frisson, agita sa bouche... puis répandit sur lui et en lui une tiédeur délicieuse, presque familière, comme si un soleil liquide le baignait. Il en oublia l'endroit où il se trouvait ; il en oublia même le vin qu'il avait en bouche. Il était la proie de telles irrésistibles sensations qu'il ne pouvait rien faire, sinon espérer que le marchand ne se soit aperçu de rien. Heureusement, celui-ci lui avait tourné le dos et replaçait la bouteille sur une étagère. Le jeune homme déposa aussitôt son verre sur le comptoir et, s'efforçant de sourire du mieux qu'il pouvait pour masquer son désarroi, il remercia le marchand de vin pour son hospitalité et sortit brusquement de la boutique.

Ce soir-là, le jeune homme assista à une soirée que son meilleur ami donnait en son honneur pour célébrer sa bonne fortune récente. Mais le souvenir de sa dégustation de l'après-midi ne le quittait pas. Il se sentait à l'écart, étranger parmi les siens. Qui plus est, le vin servi ce soir-là, qui avait toujours été son préféré, lui paru insipide et sans vie. Il en but quand même, un verre n'attendant pas l'autre. Il ne buvait pas par plaisir ni même pour être plus à l'aise au milieu de ses admirateurs, mais bien pour que la soirée passe plus vite et pour oublier les émois qu'il avait vécus quelques heures auparavant chez un obscur petit marchand de vin dont personne ne connaissait l'existence. Mais plus il buvait, plus il se remémorait les événements de la journée.

Le lendemain matin, après un sommeil agité, il ne parvint pas à se rappeler être rentré chez lui et s'être mis au lit. Il n'était sûr que d'une chose : il voulait oublier ce qui s'était passé. Mettre cette journée derrière lui. Cela ne devait pas être.

Au travail, la journée passa sans qu'il parvienne à chasser de son esprit le vin étrange qu'il avait goûté la veille. Enfin, moitié parce qu'il pensait devenir fou et moitié parce qu'il se rendait bien compte que, dans son état, il lui était impossible de travailler avec compétence, il ferma boutique et se dirigea tout droit chez le marchand de vin.

En route, il appréhendait que la boutique soit fermée ou, pis, que le marchand ait fait faillite. Plus il approchait de la boutique du marchand de vin, plus cette peur le tourmentait. Après tout, que lui arriverait-il s'il ne lui était plus possible de satisfaire son envie de boire de ce vin exceptionnel ? Quand il arriva chez le marchand de vin, la porte de la boutique était grande ouverte. Il reprit courage. Il entra en inspirant profondément comme s'il voulait humer d'un coup tous les parfums dont l'air était rempli. Le vieux marchand le regarda avec attention, mais se tut. Aucun d'eux ne parla, mais ces quelques instants de silence furent très éloquents. Puis, devinant qu'il ne servait à rien de prétendre, le jeune homme implora le marchand.

« Je vous en prie, fit-il, en baissant les yeux vers le parquet de bois rugueux, dites-moi ce qui se passe ! Je suis entré dans votre boutique il y a vingt-quatre heures à peine, j'ai bu de votre vin et, depuis, tout ce qui m'importait ne compte plus. Que m'arrive-t-il ? Je suis littéralement obsédé par... (il s'efforçait de ne pas prononcer les mots qui lui montaient à la bouche) ... par... ce vin ! »

Il posa les yeux sur le vieil homme. À cet instant précis, il eut le sentiment d'être redevenu un enfant auquel un adulte compatissant mais manifestement détaché fait subir un examen dont il ne comprend pas l'enjeu. Mais ce qui le surprit par-dessus tout fut le fait que ni ses implorations ni son comportement inquiet n'étonnaient le marchand de vin. Il comprit *aussitôt* qu'il n'avait pas posé les bonnes questions. Non. Il n'aurait pas dû lui demander : « Que m'avez-vous fait ? », mais bien, il le constatait maintenant, « *Qui donc êtes-vous ?* » L'instant d'après, il entendit la réponse à sa question muette, et cette réponse le remplit de confusion.

« Il y a très, très longtemps, au lointain pays de ma naissance, une Grande Guerre éclata. Rien de tel ne s'était encore jamais produit... et rien de tel ne s'est produit depuis..., fit le marchand. En raison des immenses dangers qui menaçaient son royaume, notre grand roi – vive le roi ! – en conclut que la manière la plus sage de protéger ses très nombreux sujets consistait à les envoyer vivre aux confins du pays, dans les régions les plus retirées du royaume. Ils y seront en sécurité, se dit le roi, ils prospéreront jusqu'à ce que la révolte et la guerre prennent fin. Ensuite, ils pourront rentrer chez eux. » Le marchand se tut un moment, réfléchissant à ce qu'il venait de dire. Sûr de ses faits, il ajouta : « Du moins, c'est ainsi que je le comprends. »

Le vieil homme prit le temps de se verser un verre de vin et, pointant du doigt un second verre posé sur le comptoir, il en offrit au jeune homme. « Oui, merci », fit celui-ci, en hochant la tête avec enthousiasme.

« Quoi qu'il en soit, poursuivit le marchand en versant à boire au jeune homme, ces hommes et ces femmes vécurent si longtemps dans les contrées les plus éloignées du royaume qu'eux, leurs enfants, et même les enfants de leurs enfants en vinrent à oublier leur patrie d'origine... et, bien entendu, leur grand roi. C'est pour cela que je suis venu ici, dans votre ville. On m'a chargé de retracer ces citoyens exilés et, s'ils le désirent, de les ramener dans les montagnes de leur mère patrie. » Il leva son verre en guise de salut, et le jeune homme fit de même sans trop savoir à qui ou à quoi il portait ainsi un toast. Les deux hommes burent une gorgée de vin, ils goûtèrent la tiédeur et le moment exquis de leur plaisir partagé. Leur délice se prolongea. Mais pour l'un d'eux, au moins, quelques interrogations demeuraient sans réponses. Ce moment de joie ne lui suffit plus.

« Monsieur, l'exil est, il va sans dire, une bien triste réalité, mais qu'est-ce que votre histoire vient faire dans l'étrange sentiment qui me submerge quand je bois de ce vin ? » Il en ressentait déjà les effets enivrants, si bien qu'il ne savait trop si le marchand avait toujours parlé avec gravité ou si le ton qu'il employait maintenant pour s'adresser à lui était inédit.

« Le seul vin que je vends provient d'un cépage très rare et d'un mélange d'épices qui ne poussent que dans les vallées fertiles des régions montagneuses de mon pays bien-aimé. Et s'il est vrai que je *cherche* à travers le monde les citoyens dont nos montagnes sont l'héritage – il leva une fois de plus son verre – *c'est ce vin qui les trouve...* car tout homme ou toute femme, peu importe qu'il ou elle ait quitté notre bienheureux royaume depuis longtemps, en *reconnaît* la saveur. En fait, je puis vous assurer que des générations entières ont passé sans que leurs enfants aient goûté à ce vin de toute leur vie... et, pourtant, une gorgée suffit pour que moi je les reconnaisse... *comme je <u>vous</u> ai reconnu.* »

Il s'arrêta tout juste assez pour que le jeune homme saisisse la portée de ses paroles. « Voyez-vous, ce vin possède le pouvoir de réveiller chez nos gens une mémoire depuis longtemps endormie. Ils se souviennent alors de leur origine. Et, quand ils en ont pris conscience, *rien d'autre* ne leur importe que retourner vivre dans les montagnes de leur mère patrie. » Il sourit à son visiteur qui, comme lui, rayonnait de bonheur. « Oui... une petite gorgée suffit. »

Le jeune homme acquiesça de nouveau. Cette fois, il savait pourquoi.

CHAPITRE PREMIER

Le triomphe est l'essence du Vrai

Qui de nous n'a pas entendu, d'une manière ou d'une autre, ces mots si beaux et remplis d'espoir: «Apprends la vérité, la vérité t'affranchira» ?

Pour des millions d'individus à travers le monde, cette idée est associée à un sentiment religieux particulier qui les réconforte dans les moments de faste, mais qui ne leur est guère utile lorsqu'ils sont pris au piège d'un stress ou d'une affliction inattendus. Dans ces périodes difficiles, la notion la plus répandue est celle-ci: « En *vérité,* la vie est mon ennemie, car si cette "réalité de la vie" ne planait pas au-dessus de moi comme une épée de Damoclès, je ne serais pas inquiet et angoissé comme maintenant. »

Qui a raison? La vérité doit-elle nous affranchir ou sommes-nous les esclaves de douloureuses réalités contre lesquelles il nous faut lutter pour parvenir à fuir leur courroux? Puissent la révélation et l'explication qui suivent effacer doucement toutes vos incertitudes. Je vous révélerai d'abord la vérité fondamentale que soustendent toutes nos expériences de vie individuelles. Ensuite, je démontrerai son existence éternelle.

Le triomphe est l'essence du Vrai. C'est l'éternel combat entre David et Goliath. Son objectif suprême, unique, consiste à renforcer, à libérer et à combler quiconque la réalise. Voyons comment. Penchons-nous tout d'abord sur les intuitions du grand et sage mathématicien, Albert Einstein :

L'être humain fait partie d'un Tout que l'on nomme l'« Univers » ; sa participation à ce Tout est limitée dans l'espace et le temps. Il vit, il a des pensées et des émotions comme si tout cela était distinct du reste, comme si tout cela n'était qu'une illusion d'optique engendrée par sa conscience. Cette illusion est notre prison, elle nous enferme dans nos désirs et dans l'affection que nous éprouvons pour quelques-uns de nos proches. Notre devoir consiste à nous évader de cette prison en élargissant le cercle de notre compassion afin que celle-ci englobe l'ensemble des créatures vivantes et la nature tout entière dans sa beauté.

De telles pensées holistes sonnent clair aux oreilles de ceux qui « savent entendre » ; pourtant, il nous faut admettre qu'en cette citation réside un défi semblable à celui que nous affrontons lorsque nous nous efforçons de comprendre que « La vérité nous affranchira. » Comme nous ne le savons que trop bien, *vouloir* être libre, éprouver une compassion qui englobe tout, c'est une chose ; c'en est une autre – qui requiert un niveau de conscience supérieur – que de *connaître* la vérité qui nous hisse au-dessus du petit cercle de notre existence hyperactive. Or, la première vérité qu'il nous faut assimiler est la suivante : ces certitudes que nous disons posséder ne nous appartiennent pas vraiment. Un obstacle se dresse entre nous et la vérité qui pourrait nous affranchir et nous ouvrir le cœur.

La liberté et la compassion ne sauraient survivre dans un monde dominé par la peur. Incidemment, notre réaction spontanée à un événement dont nous ne sommes pas maîtres étant la peur, nous traitons cet événement comme un adversaire. Les circonstances inopportunes menacent, croit-on, notre bonheur présent et notre bonheur futur, car tout événement malheureux éveille en nous la peur de n'être pas en mesure de répondre au flot de questions qu'engendre ce coup du sort.

Mais qu'en est-il, puisque ce que nous croyons être la réalité de ce moment ne correspond pas du tout à la vérité ? Que se passerait-il si nous pouvions *voir* autrement le Vrai que renferment ces moments ? Imaginez que nous *sachions,* en l'une ou l'autre de ces circonstances, que la vie ne nous tend pas un bouquet de « questions pièges » dont dépendent notre bonheur ou notre défaite. Imaginez que ces expériences malvenues ne nous livrent pas aux mains de l'ennemi, mais qu'elles nous orientent plutôt vers des réponses vivantes dont le seul but est de nous faire comprendre que la vérité est notre meilleure amie. Une telle réalité – si nous en prenions conscience – ne mettrait-elle pas fin aux peurs obsédantes qui s'accrochent aux basques de l'inattendu ? Et mettre fin à ces peurs ne serait-il pas synonyme de vivre libre, affranchi de toute appréhension ? Bien entendu ! Comme nous allons le voir bientôt, c'est précisément le cas.

Lorsque nous nous remémorons les moments charnières de notre vie, ces moments où nous avons été forcés de faire face aux transformations douloureuses qui résultent de toute crise intime, il nous devrait être tout aussi facile de nous rappeler que ces épreuves semblaient nous signaler notre perte. Mais, en prenant du recul – comme je vous invite à le faire maintenant – ne constatons-nous pas que notre état de crise n'était pas dû à des conditions extérieures mais bien au fait que notre être même était contraint de prendre part à *la naissance, en nous, d'un nouveau niveau de conscience ?* En effet l'expérience nous démontre que la nature réelle d'une épreuve a peu à voir avec la cause présumée de notre souffrance. Par exemple, ma douleur n'est pas due au fait qu'« elle veut me quitter » ; mais si elle me quitte, je me dis que « quelque chose cloche » en moi. Et puis, si elle ne fait plus partie de ma vie, je ne saurai plus que faire ; j'aurai perdu mon estime de moi-même et je serai inquiet de l'avenir. Ainsi, lorsque nous appréhendons de devoir affronter ce qui nous semble signaler notre fin, nous nions tout ce qui menace de nous détruire ou nous lui résistons. À ce stade, nous réagissons le plus souvent en marchandant malgré nous avec nous-même ou en rampant devant l'autre en espérant ainsi sauver notre relation. En vain. Ce qui doit prendre fin prendra fin. Peut-être y mettrons-nous des années, des mois ou seulement quelques jours, mais nous passerons inévitablement le seuil d'une leçon de vie qu'il ne nous est plus possible de fuir. Et que trouvons-nous invariablement de l'autre côté de ce seuil ?

Chacune de nos épreuves apparemment intolérables recèle un but invisible (pour l'instant) : nous faire prendre conscience de *notre* vérité. C'est un remède amer, mais qui guérit. Comment ?

Pour commencer, nous voyons bien (avec le recul !) que cette épreuve était un cadeau déguisé et que nous sommes beaucoup plus heureux depuis que nous avons réussi à en défaire l'emballage complexe ! Nous comprenons de façon sûre qu'il nous serait impossible d'entreprendre l'étape suivante du voyage de la vie si nous n'avions pas appris ces leçons. En d'autres termes, il nous est parfaitement clair que nous avons tenté de fuir de toutes nos forces une vérité venue nous sauver de notre ignorance de soi, une vérité qui, en nous libérant d'une fausse vision de nous-mêmes, nous a enseigné le pourquoi de notre existence et a planté le décor de notre développement spirituel futur. Discernez-vous maintenant la vérité que recèlent ces circonstances récurrentes et la manière dont elle se révèle tout au long de notre vie ? Nous voici au seuil d'une vérité fondamentale.

Nous avons compris que, *au bout du compte, nos expériences ont pour but de nous révéler sur nous des réalités cachées.* Puisque ceci est vrai, et puisque nous en sommes la preuve vivante, ne pouvons-nous prendre conscience du fait que ces expériences, quel que soit leur contenu, consistent en une expression du Vrai qui doit nous aider à découvrir la vérité cachée de ces expériences ? Abordons cette révélation sous un angle légèrement différent qui vous aidera à la comprendre plus en profondeur.

Chacun des cycles de la vie humaine – qui s'ouvre sur un niveau supérieur de développement personnel – ne prend fin de façon positive que lorsque nous avons enfin appris les leçons que ce cycle nous offrait. Cela, au moins, est clair. Ce qui l'est moins, c'est que chacun des enseignements de la vie – qui clôture le cycle correspondant – nous est prodigué sous forme de vérité essentielle. Qui plus est, cette vérité nous vient toujours d'une prise de conscience spécifique d'un aspect de notre moi, un aspect dont nous ignorions tout mais dont nous savons maintenant qu'il était la cause secrète des événements associés à ce cycle de vie révolu. Comprenez-vous la portée extraordinaire d'une telle découverte ?

Cela signifie que le noyau de toute expérience malvenue est une vérité *qui attend depuis toujours que nous la découvrions,* qui nous libère et nous hisse au-dessus de cette compréhension limitée qui avait été la nôtre et qui était la cause même de l'expérience que nous avons vécue. En d'autres termes, nos expériences sont indissociables des leçons de vie que nous devons encore apprendre, et le but même de leur existence est de nous prodiguer cet enseignement. Si nous osons aller encore plus loin (ce qui est essentiel pour goûter au triomphe du Vrai), nous découvrons un secret inimaginable : ces leçons de vie recèlent une vérité éternelle ; une vérité qui sait *avant nous* ce dont nous avons besoin et qui planifie nos expériences dans le seul but de se dévoiler à notre âme.

Nous tenons enfin la preuve qu'existe une intelligence compatissante et réfléchie ; une vérité vivante qui agit muettement dans le but de nous dévoiler le sens de notre existence et qui est à la fois la semence, la nourriture et le fruit de nos expériences nombreuses. Lorsque nous comprenons, fût-ce de façon minime, que la sagesse qui nous est donnée sous forme de vérité (donnez-lui le nom que vous voulez) est la trame secrète de notre vie, nous prenons conscience d'un tout nouvel ordre de victoire sur soi-même. Nous voici en face d'une réussite dépourvue de contraire. L'échec en tant que peur cesse d'exister. La douloureuse notion de perte, de chute et d'égarement n'est plus aussi aiguë, car, grâce à notre perception nouvelle, nous comprenons que l'univers lui-même souhaite nous concéder la victoire et fait en sorte que nous triomphions.

◆ ◆ ◆

POUR UNE MEILLEURE COMPRÉHENSION DE LA NATURE DU VRAI

De nos jours, où que j'aille, il me semble que chacun s'est fait sa propre idée du Vrai et des raisons pour lesquelles je devrais entériner ses idées et son système de valeurs. Ma question est donc la suivante : qu'est-ce que le Vrai, et que dois-je faire, personnellement, pour le découvrir ?

Il importe avant tout de comprendre qu'il n'existe aucune réponse à cette éternelle question qui puisse satisfaire, à son niveau, l'esprit qui la pose, si bien que nous devons apprendre à discerner ce qui est en notre pouvoir de comprendre et ce qui ne l'est pas, et refuser de nous confronter à ce qui nous dépasse. Voici, par exemple, une évidence de cet ordre : les individus débattront toujours du sens du Vrai. Leurs actes prouvent qu'ils sont étrangers à ce Vrai qu'ils affirment connaître. Cette observation, ainsi formulée, est tout à fait juste. Voyons cela autrement : pour chacun d'entre nous, le Vrai consiste dans tout rapport qui nous lie à quelque chose ou à quelqu'un et dans notre perception plus ou moins juste de la nature de ce lien et de ce que celui-ci nous apporte. Par conséquent, le Vrai (pour nous) est de la nature de l'éveil. Puisque notre niveau d'éveil est égal au monde dans lequel nous vivons, il en va de même de ce que nous nommons le Vrai. Celui-ci n'est pas conditionnel à notre niveau d'éveil, mais égal à lui. Enfin, pour dire encore les choses autrement, le Vrai est un miroir. Qui saura s'éveiller et atteindre un niveau de conscience qui lui permettra de regarder au fond ce miroir ?

Devons-nous prêter foi en aveugles à la notion voulant que le Vrai sait que « tout va bien », ou certains faits étayent-ils cet énoncé ?

Des faits étayent cet énoncé du Vrai, selon lequel « tout va bien », mais seuls « ceux qui ont des yeux pour voir » les perçoivent. Notre univers est parfaitement ordonné, son équilibre est infaillible. Ceux qui perçoivent les rouages parfaits de ce monde invisible ont la certitude que tout va bien et que nous n'avons aucune raison d'avoir peur. Plus nous devenons aptes à voir intérieurement cet univers ordonné, plus nous sommes capables de nous libérer de nous-mêmes et de permettre à l'esprit intelligent qui a l'a créé de nous inviter à y participer comme il le fait depuis toujours. C'est là le but de notre quête.

Toute ma vie, j'ai tenté de me perfectionner, autrement dit, d'améliorer mon apparence, d'accumuler des « biens », etc. Une force invisible m'y poussait. Je souffrais de suivre cette voie, mais, malheureusement pour moi, j'ai étouffé ma souffrance et j'ai persisté, refusant d'admettre que je payais cher mes désirs. Aujourd'hui, j'éprouve un grand vide. Que faire ?

Persistez dans votre découverte de vous-même. Il y a toujours quelque chose de plus haut à atteindre. L'un des plaisirs méconnus de cette voie – et du travail intérieur qu'elle exige – consiste à comprendre que la vie de vérité qui réside au-dessus de nous veut nous gratifier d'une réussite qui dépasse toutes nos espérances. Lorsque nous nous harmonisons à cette volonté supérieure, nous effaçons nos anciennes douleurs et nous acquérons la certitude de ne plus retomber dans les mêmes erreurs.

Pourquoi le Vrai veut-il que nous réalisions ce qu'il nous promet ?

N'avez-vous jamais aimé un autre être d'un amour tel que vous vouliez pour lui plus qu'il n'imaginait lui-même ? Il en est ainsi du vœu même de l'amour.

Comment reconnaître et établir l'authenticité des vérités spirituelles universelles ?

Comment l'aigle reconnaît-il un autre aigle ? Un lion un autre lion ? À mesure que s'affermira votre éveil intérieur, vous saurez sur-le-champ et de plus en plus sûrement reconnaître le Vrai. Vous ne pourrez pas vous tromper.

Comment distinguer un vérité spirituelle engendrée par le souvenir d'une vérité spirituelle enracinée dans notre moi (ou notre personnalité) ? Quels en sont les critères ?

Dans l'affliction, il nous faut aller puiser par nous-mêmes ces vérités « apprises » rationnellement (autrement dit, celles qu'engendre le souvenir), tandis que les vérités qui se sont enracinées en nous, qui nous appartiennent (et auxquelles nous appartenons) font toujours partie de nous ; elles se manifestent spontanément et nous inspirent d'emblée les pensées et les actes qu'exigent les circonstances.

Qu'est-ce que le « karma » ?

En dépit des apparences, nous vivons dans un univers parfaitement équilibré. Tout ce que nous demandons à la vie suscite une réponse. Il n'y a aucune exception. À mesure que nous prenons conscience du fait que notre attention, concrète ou non, anime tout ce qu'elle touche (les pensées, etc.), nous comprenons que même nos pensées ou nos actes inconscients sont, en réalité, des requêtes. Ces requêtes obtiennent toujours une réponse. Voilà en quoi consiste le karma, en quoi consiste la justice absolue.

On trouve de nos jours d'innombrables descriptions différentes du Vrai... Je ne sais plus que croire. Chaque individu possède-t-il sa propre vérité? Autrement dit, n'existe-t-il qu'une vérité, fonction de chaque individu ?

En premier lieu, si nous sommes éveillés, nous pouvons apprendre à voir ce que j'appelle « la présence de l'Esprit céleste dans l'ordinaire » qui nous entoure : ce plan de vie nous assure que tout provient d'une source authentique et incorruptible. Le nom que l'on donne à cette source n'affecte en rien sa réalité ni son aptitude à guider les individus lassés d'errer dans les ténèbres. En second lieu, notions et croyances ne sont pas au cœur du problème. Ce qu'il faut, c'est comprendre les rapports et la proportion. Il existe une vérité absolue. L'existence de cette vérité ne nie en rien le fait que nous sommes égarés sur cette planète et que nous nous y débattons pour la simple raison que, chacun de nous, à des degrés divers, fait actuellement l'expérience d'une vérité subjective et de la « réalité » que celle-ci engendre. Cette réalité subjective est l'illusion, le rêve dont nous devons nous éveiller. Lorsque le rêve prend fin, le moi rêveur cesse d'être. Ce qui demeure est la réponse à votre question.

L'ÉLARGISSEMENT DE LA NOTION DU TEMPS ET DU RAPPORT DONNE PLUS DE SENS À NOTRE VIE

Expliquez-moi cette notion selon laquelle toutes choses sont « en rapport » les unes avec les autres. Je sais qu'il me faut mieux comprendre ce concept pour aller au fond de ma vie intérieure, mais c'est loin d'être clair.

Pour comprendre le concept de rapport, nous devons d'abord imaginer que le monde dans lequel nous vivons est un microcosme dans un macrocosme. Par exemple, il est possible de voir dans les nervures d'une feuille la représentation de notre système circulatoire ou même le delta du Mississippi. Des idées inédites, de nouvelles façons d'observer le monde qui nous entoure nous aident à parvenir à cette forme importante de compréhension supérieure. Mais son pouvoir régénérateur et son aptitude à nous libérer de nous-mêmes ne reposent pas tant sur la « connaissance » de ce rapport que sur notre propre aptitude, grâce aux niveaux supérieurs de notre psyché, d'entrer en contact avec le Vrai qu'il renferme. Recherchez la solitude dans la nature. Observez les arbres. Perdez-vous dans la contemplation de la nuit étoilée. Sentez la caresse du soleil sur votre peau tout en écoutant le battement de votre cœur. Embrassez du regard tout ce qui vous entoure. Ces manifestations de vie (que nous pénétrons de cette manière) nous ouvrent une fenêtre secrète par où capter le reflet d'une vie plus vaste, une vie céleste. Votre désir de comprendre cette vie supérieure (dont vous faites déjà partie) sourd d'une part de vous qui se manifestera en temps opportun.

Les forces invisibles sont-elles aussi en rapport ? En d'autres termes, chaque plan que nous apprenons à pénétrer en nous nous révèle-t-il une forme différente du moi ?

Songez quelques instants aux océans qui recouvrent la planète. Ils sont l'habitat de plusieurs formes de vies : les créatures des abysses, celles des profondeurs, celles de la surface, et celles des marées. Il en va de même de notre vie intérieure. Nous devons nous efforcer d'atteindre le havre du Vrai où ces eaux de vie nous deviennent visibles, et, si nécessaire, d'interagir avec les créatures qui y ont élu domicile sans craindre d'être attiré au fond par ce qui vit dans les profondeurs.

Expliquez-moi ce que vous voulez dire lorsque vous affirmez que tout ce qui fut et tout ce qui sera existe déjà.

Notre notion du temps s'appuie à la fois sur nos sens, selon lesquels la vie naît hors de nous, et sur la pensée rationnelle qui, par sa nature même, perçoit tout par l'entremise de son contraire. Ce moi centré sur le physique se « connaît » grâce aux sensations qu'engendrent ces particularités : par exemple, la notion du temps. Mais il existe, en notre moi profond, un tout autre niveau de développement, associé à un ordre supérieur du moi. Bien que ce moi supérieur ressente les mouvements physiques et admette l'existence du temps créé, il vit au sein d'un monde qui, tout comme lui, est immuable. De ce point de vue, on comprend que *tout* ce qui est, tout ce qui fut ou sera, existe depuis les premiers temps du monde. Incidemment, la liberté véritable commence à ce stade de la connaissance.

DE NOUVELLES DONNÉES SUR NOTRE VRAIE NATURE

Toute cette notion de développement personnel n'est-elle pas un mythe étant donné que le moi véritable, notre nature divine, est déjà parfaitement développé et complet ? Ou bien, la notion de développement personnel n'est-elle qu'une autre façon de décrire la voie qui mène à la connaissance supérieure ?

Nous ne sommes pas incomplets, mais non développés et, partant, inachevés. Notre sentiment d'incomplétude est donc inévitable. La croissance intérieure, c'est l'abolition de l'ignorance de soi, la découverte de l'existence d'une intelligence antérieure à nous. C'est dans cette prise de conscience – dans notre moi (notre moi supérieur) – que réside le sentiment d'achèvement que nous recherchons depuis si longtemps.

J'ai lu, dans un certain nombre d'ouvrages, que nous ne sommes pas le produit de notre propre volonté, mais bien celui d'une « fausse volonté ». Si cette « fausse volonté » ne correspond pas à ce que nous sommes censés exprimer, pourquoi est-elle si puissante, pourquoi nous semble-t-elle si naturelle, et pourquoi la réfréner nous semble-t-il si artificiel ?

Tous nos états intérieurs, mentaux et psychologiques (chimiques, mêmes) aspirent à l'homéostasie (la stabilisation de leurs constantes). Nous avons été « faits », créés dans le but de vivre dans les paramètres de ces conditions intérieures, fussent-elles destructives comme l'est, par exemple, la narcomanie.

Si bien que, d'une certaine façon, il est « normal » que ces états résistent à nos tentatives de fuite. D'où l'importance du développement personnel et de la connaissance supérieure issue de la découverte de soi. Nous devons apprendre à agir conformément à la vérité de notre état (quel que soit cet état, et quoi qu'il nous dise) au lieu de lui permettre de nous dicter notre vérité. C'est seulement ainsi que nous découvrirons l'inconditionnalité de notre nature véritable.

Je me suis beaucoup efforcé de ne pas dilapider ma vie dans le vain espoir de « devenir quelqu'un », mais je me surprends souvent, en pensée, à vouloir devenir une personne respectée ou importante. Pouvez-vous me conseiller ?

Le regard que nous posons sur nous-mêmes ou celui que nous voudrions que les autres posent sur nous ne changera pas tant que, en cherchant à projeter une image ou à la manipuler, nous ne « ressentirons » pas notre vie intérieure. N'« essayez » pas d'être quelqu'un ; concentrez-vous plutôt sur ce qui se passe en « vous » et sur ce qui « vous » anime quand votre besoin d'attention prend le dessus. Plus vous saurez empêcher la punition qui résulte de votre désir d'être perçu comme quelqu'un de spécial, moins vous serez tenté de vous consacrer à cet aspect de votre nature.

Je ne comprends guère la notion spirituelle selon laquelle nous ne sommes le produit ni de nos pensées ni de nos émotions. Si nous ne sommes pas cela, que sommes-nous, au juste ? Et que devrions-nous observer pour percevoir notre vrai moi ?

Je sais, cette notion est complexe. Elle correspond pourtant à la vérité. Vous n'êtes pas plus le produit de vos pensées et de vos émotions que vous n'êtes les mains qui tiennent le livre pour que vos yeux lisent et que votre cerveau comprenne ce que vous lisez.

Les pensées, les sentiments et votre corps physique sont différents aspects de vous-même. Lorsqu'on est spirituellement endormi, on s'identifie à ces pensées et à ces sentiments qui jouent à être soi. Lorsqu'on s'éveille, on comprend cette vérité, on savoure le rapport nouveau en nous que crée cette prise de conscience.

Pouvez-vous m'expliquer ce que signifie le concept spirituel voulant que l'on ne respire pas, mais que l'on est respiré ?

Si nous devions tous nous éveiller *sur-le-champ*, nous saurions que notre cœur bat et que l'air circule dans nos poumons sans que nous en ayons conscience. Pour comprendre qu'un vrai cœur vit derrière les battements de notre poitrine, il nous faut être sensible aux enseignements, fussent-ils élémentaires, de cette perception physique. La vie nous est donnée. Sur tous les plans, la vie se déploie en nous à chaque instant.

Si la vie nous est donnée, que la vie du Créateur est donnée à chaque créature, pourquoi sommes-nous si individualistes et toujours en concurrence les uns avec les autres ?

Voilà la nature même de la pensée : la pensée sépare le regard de l'objet de ce regard. Une fois établie, cette séparation primordiale ouvre la voie à la peur et à la concurrence. Voilà pourquoi il est si important que nous nous éveillions. Cette concurrence destructrice entre soi et l'autre a d'abord lieu en nous. Non seulement détruit-elle le corps physique, elle nuit également à l'âme et au potentiel inhérent de celle-ci.

Voulez-vous dire que notre notion de séparation fait partie de ce qui nous détruit tôt ou tard ?

Les concepts que nous abordons ne sont pas faciles à saisir par la pensée rationnelle. C'est pourquoi nous insistons tant sur la nécessité de « voir ». Ce n'est pas tant l'idée de séparation qui nous affecte. La pensée elle-même, son « fonctionnement », est ce qui crée ce sentiment de séparation. Il m'est impossible de penser à « moi » sans que l'essence même de cette idée se dissocie de l'objet qu'elle contemple. Ce qu'il faut retenir, ce n'est pas que la pensée nous « détruit » (bien que le stress qui lui est associé nous déchire), mais que cette pensée n'a rien de vivant. La notion de renaissance dépend de notre prise de conscience de la non-vie où nous entraînent nos pensées inconscientes.

Y a-t-il un seul vrai moi?

Pour couper court: oui. Mais il nous faut saisir le Vrai de cette réponse plutôt que de nous efforcer de vivre en fonction d'une notion auto-restrictive de nous-mêmes. Je dis «auto-restrictive», car le travail que nous faisons est une forme d'auto-négation qui ne met pas fin à la vie telle que nous la connaissons, mais qui nous entraîne dans une vie nouvelle et unique à laquelle nous participons tous.

Pouvez-vous m'aider à comprendre les raisons de notre présence sur terre?

Nos expériences personnelles les plus profondes nous dispensent toujours, tôt ou tard, un enseignement. Les événements qui nous entraînent à la découverte de leurs propres causes démontrent qu'existent bel et bien un ordre des choses et un dessein. Le dénouement de chaque expérience contribue à notre développement personnel. Il n'est pas faux de dire que nous sommes «ici», sur terre, dans ces corps que nous habitons, pour grandir dans la sagesse et dans l'amour qu'engendre cette sagesse.

Comment sommes-nous arrivés ici? Nous a-t-il fallu atteindre un certain plan avant d'être admis sur terre?

De telles questions n'ont aucune incidence réelle sur notre quête intérieure. Ces spéculations n'intéressent que notre imagination, c'est-à-dire ces aspects de nous qui préfèrent s'occuper de ce qui n'est pas plutôt que d'approfondir ce qui est. Cette distinction est importante. Nous ne devons pas nous intéresser à ce qui pourrait advenir, mais bien regarder en face les réalités de la vie. Ces réalités (et uniquement ces réalités) renferment tout ce que nous devons connaître sur l'ensemble des univers possibles.

Expliquez-moi ce que signifie vivre en état d'éveil: quand nous serons éveillés à nous-mêmes, nous «saurons» comment agir en toutes circonstances. Cela signifie-t-il que nous pourrons prédire l'avenir?

Il serait plus profitable de comprendre que, si nous ne sommes pas maintenant en état d'éveil, les puissances inconscientes qui prennent le contrôle de notre esprit en notre absence modèleront notre avenir. Lorsque je dis que nous devons « savoir comment agir » à chaque instant, cela signifie que nous devons prendre *maintenant* l'entière responsabilité de ce que nous sommes. Si nous nous y efforçons, nous agirons correctement et au moment opportun de plus en plus souvent, en étant animés d'une bonne intention. Cette réaction plus vraie et immédiate, seule cette part de nous qui n'est pas détachée de l'immédiat peut nous l'inspirer. Ajoutons que notre « avenir » correspond aux choix que nous effectuons dans le « présent ». Dans cette optique, la connaissance de l'avenir devient possible.

Pouvez-vous décrire à quoi ressemblerait la vie hors du temps ? Tout ce que je fais et ressens se fonde sur la rédemption de mes erreurs passées ou sur mon espoir d'un avenir meilleur. Brièvement, quelle est notre véritable nature ?

On ne saurait la décrire, mais chacun peut en prendre conscience à des degrés divers en fonction de sa réceptivité. Mais voici quelques-unes des caractéristiques de la vraie nature dont pourrait faire l'expérience une personne en état d'éveil. Entre autres, il y a la certitude que « vous » êtes au centre de l'univers ; tout ce qui existe a été créé à votre intention et attend que vous vous en empariez. Ensuite – mais ce n'est certes pas tout –, l'individu éprouve le vif sentiment de faire partie d'un dessein supérieur, d'un objectif supérieur, et la certitude inébranlable que rien ne peut nuire à la réussite de ce dessein.

◆ ◆ ◆

CINQ VÉRITÉS QUI DÉTERMINENT VOTRE TRIOMPHE

La grandeur potentielle de tout principe de vérité – cette éminence d'où l'on peut embrasser toute la vie du regard – nous demeure inaccessible tant que nous n'acceptons pas de nous hisser au-dessus de nous-mêmes et d'entrer dans le royaume de sa réalité supérieure. En d'autres termes – et en guise de préambule aux exercices qui suivent – la vérité ne déversera sur nous sa force libératrice qu'à la mesure de la volonté que nous exprimerons d'explorer la délivrance qu'elle nous promet.

Lorsque nous submerge un sentiment familier d'échec, ou lorsque nous sommes convaincus de notre incapacité à nous hisser sur un plan supérieur, il vaut mieux ne pas céder à ces marées de pessimisme. Faites plutôt appel aux cinq lumineuses vérités énoncées ci-dessous pour triompher dans ce combat qui vous oppose à vous-même. Méditez ces énoncés jusqu'à ce que ceux-ci vous persuadent que l'idée d'échec, et la piètre image de soi qu'elle engendre, n'est qu'un mensonge dont vous n'avez que faire.

Énoncé nº 1

En vérité... Rien ne peut vous empêcher de recommencer votre vie à zéro, car la vie véritable est, en effet, un tissu d'éternels recommencements. Votre capacité à tout recommencer trouve un appui dans la réalité même, car celle-ci voue sa puissance suprême au secours de quiconque la préfère à l'autodestruction. Pour mettre en application cette vérité toujours recommencée dans votre vie, il suffit d'admettre que les circonstances inopportunes ou malheureuses de votre existence représentent une fin inévitable et de les voir telles qu'elles sont, c'est-à-dire un état provisoire et passager.

Énoncé nº 2

En vérité... Tout comme l'œil physique ne peut se voir qu'en observant son propre reflet, *nous* ne pouvons voir notre être psychologique qu'en observant les images mentales que nous créons. Ainsi, lorsque nous « voyons » mentalement nos échecs, il suffit de nous rappeler à cet instant précis que nous avons nous-même planté cette vérité dans notre tête. Au lieu de nous laisser miner par l'image que nous avons créée de nous-même, nous pouvons donc voir au-delà de notre sentiment d'échec et comprendre comment une vision aussi douloureuse a pu voir le jour.

Énoncé nº 3

En vérité... Tout comme il nous est impossible d'éprouver un sentiment d'échec sans nous être d'abord reproché nos lacunes, le fait d'y parvenir signale en nous la présence d'une dualité secrète du moi qui engendre la défaite. Méditez l'énoncé qui suit : pour être en mesure de nous voir « petit », nous devons *simultanément* nous surplomber. Sachez qu'aucun de ces deux moi ne saurait, dans notre imagination, exister en l'absence de l'autre, et que cette division du moi nous fait croire que nous sommes sur le point de perdre l'équilibre et de tomber. Mais si nous reconnaissons que nous ne sommes ni l'un ni l'autre de ces deux moi interdépendants, nous parvenons à un état de compréhension supérieure qui est un *gage de réussite.*

Énoncé nº 4

En vérité... L'affligeante image de soi qui résulte de la certitude de l'échec ne peut survivre si l'on refuse de s'apposer une étiquette autodestructrice inventée de toute pièce. La seule raison qui vous empêche d'abandonner votre navire en péril est que la cale de celui-ci renferme toutes vos idées reçues sur le sens de la réussite. En vérité, le seul poids qui puisse vous entraîner au fond du gouffre est *votre* conception de la meilleure manière de naviguer sur l'océan de la vie.

Énoncé nº 5

En vérité... Un bref regard sur le monde qui nous entoure suffit à nous démontrer sans l'ombre d'un doute que tout ce qui vit est une œuvre en devenir. Ce fait recèle un important secret où nous pouvons puiser le courage de surmonter nos afflictions. Même lorsque nous croyons qu'elles auront bientôt raison de nous, ces afflictions ne représentent qu'une infime partie du grand dessein du vrai : nous *rendre* plus forts, plus sages et mieux disposés à fouiller la vérité de notre existence.

CHAPITRE 2

Comment entrer en possession de votre moi véritable

Quelque chose nous empêche de voir que nos meilleures intentions et notre aptitude à réaliser nos objectifs supérieurs occupent des univers distincts !

Nous *avons l'intention* de *ne pas* courir comme des dératés en vivant au-dessus de nos moyens. Nous voulons *renoncer* à nos comportements vils ou autodestructeurs. Pourtant, nous persistons dans nos vieilles habitudes. Ensuite, nous nous demandons : « Que s'est-il passé ? Comment ai-je pu... ? » En dépit de nos interrogations, le mystère s'épaissit. Pour paraphraser saint Paul, nous ne faisons pas ce que nous savons être juste ; nous faisons au contraire ce que nous devinons être une erreur.

Pour apporter une réponse à cette inépuisable énigme, nous devons comprendre sa dynamique secrète : nous encaissons des coups durs car le moi qui affronte sans répit ces problèmes est inhérent aux problèmes auxquels il fait face. Sachant cela, réfléchissez à la révélation qui suit et qui jette un éclairage bienvenu sur le sombre gouffre de nos inaptitudes spirituelles :

Aucune intention ne vaut notre aptitude à nous souvenir de cette intention au moment opportun. Une découverte importante concernant notre nature présente découle de cet énoncé.

Nous oublions notre intention première car nous ne sommes pas un moi *unique*. Nous sommes des êtres fragmentés, et chacune des parties qui nous composent a son dessein propre et, partant, une volonté individuelle.

Vous avez nul doute remarqué que les différents aspects du moi se querellent les uns avec les autres : l'un veut aller ici, l'autre là, et tous ignorent que leur conflit nous sape notre énergie vitale. En réalité, nous passons notre temps à tenter de plaire à tous ces « maîtres » tour à tour ; mais il nous est impossible de plaire à ce « moi » (ou à tous ceux qui surgissent aux différents échelons de notre fausse hiérarchie psychologique).

Quoi qu'il en soit – et pour en venir au cœur du sujet de ce chapitre –, lorsque vous constatez enfin comment l'un de vos moi parvient à dominer l'ensemble de votre être, vous êtes en mesure de mettre fin à son empire sur vous. Dit autrement, pour permettre à ce moi nouveau et supérieur, capable d'autodiscernement, de surgir, vous devez d'abord prendre conscience de la relation factice qui vous lie à vos « faux » moi, et comprendre que vous n'êtes pas leur serviteur. C'est le contraire qui est vrai ! Cette découverte donne lieu à l'abandon progressif de l'anxiété et de l'inquiétude qui n'ont d'autre choix que réagir au fait que vous les identifiez à votre insu aux personnages provisoires en vous.

Lorsque vous constatez que vos desseins supérieurs sont impuissants quand les contrôlent ces vagabonds intérieurs, vous savez que vous ne réaliserez pas ces desseins supérieurs à moins de mettre fin à la fragmentation de votre être. Mais comment pourrait avoir lieu cette unification du moi si la nature même qu'elle s'efforce de remplacer ne cesse de contrecarrer ses efforts ? Cette question trouve sa solution dans un vaste mystère spirituel.

Plus nous prenons conscience de l'amplitude de notre fragmentation intérieure – en percevant les forces qui opèrent au hasard en nous sans autre guidance que le « bien » auquel aspire, sur le coup, chacun de nos moi distincts – et plus nous apparaît nécessaire une nouvelle forme d'unité, une intégrité que nous sommes incapables de créer par nous-mêmes en nous-mêmes.

Cette révélation en amène une autre : la seule façon pour nous de réaliser nos desseins supérieurs consiste à accepter le dessein de Dieu pour nous : devenir des créatures entières et conscientes. Nous devons réorienter notre volonté, faire en sorte qu'elle épouse une volonté supérieure.

De cette réorientation graduelle de notre « bonne volonté » découle un nouveau sentiment d'identité. Devenir forts ou vertueux n'exige de nous aucun effort. Nous n'avons plus à nous reprocher nos « faiblesses ». Nous comprenons que ces options révolues, que nous avions cru essentielles à la réalisation de notre dessein, font partie du problème et non pas de sa solution. Notre nouveau dessein consiste à nous souvenir de la présence de Dieu dans notre vie. Cette volonté devient l'*unique* aspect de nous auquel nous faisons appel pour faire face à tout ce que la vie nous présente.

La souffrance (quelle qu'en soit la cause) ne nous obsède plus ; nous ne nous inquiétons plus de ce que l'avenir nous réserve. Dans les moments d'affliction (ou de victoire), il nous suffit de nous rappeler où nous devons situer notre cœur. Dans cette perception nouvelle de nous-mêmes réside la certitude que tout ce qui, en nous, n'accueille pas la volonté supérieure est l'ennemi secret de notre dessein inédit et plus vrai. Cette constatation conduit à une dernière considération.

La nature a horreur de la ligne droite. Ce que l'œil nu perçoit partout est confirmé par la science. C'est une loi de la nature que les substances tendent à s'encercler elles-mêmes. La signification de ceci pour quiconque cherche la voie de la délivrance est que l'être spirituellement endormi ignore qu'il tourne en rond, qu'il est prisonnier de la ronde inconsciente du moi dont le dessein secret est de se perpétuer.

Voilà pourquoi il importe autant de parvenir à une compréhension supérieure de notre fonctionnement intérieur. « Connais-toi toi-même » retrouve donc tout son sens – maintenant oublié : il n'y a pas d'autre façon d'entrer en possession de soi-même. À défaut d'une telle connaissance de soi, nous demeurons captifs du niveau de conscience qui croit que le fait de tourner en rond conduit quelque part. C'est faux.

◆ ◆ ◆

COMMENT S'AFFRANCHIR DU FAUX MOI

Dans beaucoup de vos écrits, vous qualifiez nos personnalités multiples de « personnes provisoirement en charge ». Depuis plusieurs années, je remarque ces différents aspects de moi-même, mais je ne croyais pas que tous les possédaient aussi. J'aspire très souvent à me débarrasser de ces moi provisoires, mais rien de ce que je fais pour y parvenir ne me procure la maîtrise personnelle que je recherche. Que faire ?

Réfléchissez à fond à ce qui suit : le moi qui résiste à un quelconque autre moi est lui-même le prolongement du moi auquel il résiste. Restez éveillé. Efforcez-vous de demeurer dans l'instant présent et d'observer l'agitation et la course folle de ces différents « moi » au lieu de vous identifier à l'un d'entre eux. Cela requiert un effort, mais ce n'est pas impossible.

Qu'est-ce qu'une « personne provisoirement en charge » ?

L'expression « personne provisoirement en charge » (PPC) représente chacun des « moi » distincts et familiers qui, en nous, réagissent au mouvement de la vie en perpétuelle transformation. Il importe de comprendre que nous prenons conscience de chaque moi qui se manifeste et que nous croyons être notre vrai moi uniquement lorsque nous devons faire face à un problème. Lorsque notre moi jusque-là peu sûr de lui se revêt de l'autorité de ce nouveau moi (qui sait ce qu'il convient de faire pour rétablir la situation), nous croyons reprendre le contrôle de notre existence. Mais nous ignorons que chaque PPC n'est, en réalité, que l'ombre du moi, un sous-produit provisoire de la pensée né de nos expériences passées. Cela signifie que ce moi qui semble apte à résoudre nos problèmes est, en fait, en partie responsable de leur récurrence. Notre ignorance présente de la manière dont ce moi s'agite en nous est le fondement de ce que je nomme « la ronde du moi ».

Pour un examen plus détaillé de la PPC, de son origine et des moyens à prendre pour s'en débarrasser, lisez *Vaincre l'ennemi en soi*.

Que doit-on faire exactement, ou que doit-on s'efforcer de comprendre, quand on surprend une PPC en pleine activité ?

Si quelqu'un entrait tout à coup dans la pièce où vous vous trouvez et vous bombardait de directives que vous savez être autodestructrices, ne « devineriez-vous » pas comment venir à bout de cette personne et de son attitude ? Lorsque nous sommes capables de reconnaître ces intrus psychiques pour ce qu'ils sont en réalité, c'est-à-dire des envahisseurs intérieurs, notre réaction est immédiate et efficace. Nous nous taisons. Notre silence les chasse. Mais si l'envahisseur demeure et persiste, vous êtes d'autant plus justifié de l'envisager non pas comme un ami, mais comme un ennemi. N'oubliez pas que nos pensées doivent être à notre service ; leur raison d'être n'est pas de nous dépouiller. Sachez faire cette distinction dans votre for intérieur et vos réactions intérieures s'y conformeront. Quelque chose en nous sait distinguer entre ce qui est bon pour nous et ce qui nous est néfaste.

Que faire pour reprendre le contrôle quand nous constatons que notre faux moi a pris le dessus et s'en donne à cœur joie ?

En premier lieu, disons que la nouvelle vie à laquelle nous aspirons ne consiste pas à « prendre le contrôle », mais bien à mourir à notre nature présente qui, à ce niveau de son développement, oscille sans cesse entre la perte de contrôle et la recherche de contrôle. Lorsque vous vous sentez dominé, rassemblez votre courage, arrêtez tout et placez-vous sur la défensive. C'est loin d'être facile. Mais si vous vous y efforcez, l'humiliation que vous causera le fait d'être devenu la proie d'un moi emballé vous aidera à vouloir vous débarrasser de ce moi.

Je suis toujours conscient du faux moi. Combien de fois par jour dois-je me réveiller ?

Réfléchissez un peu à votre question. En guise de réponse, permettez-moi de la paraphraser : « Combien de fois par jour dois-je faire en sorte de ne pas tomber dans un trou ? Combien de fois par jour dois-je me consacrer à quelque chose qui ne pourra jamais m'être enlevé ? » À ces quelques idées, ajoutez une dernière révélation qui doit vous aider à mieux vous connaître : un cerveau dont on ne s'occupe pas engendre l'autodestruction.

Il m'arrive parfois de prendre conscience des aspects intérieurs de mon être qui s'identifient ou s'attachent douloureusement à des objets extérieurs ou à des pensées et des sentiments intérieurs. Cette prise de conscience peut-elle suffire à les éliminer ?

Lorsque l'on prend conscience de notre identification à quoi que ce soit et de la manière dont cet attachement inconscient nous occasionne des souffrances secrètes, nous commençons à mettre un terme à ces associations. Soyez-en sûr. L'intelligence véritable ne se compromet jamais. Notre tâche consiste à susciter la naissance en nous-mêmes de cette intégrité, et de lui être sensible.

Pourriez-vous m'expliquer ce que signifie « s'identifier à » quelque chose ? Je crois le savoir, mais chaque fois que je m'efforce de coucher mes pensées sur papier, je m'y perds.

Je tiens avant tout à vous encourager à persévérer dans votre clarification de ce sujet spirituel (ou tout autre) par le biais de l'écriture. Cette pratique est extrêmement productive. En ce qui concerne l'identification : il s'agit d'un processus empathique inconscient qui a lieu lorsque, s'étant créé une image mentale de quelqu'un ou de quelque chose, nos pensées accueillent cette représentation comme si elle était la personne même ou la chose ainsi imaginée. Chacune de ces représentations mentales ou émotionnelles nous procure un sentiment d'identité, et c'est ce moi qui se situe à la racine même de l'attachement – c'est-à-dire la « punition de l'identification ». La perception de cette dynamique nous permet de comprendre pourquoi il est si difficile de lâcher prise : nous ne devons pas nous affranchir de la « chose imaginée », mais bien de notre propre identité.

Pourquoi mettons-nous tant de temps à comprendre qu'une énergie qui nous est étrangère planifie et vit notre vie à notre place ?

Ces énergies ne nous sont pas vraiment « étrangères ». L'être humain est un microcosme – et le Tout est en lui. Il convient mieux de dire que certaines forces cherchent à prévenir notre développement supérieur, si bien que tout dépend de notre désir et de notre volonté à fouiller la nature de ce que nous avions cru être nous.

J'ai vécu une expérience amusante en me rendant au travail ce matin. J'étais occupé à faire le bilan de mon programme de la journée quand, tout à coup, je suis devenu très négatif. Alors, je me suis dit : « Quel est ce moi qui me parle ? D'où vient-il ? » Il s'est tu sur-le-champ. J'ai ri à m'en tordre les côtes. Lorsque nous prenons ces « faux » moi sur le fait, cessent-ils d'exister ?

Le faux ne « vit » en nous que dans la mesure où nous lui restons lié. Le fait de déceler et de chasser ce menteur intérieur équivaut à se libérer de sa capacité à nous vaincre.

Parlons de développement personnel et d'ego : l'enseignement du Vrai a-t-il pour but de raffiner, d'assujettir ou de détruire l'ego ?

Cet enseignement, en autant qu'on puisse le décrire, n'a pas pour but de raffiner, d'assujettir ou de détruire l'ego, mais bien de nous permettre de voir clairement l'irréalité de cet aspect du moi. En d'autres termes, nous devons admettre que notre moi est une entité provisoire née de rapports multiples que nous entretenons et auxquels nous nous identifions.

Pouvez-vous m'aider à comprendre pourquoi je me livre si souvent ? Je sais que je le sais, mais je n'ai jamais conscience de ce comportement autodestructeur au moment même où je l'adopte.

Vous êtes-vous déjà posé l'une ou l'autre des questions suivantes : « Qu'est-ce que je viens de faire ? » ou « Pourquoi ai-je dit une chose aussi cruelle ? » ou « Qu'est-ce qui m'a poussé à dépenser de l'argent que je ne possède pas ? » À qui posez-vous ces questions ? Qui, sinon *vous,* a été la cause de votre naufrage ? Quelque chose s'est emparé de vous. J'espère que je me fais bien comprendre. Notre travail a ceci de bon qu'il nous permet de nous lier à ce qui ne se livre jamais à une circonstance négative. Cela signifie que, lorsque nous nous livrons, lorsque nous nous compromettons à notre insu, nous ne sommes pas conscients de ce à quoi nous nous identifions en cet instant. Le réveil met fin à notre rapport inconscient avec l'aspect du moi qui se livre et qui cherche sans répit des moyens inédits et plus efficaces encore d'y parvenir !

Parfois, certaines vérités me semblent tout à fait sensées et faciles à comprendre. En d'autres occasions, quelque chose en moi leur résiste. Je sais que c'est là une réaction de mon faux moi, mais pourriez-vous m'expliquer un peu mieux pourquoi il agit ainsi ?

Tout savoir supérieur et sa lumière nous paraissent d'abord enveloppés de ténèbres. Nous pressentons la vérité qu'il renferme, mais le moi qui veut s'en emparer fera tout ce qu'il peut pour démontrer qu'il a déjà tout compris. Réfléchissez. À quoi vous sert d'apprendre ce que vous comprenez déjà ? Nous aspirons à de nouvelles connaissances, en tout temps, à chaque instant, mais pour y parvenir, nous devons d'abord mourir à nous-mêmes... et cette mort est bien la dernière chose que veut le faux moi ! Persévérez. Continuez de poser des questions et d'entendre les réponses. Le vrai vous entend. Il vous guidera.

LES CLÉS POUR ÉCHAPPER À LA RONDE DU MOI

La répétition d'un mantra ou le recours à toute autre discipline spirituelle peuvent-ils nous aider à échapper à « la ronde du moi » ?

Pour échapper à la ronde du moi il faut absolument en comprendre la nature. Lorsque nous recourons à des mantras, ou à tout autre moyen destiné à nous permettre d'échapper à la ronde du moi, nous ne faisons que renforcer ce qui nous enferme et que nous voudrions fuir. Nous devons avant tout, maintenant et en tout temps, demeurer présents à nous-mêmes. Lorsque nous concevons ce dessein, la prière, le mantra ou que sais-je, servent notre but, car ils répondent à notre désir de liberté au lieu de nous porter à confondre ces pratiques avec la liberté elle-même.

Ai-je raison de croire qu'à tout instant un moi désirant en nous crée des univers presque concomitants où il tente de s'approprier des « biens » qui le rassurent, le gratifient et lui plaisent ?

Oui. Vous commencez à comprendre le principe de la ronde du moi. Il existe, hors de la vie limitée et transitoire, un autre univers qui façonne notre expérience du temps qui passe.

Lorsque nous devons faire face à une difficulté, le secret de l'« émerveillement » consiste-t-il à prendre du recul et à nous éveiller à toutes les possibilités qui pourraient s'ensuivre ?

Ainsi que je le dis dans mon livre intitulé *Les voies de l'émerveillement*, l'émerveillement permet à l'individu qui poursuit sa quête de comprendre que nous tentons toujours de résoudre nos problèmes en leur apportant des solutions toutes faites, révolues, dont le seul résultat est d'accélérer la ronde du moi. En nous dissociant de notre moi habituel, ou en plaçant celui-ci en suspens, nous aspirons à rejoindre une part plus élevée de nous-mêmes, une part intuitive. *Les voies de l'émerveillement* est un ouvrage qui favorise cet éveil en livrant au lecteur tout un éventail de questions qui facilitent et stimulent ce processus intérieur. Lorsque le défi véritable nous apparaît avec plus de clarté, il nous propose aussi une réponse inédite et plus authentique.

Comment puis-je apprendre à me détacher de mes états émotionnels douloureux ou des pensées affligeantes qui ne me quittent pas ?

Si un fauve surgissait tout à coup dans la pièce où vous vous trouvez, ne sauriez-vous pas d'instinct que faire pour éviter qu'il vous dévore ? Lorsqu'on apprend à discerner les pensées et les émotions qui nous déchirent, il nous est tout aussi facile d'éviter leurs coups de patte.

DÉVELOPPEZ VOTRE DISCERNEMENT AFIN QUE VIVE VOTRE MOI VÉRITABLE

Comment savoir que nos expériences sont issues du Vrai et non pas de notre moi factice ?

Comment distinguons-nous entre un citron et une pêche ? Entre une vraie pomme et une pomme en cire ? Poursuivez votre travail et vous développerez votre aptitude à « sentir » vos états intérieurs. Vous saurez alors distinguer entre les expériences que vous créez vous-même et celles qui vous sont données par un plan supérieur, sur un plan supérieur.

Qu'est-ce que l' « intuition », c'est-à-dire ce qui me fournit des réponses qui ne requièrent aucune rationalisation ? Il y a des réponses que je « connais », même lorsqu'on me ment dans l'intention de me cacher ce que je devine.

L'intuition est l'aptitude innée de « sentir » la vérité. Ce don provient d'un aspect très développé de nous, capable de « qualifier » instantanément une donnée sans avoir à y réfléchir, seulement en entrant en rapport avec elle. Elle « sait » ce qu'elle accueille ainsi et, par conséquent, peut reconnaître la vérité (ou l'absence de vérité) de son expression. Cette aptitude démontre que, plus nous faisons place au Vrai dans notre vie, et plus nous sommes en sécurité en toutes circonstances.

Je crois que je me suis efforcé de surmonter ma nature profonde au lieu de la comprendre et de la libérer. Que pensez-vous d'un tel piège ? Quels indices peuvent nous faire comprendre que nous nous laissons guider par les mauvais aspects de notre personne ?

Votre intuition est juste. Au bout du compte, la connaissance de soi nous révèle que le moi ne saurait exister seul. Plus nous sommes éveillés – c'est-à-dire attentifs à chaque instant et à tout ce que cet instant suppose en fait d'interactions – plus tout nous devient clair. Peu à peu, nous constatons que l'important n'est pas de nous « transformer », mais bien d'accueillir la transformation qui nous vient de ce qui est le fondement même de notre existence réelle. Persévérez. Votre question montre que vous êtes engagé dans la bonne voie !

Si j'en juge d'après mon expérience, il n'est certes pas facile de découvrir notre vrai moi. D'autre part, il n'est pas rare de voir des individus qui subissent une transformation instantanée en participant à des rassemblements «télévangéliques». Pourquoi est-il si difficile de réaliser une transformation intérieure authentique?

Lors de ces «conversions», on assiste en général à une manifestation paroxystique au cours de laquelle l'individu est submergé par des émotions positives ayant trait à la vie du Christ, à la rédemption, etc. Ce qui demeure invisible, cependant, est le fait que ces émotions (toutes les émotions) ont lieu *dans l'instant* – c'est-à-dire qu'elles en viendront à s'estomper. Lorsqu'elles s'estomperont, le beau cygne aimant redeviendra bientôt un vilain petit canard. La transformation authentique peut, certes, naître d'une telle épiphanie, mais pour qu'elle perdure, il nous faut d'abord mourir à nous-mêmes... et cette mort requiert un travail intérieur délibéré et soutenu.

J'ai constaté que ma mémoire a créé un faux moi et que, si je me contente d'observer passivement les rouages de mon cerveau, je prive ce faux moi de l'énergie dont il a besoin pour continuer à vivre. Ai-je raison de rester en retrait et de laisser cette activité mentale et émotionnelle s'éteindre d'elle-même?

Oui. Soyez vigilant. Nous hébergeons deux natures en nous-mêmes, bien que l'une d'elle (l'inférieure) réside au sein de l'autre (la supérieure). Voici, grosso modo, comment les distinguer l'une de l'autre: «Le moi inférieur éprouve toujours une impression d'inachèvement. Il recherche sans répit un sentiment de complétude et, pour ce faire, il se reconfigure en se prenant lui-même pour modèle. Le moi supérieur ne recherche rien: il est déjà achevé.

Supposons que j'admette que plusieurs moi différents agissent en moi. À lequel de ces moi dois-je me vouer lorsqu'ils prétendent tous être le seul moi authentique?

Une meilleure compréhension facilitera votre décision. Certaines parts de nous aspirent au vrai, tandis que d'autres se contentent de vouloir le confort et la satisfaction que nous avons toujours connus. La voie supérieure exige que nous avancions pas à pas vers ce que le moi qui progresse ainsi ressent comme une menace, voire un danger. Mais n'ayez crainte. L'individu qui place le Vrai au-dessus de tout, y compris de sa peur de se tromper, est à l'abri du danger. Efforcez-vous autant que possible de répondre à l'appel du moi dont les visées sont les plus hautes. Ce moi, même s'il n'est pas l'authentique moi, a des ailes. Il vous donnera votre envol si vous suivez sa trace.

Puisque tout résulte de la volonté de Dieu, qu'en est-il du libre arbitre ?

Une femme entre dans une boulangerie. Elle est libre de choisir et de manger tout ce qu'elle désire, du moment qu'il s'agit de pain.

Je commence à croire que la solution à mes problèmes dépend de mon aptitude à entrer en moi-même et à prendre conscience de moi-même dans l'instant présent. Est-ce en observant ses pensées et en étant conscient de soi que l'on s'éveille ?

Ce que vous dites être la solution à tous vos problèmes (entrer en soi) représente le début de la fin du problème. Nous ne recevons de la vie que ce que nous en imaginons. Il nous faut transcender cette conscience fondée sur notre perception actuelle de l'existence. Lorsque nous devenons plus sensibles aux limites de la vie et à l'illusion qu'elle recèle, notre moi entreprend sa transformation. La vraie solution à nos problèmes naît en même temps que naît en nous un moi qui cesse de puiser son identité dans la contemplation de ses pensées.

J'ai noté qu'existent mes pensées (stupides, dans l'ensemble), le vide d'où elles surgissent, et l'observateur qui regarde tout cela avoir lieu. L'observateur et le vide, c'est-à-dire l'espace entre les pensées, sont-ils une seule et même chose ?

Tout individu qui aspire à faire l'expérience d'une vie plus authentique doit pénétrer dans le champ de cette vie. Dans notre quête de connaissance, cela signifie que nous devons sans cesse accepter de laisser en suspens notre désir de conformité, afin de toujours être celui qui « voit » et non pas celui qui veut « avoir raison », agir correctement, etc. Ne vous inquiétez pas de savoir qui est quoi et où. Ces questions n'intéressent que le moi dont nous voulons nous affranchir.

◆ ◆ ◆

DONNEZ L'ÉVEIL À UNE PERCEPTION NOUVELLE, LIBRE DE TOUTE PRESSION

Lorsque nous ouvrons un robinet branché à un tuyau d'arrosage, nous savons qu'il importe de tenir fermement l'ajutage de ce tuyau, sans quoi il s'emballera et ce sera la douche. La pression de l'eau qui traverse l'ajutage transforme un simple tuyau d'arrosage en véritable fusée.

En vous inspirant de cette image, ne voyez-vous pas que, lorsque nous sommes en proie à la colère ou à l'anxiété, le même principe s'applique ? Nous subissons une forte pression sans issue adéquate. Les pensées belliqueuses et les émotions en désordre submergent notre système psychique, nous emportent et nous emballent jusqu'à ce que nous entrions en collision avec le premier malheureux obstacle sur notre chemin.

Au jardin, quand le tuyau d'arrosage s'emballe, il suffit de fermer le robinet ou d'ouvrir l'ajutage pour régler le problème. Mais lorsque notre conscience comprimée atteint un « seuil critique » et nous projette en tous sens, que pouvons-nous faire pour réduire la pression ?

Vous devriez savoir, maintenant, que notre approche habituelle ne nous procure qu'un apaisement provisoire. Nous n'avons pas besoin d'un simple sparadrap, mais d'une guérison intérieure. Cette nécessité nous rappelle une fois de plus, d'une manière différente, le vieux dicton qui dit « Connais-toi toi-même ». Seule une parfaite connaissance de notre état intérieur pourra nous proposer une solution libératrice, sans quoi nous nous soumettons aux pressions intérieures, nous nous plions à leurs volontés au lieu de les dominer.

Pour contrôler les pressions de l'existence, nous devons avant tout comprendre que le stress a son origine *en nous*. La « pression » n'existe pas en tant que telle. Efforcez-vous de comprendre cette réalité.

L'instant présent s'écoule en toute liberté. Rien (sinon sa Source Toute-Puissante) ne contient le moment présent, si bien que rien ne peut non plus le restreindre. La pression que nous « découvrons » et qu'ensuite nous ressentons – en quelque instant que ce soit – ne saurait qu'être le produit d'un agent indépendant et secret qui réside au plus profond de nous. Qui plus est, cette entité contrefaite agit sur le contenu de chacun de ces moments et en limite le flot jusqu'à ce que le paisible ruisseau de la vie ordinaire se transforme en moteur à réaction qui nous catapulte hors de notre paix intérieure.

Lorsque le tuyau d'arrosage s'emballe, nous nous en rendons compte et nous fermons aussitôt le robinet. Mais nous ne pouvons pas « fermer le robinet de la vie » ! Celle-ci suit irrésistiblement son cours. Ainsi, qu'est-ce qui nous comprime, sinon la vie elle-même ? Où se situe l'étranglement qui dévaste notre univers ? Il n'y a qu'une réponse à cette question éternelle, bien qu'on puisse la formuler de plusieurs façons.

Notre esprit étroit et sa vision étroite de l'existence compriment les circonstances de notre vie et les moments où celles-ci se produisent. Ce petit esprit (qu'on ne saurait dissocier du monde étroit qu'il perçoit) ne voit pas les événements de l'existence tels qu'ils sont, mais *tels qu'ils ne sont pas, en fonction de ses exigences inconscientes.*

En d'autres termes, la pression douloureuse que nous ressentons dans cette vie n'est pas due à la nature de la vie même, mais bien à notre perception de ce que la vie *n'est pas.* Un tel jugement de valeur serait impossible à formuler ou à défendre si nous n'hébergions pas en nous un « conseil d'administration » invisible qui a déjà décidé pour nous ce qui nous convient et ce qui nous est néfaste. Mais efforcez-vous de voir la contradiction inhérente à cette découverte et vous vous libérerez de la pression que vous impose cette invisible présence.

Lorsque vous vous mettez « au service » de la pression qui vous comprime intérieurement dans l'espoir de vous dégager d'elle en faisant ses quatre volontés, vous ne servez pas vos propres intérêts, mais bien ceux d'un quelconque petit moi – ce moi qui n'a de cesse de vous répéter que votre plus grande joie consiste à vous punir lorsque le plaisir vous échappe !

La prochaine fois que vous sentirez la pression s'accumuler en vous, faites en sorte qu'elle vous secoue et vous réveille. Regardez en face la réalité qui veut que ce stress qui s'annonce ne *vous* appartient pas. Prenez du recul, tout juste le temps de constater que les pensées et les émotions comprimées ne peuvent naître que d'une vision étroite de la vie, d'un moi étroit, d'un moi factice que vous avez provisoirement et erronément cru vôtre. Ensuite, renoncez tout simplement à cette conclusion naguère inconsciente. En lâchant prise de la sorte, vous vous libérerez de ce moi restreint et de la vie étroite qu'il s'efforce de créer.

CHAPITRE 3

L'importance de l'éveil dans le moment présent

Avec le développement de notre spiritualité, nous prenons de plus en plus conscience que chaque instant de notre vie est à la fois semence *et* fruit de notre expérience.

Cette révélation nous montre que rien ne compte plus que le fait d'être en état d'éveil à chaque instant, car en nous débarrassant de la semence d'un moment de tristesse nous suscitons l'émergence d'un moment plus heureux et plus productif.

Si l'on songe en outre que l'objet de nos aspirations sincères existe déjà, maintenant, ou bien n'existe pas du tout, nous pouvons développer une façon tout à fait inédite d'envisager la vie, et emprunter une voie nouvelle. Celle-ci nous dit que ce que la vie nous donne à chaque instant ne dépend pas de nos désirs, mais bien de notre pleine conscience de l'instant présent. D'où une autre révélation importante : *Seul l'éveil peut nous montrer l'entièreté de notre vie.*

La conscience du moment présent et de nous-mêmes, c'est-à-dire l'éveil, nous entraîne de plus en plus au cœur du sentiment d'entièreté que nous avons cherché partout, sauf là où il se trouve, c'est-à-dire dans l'instant présent et en nous. Mais contrairement aux autres pratiques de développement personnel, par exemple, le perfectionnement de nos aptitudes artistiques et scientifiques, la conscience du moment présent ne s'« apprend » pas. Comment pouvons-nous l'acquérir ?

Pour vivre dans le moment présent, il faut avant tout prendre conscience des conséquences d'une existence calquée sur le passage du temps, de pensées qui nous éloignent de la satisfaction même qu'elles promettent. Je veux dire par là que nous devons être à l'affût des retombées douloureuses d'une connaissance de soi centrée sur ces aspects de nous-mêmes qui se contentent d'observer la vie dans oser y entrer. À mesure que cette nouvelle connaissance de soi prend forme en nous, nous en venons à comprendre l'importance de vivre au cœur de la vie, au lieu même où la vie nous attend, soit dans l'instant présent.

◆ ◆ ◆

L'ÉVEIL : RÉPONSES ET RÉVÉLATIONS

Aujourd'hui, au travail, j'ai constaté que, lorsque je m'efforce de demeurer dans l'instant présent, tout ce qui m'entoure se transforme et acquiert plus de profondeur, de couleur et de beauté.

La vie se colore de la sorte parce qu'une part de l'énergie que vous dilapidiez auparavant peut maintenant faire ce que Dieu désirait qu'elle fasse : vous révéler la profondeur et la beauté de la vie qu'Il a créée à notre intention.

Lorsque je parviens à demeurer dans le moment présent, toutes mes autres pensées s'évanouissent : il ne m'est plus possible de me remémorer le passé ou d'envisager l'avenir. Toute mon attention se fixe sur l'instant présent. Est-ce bien ainsi ?

Oui, c'est tout à fait exact. Mais n'oubliez pas que la contemplation de l'instant présent englobe tout ce qui s'y trouve, y compris le moi qui contemple. L'authentique observation de soi est toujours inclusive, jamais exclusive.

Si nous sommes en tout temps dans le moment présent, cela signifie-t-il qu'aucune émotion négative ne peut pénétrer en nous ?

Les émotions négatives peuvent entrer en nous, mais lorsque nous restons en état d'éveil, ces forces néfastes ne peuvent s'installer à demeure. Un vieux dicton chinois dit : « Les oiseaux du malheur peuvent survoler votre tête, mais qui dit qu'ils doivent y construire leur nid ? »

L'état d'éveil me donne l'impression de flotter au-dessus de mon corps et d'observer ce qui se passe. Est-ce bien ce que vous voulez dire ?

À mesure qu'un individu s'éveille, une scission naturelle se produit et il ressent une indéfinissable impression de détachement. En clair, « être dans ce monde, mais non pas de ce monde » ne signifie nullement que nous soyons littéralement « hors du monde ». Nous devons rester à l'affût des débordements de notre imagination. Un bon indice : votre maîtrise de vous-même est-elle ou non plus sereine qu'auparavant ?

Dans ma quête de spiritualité, j'ai souvent entendu l'expression « regarde et attends ». Que signifie-t-elle ?

En araméen (la langue du Nouveau Testament), « regarde et attends » signifie « reste en état d'éveil ». Notre vie et sa qualité (ou son absence de qualité) dépendent des rapports que nous entretenons à chaque instant avec notre être profond. C'est là que réside notre libre arbitre, notre faculté de « choisir » ce qui accédera à notre conscience. L'état d'éveil nous permet de déceler et de renoncer à tout ce qui s'oppose à la vie réelle, tandis que l'apprentissage de l'« attente » nous révèle que tout *nous traverse* lorsque nous restons aux aguets.

Un individu éveillé est-il conscient, simultanément et en tout temps, de sa respiration, de ses démangeaisons, de ses douleurs, de ses impulsions mentales et émotionnelles ?

Plus nous nous éveillons, plus nous devenons la vie, même lorsque nous voyons que rien de ce qui nous traverse *n'est* nous.

Être en état d'éveil équivaut-il à s'observer de l'extérieur en adoptant le point de vue d'une tierce personne ? Cette pratique semble me hisser hors des images mentales qui m'emprisonnent.

Votre question démontre que vous êtes sur la bonne voie en matière d'auto-observation. Mais n'oubliez pas qu'à mesure que vous progresserez, votre compréhension se hissera sur un plan de plus en plus élevé. Le fait de vous voir ou de vous observer en adoptant le point de vue d'une tierce personne est excellent et nécessaire dans les premières étapes de votre apprentissage. Mais réfléchissez une seconde : vous vous efforcez dans les faits de réagir à un aspect spécifique de vous-même. Encore une fois, nous devons travailler en fonction de notre niveau de compréhension et avec les outils dont nous disposons ; mais l'éveil authentique repousse toute intrusion psychique, de la même façon que la lumière repousse l'obscurité.

Voudriez-vous m'expliquer ce que signifie « se souvenir de soi » ? J'ai entendu parler de ce concept plusieurs fois et il me semble important non seulement de le comprendre, mais encore de le mettre en pratique.

Oui, vous avez raison. Je vais vous aider. Parvenir à se souvenir de soi ne signifie pas penser à soi ou se concentrer sur soi : c'est là ce que font chaque jour la plupart d'entre nous. Le fait de se souvenir de soi est, en réalité, exactement l'opposé de la contemplation de soi. Pour se souvenir de soi, il faut avant tout admettre que vous dormiez, que vous pensiez à la vie au lieu de prendre part à son éveil. Pour le moment, imaginez que le fait de vous souvenir de vous-même consiste à constater que vous êtes en même temps le royaume et les sujets du royaume, et que si ce royaume (la conscience de soi) ignore son existence, s'il ne sait rien de son autonomie tandis que ses sujets s'agitent à l'intérieur de ses frontières, cela signifie que vous vous identifiez totalement à ces sujets et que vous dormez à vous-même. Dans ce sommeil spirituel, les cauchemars sont inévitables ! S'éveiller (tout au moins dans une mesure importante), c'est comprendre qu' « un royaume divisé contre lui-même ne saurait subsister » et que l'on ne devient réellement conscient et apte à participer totalement au miracle de la vie que lorsque ce royaume et les sujets de ce royaume accèdent à notre conscience. Efforcez-vous de vous souvenir de vous. Si vous demandez le secours de Dieu pour y parvenir, vous réussirez, car il vous sera impossible de vous souvenir de vous-même sans vous rappeler que votre vie réside dans la Sienne.

Existe-t-il un lien entre le fait de vivre maintenant et d'adorer Dieu ?

J'aimerais enrichir votre intuition croissante sur le rapport entre l'instant présent absolu et l'adoration de Dieu. C'est *maintenant* que Dieu manifeste Sa vie. Mais cette manifestation et notre conscience de cette manifestation sont deux choses entièrement différentes. Plus nous sommes éveillés maintenant, plus nous prenons conscience de ce à quoi nous sommes associés maintenant. Le besoin et l'amour de Dieu qui se développent en nous sont la manifestation de ce que nous découvrons au cœur de cet instant. Persévérez !

QUELQUES SECRETS POUR VIVRE MAINTENANT

Que faire pour être plus pleinement « conscient » tout au long de la journée ?

Notre conscience et notre attention sont étrangement reliées entre elles. Autrement dit, notre conscience de soi ne saurait surpasser l'attention que nous apportons à l'instant présent. Dans notre forme actuelle, notre attention est le produit de notre être pensant qui est toujours à la poursuite de ses propres objectifs. Tant que nous ne percerons pas à jour cette ronde du moi que notre nature pensante crée et entraîne, la conscience de soi nous échappera. Voilà pourquoi nous devons nous efforcer de nous éveiller pour prendre sur le fait ce moi qui tourne en rond et comprendre l'inutilité de sa ronde. Lorsque cela se produit, et que nous lâchons prise, une conscience supérieure nouvelle nous est donnée sans effort.

À mesure que j'avance dans la voie supérieure, la signification de « l'éveil » m'échappe de plus en plus. Que faire pour m'éveiller de telle sorte qu'il y ait maintenant deux moi, le moi intérieur qui regarde le moi extérieur et qui perce à jour la folie de mon cerveau et de mes pensées ?

Éveillez-vous sur-le-champ. Sachez (sans devoir y *réfléchir*) où vous êtes assis ; prenez conscience de tout ce qui se passe, en vous et autour de vous. Faites régulièrement cet exercice. Renoncez à votre confusion en faveur de la conscience de l'instant présent, une conscience de vous-même qui peut se teinter d'une certaine confusion mais qui n'en est jamais captive. Cet acte intérieur équivaut à renoncer à « soi ».

Que puis-je faire pour m'aider à acquérir une meilleure connaissance de moi-même qui transformera ma vie ? Je veux être éveillé, mais je ne sais trop comment persister dans cette aspiration.

Efforcez-vous d'entrer dans cet état d'éveil aussi souvent que possible pendant la journée. Voici quelques petits trucs qui vous y aideront : prévoyez quelques tâches simples de sorte que, pour les accomplir, vous devrez absolument vous souvenir de vous-même. Par exemple, à la maison ou au bureau, remarquez que vous tendez la main vers le téléphone quand il sonne. Lorsqu'on vous remet un objet, sachez que vous vous en emparez. Essayez d'éteindre la radio ou la télé juste au moment où l'émission en cours vous captive : vous vous réveillerez ! Plus vous réglerez en vous-même la sonnerie d'un grand nombre de réveille-matin, plus de tels éveils vous deviendront possibles.

J'essaie de me souvenir de moi-même aussi souvent que possible et de faire durer cette prise de conscience tant que je le peux, mais je retombe inévitablement dans mes pensées et

j'oublie de recommencer. Pouvez-vous m'aider à implanter en moi-même des réveille-matin intérieurs efficaces?

Si étrange que cela puisse paraître, il est essentiel que vous (et quiconque s'efforce de demeurer en état d'éveil) perciez à jour votre forte tendance à vous oublier. Elle a plusieurs causes. Pour commencer, comprenez qu'au début de notre apprentissage la pensée nous sert à dévoiler la pensée. Cette méthode est vouée à l'échec. Mais nos tentatives et notre persistance se traduisent par de nombreuses révélations sur la nature réelle de la pensée, notamment son inaptitude au silence! Ces aperçus particuliers sont précisément le but de notre quête. Persistez.

LES PIÈGES ET LES PROMESSES DE L'ÉVEIL

Pourquoi nous est-il si difficile de vouloir nous éveiller?

Tout individu qui veut quitter le rêve du moi doit avant tout comprendre en quoi consiste la nature du «premier né». Ce moi spirituellement endormi dort en lui-même, à lui-même et au monde qui l'entoure. Il traverse l'existence dans un rêve qu'il confond avec sa vie. Cette nature rêveuse se satisfait de passer du cauchemar au plaisir. Nous devons comprendre qu'une nature rêveuse tient entre ses mains notre vie – telle que nous la connaissons – et refuse que nous la dérangions. À mesure que nous prenons conscience de cet état intérieur, le plus difficile n'est pas de nous réveiller, mais bien de *continuer* à dormir (ceci est difficile pour nous et pour tous ceux qui nous entourent). Cette prise de conscience de soi, supérieure et inédite, est le germe d'une nouvelle forme de lutte intérieure dont les fruits seront, entre autres, la satisfaction, la confiance et la compassion. Allez! Au boulot!

Est-il vraiment possible de vivre maintenant en tout temps, ou cela exige-t-il de nous une lutte constante?

C'est une lutte constante, mais rassurez-vous: il vient un temps où le vrai entre en scène et vous aide à faire le pas que vous pensiez ne pas pouvoir faire.

Une infatigable détermination à pratiquer la conscience chaque fois que nous en faisons l'expérience (et le plus longtemps

possible) est-elle le seul moyen à notre disposition pour susciter la présence en nous, plus fréquente et plus soutenue, de ces états de vie?

Non. Cela ne représente qu'une infime partie de la voie supérieure. Certes, nous pouvons favoriser la fréquence et la durée des moments au cours desquels nous atteignons un état d'éveil supérieur. Mais c'est surtout ce que nous percevons (à notre sujet) en ces moments qui est une révélation et qui transforme notre existence en nous aidant à entrer dans une vie d'éveil qui ne requiert plus aucun effort.

Il me semble être encore la proie de mes appréhensions quant à l'avenir. Parviendrai-je à réaliser mes objectifs? Suis-je dans la bonne voie? J'ai l'impression de tourner en rond et de toujours revenir à mon point de départ, soit la peur. Je m'efforce de demeurer dans l'instant présent, mais le doute me gagne de nouveau. Qu'est-ce que je n'ai pas compris et que je dois comprendre qui redressera la situation et mettra fin à mon manque de confiance?

Tout le jour, chacun de nous fait ce qui lui importe. Le moi qui croit ne pas vouloir avoir peur éprouve de la difficulté à comprendre cela; néanmoins, nous nous engageons dans ce qui comble notre moi au point actuel de son développement. La solution consiste à comprendre que la peur ne peut rien faire d'autre que nous promettre de nous libérer d'elle si nous nous soumettons à ses ordres. À mesure que nous prenons conscience de ces états intérieurs détestables, cette prise de conscience accroît notre compréhension de leur vraie nature et nous aide à nous détacher des émotions que ces états suscitent en nous. Il est merveilleux de pouvoir surpasser notre nature vile. C'est possible. Persévérez.

Je me suis efforcé de devenir de plus en plus conscient de moi-même. Résultat, j'ai constaté que je suis profondément endormi! Je commence à comprendre que tout effort de volonté m'est impossible dans ce profond sommeil psychique. Que faire?

Votre découverte est juste et vous aidera à devenir une personne entière. L'une des étapes les moins bien comprises, mais indispensables, de ce processus consiste à découvrir l'étendue de notre fragmentation. Tels que nous sommes, nous représentons un carrousel de moi distincts qui ne se connaissent pas entre eux. Quand cette notion nous devient claire, nous mettons notre énergie au service de la conscience de soi au lieu de satisfaire le moindre caprice de nos multiples moi errants. C'est dans cette conscience que nous pouvons découvrir l'entièreté de vie que nous recherchons.

Il m'est plus facile de vivre dans l'instant présent pendant la journée que pendant la soirée. Pourquoi?

Nous dilapidons l'énergie dont nous avons besoin pour rester éveillé. Plus nous sommes à l'affût de nos intrus intérieurs pendant la journée, plus notre vigilance se mettra à notre service (et nous récompensera) le soir venu.

Est-il plus facile de rester éveillé et de demeurer dans l'instant présent si nous nous efforçons avec constance de rester éveillé?

Gardez toujours en mémoire la notion qui suit; elle vous aidera dans les moments difficiles: le travail intérieur que vous faites emprunte simultanément deux directions (et ce, pendant plusieurs années). Pendant quelque temps, plus vous vous efforcez de rester éveillé, plus vous avez l'impression de dormir. Mais si vous persistez en dépit de ces hauts et de ces bas, vous constaterez que tous ces moments (d'éveil supérieur ou de sommeil profond) répondaient à un objectif secret que vous ne pouviez pas connaître auparavant. Tout votre travail a pour but de vous faire comprendre que vous ne possédez rien si l'Être suprême ne vous accorde pas sa grâce. Nous essayons forcément pendant des années de maîtriser l'état d'éveil et nous découvrons au bout du compte que, pour qu'il entre dans notre vie, c'est lui qui doit prendre possession de nous.

J'ai lu ceci récemment: «Si je te comprends mieux que tu ne te comprends toi-même, je puis faire de toi mon esclave.» Si j'ai bien saisi, un individu éveillé peut tirer parti de son état d'éveil pour assujettir quelqu'un d'autre. Comment pouvons-nous prendre conscience d'un tel esclavage si nous dormons encore à moitié?

Réfléchissez à ce qui suit : à tout moment, la vie et les autres ne nous donnent que ce que nous avons souhaité d'une manière ou d'une autre. Ce pacte est une condition de notre éveil et dépend de celui-ci. Autrement dit, plus se renforce notre conscience, moins il nous est possible d'entrer dans une relation autodestructrice.

À chaque fois que je parviens à m'éveiller tant soit peu à moi-même, j'ai soudainement un peu sommeil. Je sais que c'est contradictoire. Qu'est-ce qui provoque cet engourdissement qui me saisit juste au moment où je voudrais être le plus possible en état d'éveil ?

Tout effort pour vous éveiller incite les parties de vous qui veulent continuer à dormir à vous attaquer avec les seules armes qu'elles possèdent : la confusion, le doute, la fatigue, le sommeil. Souvenez-vous de ce qui suit : tous nos états négatifs sont des réflexes qui, par conséquent, tirent leur vitalité du temps et de l'énergie qu'ils nous dérobent. Persistez dans votre désir d'éveil. Acceptez de subir les assauts et les récriminations (naturelles) de ces forces encore inconscientes. Avec le temps, ces états s'estomperont. Ce dont vous faites l'expérience vous aidera peut-être à comprendre le sens profond des paroles du Christ : « Bénis soient ceux que l'on injurie en mon nom. »

J'éprouve beaucoup de difficulté à m' « éveiller », car ma capacité d'attention est très déficiente. Suffit-il de persister ?

Lorsque nous sommes déterminés à nous prendre en flagrant délit de sommeil, nous supplions le vrai de nous aider à faire ce que nous n'avons encore jamais été aptes à faire pour nous-mêmes. Une seule chose continue de nous échapper pendant de très nombreuses années, tout simplement parce que nous tendons à aborder ce travail intérieur avec rationalité : la réalité, si belle et si régénératrice, de l'existence de Dieu et du vrai. Cette réalité suprême est notre amie sincère et une source de courage qui nous soutient dans notre recherche du bien que cette réalité renferme.

◆ ◆ ◆

ENTREZ DANS LA SÉRÉNITÉ DU MAINTENANT

S'éveiller à soi-même, c'est parvenir à un tout nouveau niveau de conscience de soi. Notre connaissance de soi ne se limite plus à l'idée que nous nous faisons de nous-mêmes ; nous savons maintenant que cette autodéfinition ne représente qu'un infime aspect de la personne que nous sommes en réalité. Il est donc possible d'affirmer que l'éveil *naît* de notre aptitude à constater que nous *dormions dans un état pensant.* Observons ce concept autrement : dormir spirituellement signifie que nous n'avons pas conscience de nos pensées et que nous sommes persuadés d'être nous-mêmes ces pensées et ces émotions. Un tel sommeil a d'importantes répercussions.

Lorsque nous ignorons que nous pensons, ce sont nos pensées qui décident à *notre* place. Ceci explique pourquoi nous travaillons si souvent à notre propre perte !

Si nous ajoutons à cela que notre vie se déplace à la vitesse de nos pensées, nous comprenons pourquoi il nous arrive si souvent de nous écraser au sol. Il n'y a pas de pilote à bord ! Quand cette révélation se confirme en nous – c'est-à-dire lorsque la partie de nous qui peut voir *au cœur* de cette idée et non pas *à partir* de cette idée – nous optons pour un choix de vie entièrement nouveau. Nous aspirons à nous éveiller à nous-même plutôt que de rechercher le réconfort des rêves que suscite notre nature pensante. Nous sommes beaucoup plus disposés à découvrir où nous nous endormons à nous, en nous.

Lorsque nous sommes parfaitement éveillés, tout à fait dans l'instant présent, nos pensées ne peuvent pas nous accompagner dans le « maintenant ». Il suffit que nous soyons disposés, fût-ce de façon minime, à entrer dans le présent absolu pour faire l'expérience d'un maintenant serein, sans cesse renouvelé et affranchi de toute pensée.

Dans ce royaume supérieur, hors du temps, nous sommes libres de *ne pas faire* ce qui ne nous apparaît plus valable. Par exemple, rien ne sert de revivre, encore et encore, le passé. Rien ne sert d'appréhender l'avenir, car dans l'ici et le maintenant, l'avenir cesse d'exister. En gardant tout ceci présent à l'esprit, faites les exercices qui suivent : ceux-ci vous aideront à vous éveiller et à demeurer dans un maintenant serein.

Lorsque, soudainement, vous vous rendez compte que vous vous êtes éveillé à vous-même, votre première tâche intérieure (outre à accueillir cet éveil) consiste à tenter de demeurer au cœur de cette présence qui vous élève.

La difficulté réside toutefois dans le fait que cette infime part de vous qui vient de s'éveiller se voit aussitôt subjuguée par vos moi endormis. Ceux-ci vous renvoient illico à votre sommeil psychique inconscient. Voilà pourquoi, lorsque vous vous sentez un peu plus éveillé qu'il y a un instant – où que vous soyez et quoi que vous soyez en train de faire – alignez-vous au plus tôt, et délibérément, sur cette irruption de lumière intérieure. Rendez-vous à sa volonté de vous tenir en éveil. Trouvez des façons de la faire perdurer en vous en accueillant les moments que votre éveil vous a offerts. En d'autres termes, faites l'impossible pour rester éveillé.

Pour développer l'aptitude à l'éveil de soi, sachez que, lorsque certains types de pensées ou d'émotions vous submergent, ils s'accompagnent de caractéristiques connues dont la familiarité vous berce. Lorsque vous détectez la présence de ces agents, faites un effort conscient pour ne pas vous rendormir. Refusez de vous « reposer » dans le réconfort de ces sensations familières.

Vous pourriez en outre, de propos délibéré, vous adresser aux autres en ralentissant imperceptiblement (pour eux) votre débit. Ainsi, pendant votre conversation, vous parviendrez à regarder en vous-même et vous ressentirez les pensées qui filent à leur propre rythme. La perception consciente (pour vous) de ce contraste vous aidera à rester en état d'éveil. Au lieu de vous rendormir et de sombrer dans les mêmes erreurs, vous aurez accès à de nouvelles révélations sur le Vrai qui réside en vous.

Aussi souvent que possible (par exemple, maintenant), prenez conscience de vous-mêmes, de vos rapports intérieurs. Cette prise de conscience de votre rapport au contenu de l'instant présent modifiera aussitôt ce rapport. Réveillez-vous de cette façon autant de fois que nécessaire : un nouveau dynamisme supérieur et les sensations qui l'accompagnent s'installeront en vous avec bonheur.

CHAPITRE 4

Au-delà des limites de la pensée

Si vous parvenez à comprendre le phénomène d'escalade que révèlent les faits ci-dessous, vous verrez immanquablement pourquoi notre développement intérieur doit occuper la première place, même lorsque nous sommes submergés par les exigences auxquelles nous soumet le monde dans lequel nous vivons.

Chaque jour, des millions de cellules du corps meurent et se renouvellent. Certaines d'entre elles mettent quelques heures à peine à se régénérer, d'autres le font en quelques jours, tandis que d'autres encore requièrent une période de temps plus longue pour y parvenir, mais toutes parcourent l'inévitable cycle de la vie et de la mort. La science nous apprend que la plus longue période de longévité d'une cellule corporelle est de dix ans. Cela signifie que « vous » vous renouvelez physiquement à chaque décennie. Ce fait devrait suffire à nous rendre prudents et consciencieux en ce qui concerne notre alimentation. Mais là n'est pas le fin mot de l'histoire.

Notre corps se renouvelle constamment. Cela signifie donc qu'il est toujours « en devenir ». Qui plus est, sa « substance » (qui détermine notre bien-être physique) n'est pas immuable, en dépit de ce que nous disent nos sens. Bref, non seulement notre corps se compose-t-il de ce que nous consommons, il se renouvelle aussi en fonction de nos choix alimentaires.

Ce « devenir », qui est vrai pour notre vie physique, ne l'est-il pas doublement lorsqu'il s'agit de notre vie spirituelle ou intérieure ? Sur le plan spirituel, chaque instant de notre existence nourrit la vraie vie en nous, ou agit de façon à nier ce grand dessein.

Si nous avions « des yeux pour voir » le royaume invisible de notre existence, nous constaterions que toute pensée (et les conséquences de cette pensée) que nous accueillons avec insouciance forme en nous des « cellules » spirituelles qui sont le fondement de notre « moi » et de son expérience. Ainsi, nous devenons dans l'éternité ce que nous voulons « être » dans cette vie.

Cette révélation, de même que ses répercussions, justifient que notre objectif principal soit de nous éveiller de plus en plus à nous-même, quel que soit le monde dans lequel nous vivons. Cela étant, voici une autre révélation importante : vivre dans la lumière de notre désir d'éveil équivaut à opter pour l'éveil. N'oubliez jamais que cette révélation est à la fois une nourriture et notre corps véritable. Rappelez-vous en outre que notre être a été créé pour vivre au cœur même de la lumière qui le nourrit.

◆ ◆ ◆

DU BON USAGE DE LA PENSÉE

Pourriez-vous me dire quel serait le rapport idéal entre nous et notre nature pensante ?

La pensée doit servir un cerveau qui fonctionne correctement, c'est-à-dire un intellect qui agit dans le bon ordre des choses. Il importe de comprendre que notre vie sur terre est l'expression d'un rapport parfait. Tout comme les rameaux de la vigne tirent leur vie de la vigne même, ainsi notre esprit et notre nature pensante reçoivent-ils la leur de l'Esprit. Une fois rétabli cet ordre des choses, ou, mieux dit, une fois qu'on y redécouvre la source de la vie réelle, le moi qui accueille ce nouvel ordre des choses n'est plus la proie des inquiétudes qui, jusque-là, gouvernaient sa vie. Ses pensées ne peuvent plus le subjuguer ou le troubler, de la même manière que le conducteur d'une voiture ne craint jamais que le moteur du véhicule puisse soudainement prendre le contrôle du volant.

Comment pouvons-nous faire appel au cerveau pour l'inciter à penser dans le Vrai ?

Tout d'abord, la vraie question n'est pas « Comment puis-je faire appel à mon cerveau pour l'inciter à penser dans le Vrai ? » mais bien « Qu'est-ce qui, en moi, me prive de mes facultés rationnelles ? ». Les émotions en bataille embrument la pensée ; il en résulte une masse confuse et de la souffrance. Cette souffrance aspire à se libérer d'elle-même ; la pensée – n'importe quelle pensée – est le véhicule de sa fuite. Efforcez-vous autant que possible de rejeter les émotions néfastes qui envahissent votre pensée. En d'autres termes, ne leur permettez pas de dominer votre cerveau. Commencez donc par ce travail intérieur. Si vous adoptez cette approche peu complexe, l'Intelligence vous sera révélée et ses pouvoirs naturels entreront en action.

Quel est le rôle de la pensée dans cette voie ? Devrions-nous nous taire et nous contenter d'observer, ou devrions-nous aussi recourir à la pensée consciente pour nous examiner ? Il me semble que le fait de réfléchir à nos problèmes nous pousse à tourner en rond, car, puisque ces pensées sont le produit d'une entité confuse, elles sont forcément dépourvues de la compréhension nécessaire. Or, devons-nous renoncer à la pensée et nous contenter de nous observer en silence ?

La pensée ne saurait résoudre un problème créé par la pensée. Ceci équivaudrait à faire mauvais usage de la pensée. Mais il ne faut pas non plus jeter le bébé avec l'eau du bain. La pensée peut découvrir en toute logique qu'elle se crée elle-même en même temps qu'elle crée les problèmes qu'elle cherche à fuir, et qu'il ne lui sert à rien de chercher sa libération en elle-même. Raisonner ainsi, c'est faire bon usage de la pensée.

Il me semble évident que quelque chose cloche dans ma façon de penser, mais je ne parviens jamais à circonscrire correctement ce problème. J'apprécierais toute suggestion visant à m'aider à « redresser » ma pensée.

La pensée est un outil merveilleux qui nous a été donné dans un but à la fois pratique et créateur. Au-delà de ce but, elle devient l'un des rouages d'une machine qui sert à construire le faux moi. Surveillez vos pensées. Si elles sont douloureuses, admettez-le et efforcez-vous de repousser celles qui vous occasionnent de la souffrance. Elles tenteront de vous convaincre qu'elles veulent vous délivrer, mais si vous envisagez correctement cet état intérieur, vous verrez que la souffrance existe parce que ces pensées sont parvenues à vous entraîner dans leur confusion. Plus vous verrez clairement votre monde intérieur, plus il vous deviendra facile de vous en débarrasser et de vous débarrasser des pensées négatives qui en sont responsables.

Devons-nous aspirer uniquement à la pensée pratique ?

Oui et non. Ce ne sont pas les pensées en soi qui nous limitent, mais bien notre identification à ces pensées et le sentiment d'identité qui résulte de cet acte inconscient. Il serait terrible de ne pas jouir des pensées qui sont l'expression spontanée de la prière, de l'amour et de l'élan créateur. Nous devons nous efforcer de rester éveillé. L'esprit éveillé à lui-même refusera toujours de se limiter ou de se détruire.

J'aspire à percer le « voile », et il me semble parvenir à comprendre (du moins, à un certain niveau) la nécessité de lâcher prise. Mais plus je m'y efforce, plus cela est difficile. Je suppose que la pensée fait partie du problème, mais comment peut-on se transformer sans réfléchir ?

Il y a en vous une autre nature, cachée pour l'essentiel, qui n'a nul besoin de « réfléchir » pour comprendre. Voici un exemple concret de cela : si un ours faisait tout à coup irruption dans votre chambre à coucher, vous agiriez sans réfléchir. Votre instinct de survie réagirait bien avant votre intellect. Ce fait vaut également pour la vie spirituelle. Une part de vous est capable de constater la présence de tous ses prédateurs intérieurs. Lorsqu'on perçoit intérieurement la réalité, on chasse sur-le-champ les pensées torturantes.

DÉCOUVREZ LA SOURCE SECRÈTE DE LA PENSÉE

Parvient-on un jour à faire la distinction entre ce que l'esprit nous dit et ce que Dieu ou le Vrai nous disent ? Comment faire cette distinction ?

Commencez par tenir compte de ce qui suit, mais n'oubliez pas que Dieu établit Ses propres règles. Les réponses supérieures, celles qui nous transforment, n'empruntent pas le même chemin que les pensées et les émotions. Lorsque le Vrai nous « parle », il n'a pas de voix : c'est son silence qui est éloquent.

Il m'arrive de voir mes pensées pour ce qu'elles sont et de ne pas croire à ce qu'elles me disent. Malgré tout, lorsque je m'adonne à la méditation, certaines pensées font irruption dans mon cerveau ; elles me disent que mes progrès sont trop lents et que je dois me hâter ! Pouvez-vous m'aider à comprendre les raisons de cette anxiété et m'indiquer comment je puis m'en débarrasser ?

Voici quelques indications à suivre lorsque vous méditez et aussi dans vos activités quotidiennes : nous ne nous efforçons pas de prendre le contrôle de nos pensées ou de les dominer, ni même de les influencer lorsqu'elles nous traversent. Le mot clé est « traverser », car c'est là la fonction de la pensée. Lorsqu'une pensée capte notre attention, nous nous demandons aussitôt ce que nous devons « en faire ». Cette interrogation lui insuffle la vie, répondant ainsi à son désir plutôt qu'au nôtre ou à celui de la vie. Or, lorsqu'une pensée vous dit de vous hâter, n'en faites rien. Apprenez à la regarder s'épuiser d'elle-même.

Comment différencier notre tête de notre cœur ?

Asseyez-vous et efforcez-vous le plus possible de ne pas bouger. Observez-vous. Tentez de différencier ce qui est une pensée et ce qui est une émotion. Détournez votre attention du contenu de la pensée qui vous traverse vers la conscience du moi traversé par cette pensée. Cette faculté de discernement vous viendra peu à peu. Efforcez-vous de développer cette aptitude au guet intérieur qui vous aidera à comprendre que vous êtes le « havre » de la pensée et non pas les remous que la pensée provoque en « vous » parcourant.

J'ai entendu parler d'un concept spirituel qui me plaît beaucoup: « L'univers s'adressera à toi si tu cesses de t'adresser à toi-même. » Pourriez-vous développer cette image de l'univers qui nous parle?

La vraie vie est faite de rapports, de communication constante. En apprenant à lâcher prise – ce qui équivaut à constater le vide inhérent de nos dialogues intérieurs – le cerveau se tait spontanément. À mesure que le moi se laisse imprégner par ce silence, un contact a lieu (il fait déjà partie du moi) qui favorise un dialogue cosmique.

Que nous faut-il pour que notre cerveau bavard en vienne spontanément à se taire sauf lorsque son intervention est indispensable à la résolution de problèmes pratiques?

Comme pour tout le reste, voyez vos pensées pour ce qu'elles sont et non pour ce qu'elles prétendent être et vous apporter. Le silence suivra.

Comment préserver un juste équilibre entre les oppositions suivantes: fermeté et souplesse? Fermeté signifie: ferme ton esprit, concentre-toi sur tes tâches immédiates, prends une décision et agis. Souplesse signifie: garde l'esprit ouvert, aie une vision d'ensemble, apprécie, apprends, grandis. Comment savoir quelle méthode est la meilleure?

Votre question souligne un aspect important de la nature de la pensée. Pourquoi la fermeté et la souplesse devraient-elles mutuellement s'exclure? Songez à l'eau d'un ruisseau. Qu'y a-t-il de plus constant et de plus souple qu'un ruisseau? Il est dans la nature de notre niveau actuel de compréhension, de nos pensées conditionnées, de ne voir que la droite et la gauche, le dessus et le dessous, le oui et le non. C'est là que se situe notre problème intérieur véritable. L'intelligence vraie, c'est la fusion de la fermeté et de la souplesse. Si nous acceptons de faire ce travail intérieur, nous devons entrer en contact avec cette intelligence supérieure. Bien entendu, il faut pour cela que nous prenions conscience de l'aspect mécanique de notre perception et que nous nous en débarrassions.

Au cours de mes études spirituelles, je me suis laissé dire que nous faisons erreur si nous demandons « pourquoi » ceci ou cela. J'aimerais savoir pourquoi cela est vrai, si c'est vrai.

Il est sain de se demander « pourquoi », car cette question contribue à l'éveil de nos facultés intuitives endormies. Mais... il faut tenir compte du « pourquoi » qui présume de la réponse que notre moi conditionné recherche. Dans ce cas, il ne s'agit pas d'un « pourquoi » authentique, mais bien d'un secret « Je te l'avais bien dit ! » qu'exprime notre « faux » moi. Il y a aussi un « pourquoi » geignard. Lorsque notre « pourquoi » est juste, nous savons que l'entité qui pose cette question ne saurait aussi y répondre. Lorsqu'on parvient à comprendre cela et à agir en conséquence, le silence qui s'ensuit favorise la germination de réponses supérieures.

Est-ce notre cerveau qui transforme notre énergie en pensées, ou ces pensées sont-elles déjà créées par quelque chose d'autre ?

Les pensées naissent du passé révolu (notre éducation) et du flot ininterrompu des énergies nouvelles qui nous traversent.

Il est souvent difficile de distinguer les pensées authentiques des pensées factices. Pouvez-vous m'indiquer un moyen de faciliter ce processus ?

Voici un petit truc qui vous aidera à distinguer entre les pensées authentiques et les autres. Efforcez-vous de noter les différences entre les pensées (et vos émotions) qui se mettent à votre service et celles qui vous pillent. Deux types de pensées nous sont utiles : primo, les pensées pratiques de la vie quotidienne, et secundo, les pensées supérieures qui nous aident à nous comprendre et à comprendre la vie. Les pensées qui nous pillent sont celles qui ne respectent pas leurs promesses. Par exemple, les pensées anxieuse nous pillent. Elles nous assurent que, si nous leur obéissons, nous échapperons à la punition de l'anxiété. Mais ces pensées ne mettent pas fin à l'anxiété ; elles maintiennent en vie l'inconscient où l'anxiété a pris racine.

D'où sortent-elles, ces pensées et ces idées qui se font passer pour les nôtres?

Ce n'est pas facile à comprendre. Nos pensées «vivent» à l'extérieur de nous. Certaines de nos pensées sont les expressions spontanées de notre activité cérébrale; d'autres datent des temps immémoriaux. Quoi qu'il en soit, nous avons pour tâche de nous réveiller et de commencer à vivre en fonction de la nature supérieure qui nous habite et qui sait reconnaître la véritable essence de la pensée. Nous devons mettre fin à nos comportements actuels, car c'est par eux que la pensée nous dicte qui nous sommes.

Il y a quelques jours, j'ai perçu un étonnant mouvement intérieur. L'espace d'un bref instant, je suis parvenu à me libérer de la pensée et à m'éveiller. Le fait de ne plus associer mon sentiment d'identité à mes pensées fut pour moi une expérience très éclairante. Mais je me suis rendormi aussitôt et je me suis mis à réfléchir à cette expérience. Une voix intérieure m'a dit: «Ce fut terrifiant; mieux vaut éviter de tels moments à l'avenir.» Et soudain, j'ai compris que ce qui avait peur était cette part de moi qui régente ordinairement ma vie et qui ne peut continuer à exister dans de tels instants. Cela m'a abasourdi! Quoi qu'il en soit, certaines parts de moi continuent de croire que je rate le train ou que je suis de glace si je ne suis pas constamment en train de penser, par exemple, à ma petite amie. Pourriez-vous éclaircir un peu ces incursions dans un territoire inconnu et apparemment détaché?

Votre description est exacte. Chaque fois qu'un individu perçoit momentanément un univers que sa nature pensante n'a pas créé, cette même nature pensante y fait irruption et s'en empare ou se dit terrifiée de cette occurrence. Vous avez compris que c'est votre nature pensante qui agit ainsi. Persévérez. Que croyez-vous que vos pensées vous disent lorsque vous entrez dans un univers qu'elles ne dominent pas et auquel elles n'ont pas accès? Elles vous crient: «Danger!» *Laissez-les s'égosiller!*

Lorsque je m'éveille au moment présent (cela m'est de plus en plus facile), j'entends une petite voix qui m'enjoint de retourner à mes «pensées». Elle me culpabilise si je ne fais pas illico

marche arrière. Quelle est donc cette part de moi qui agit ainsi ? Si je le sais, saurai-je aussi quel comportement adopter ?

Nous sommes des êtres dotés d'une nature pensante et d'une nature spirituelle. L'important est que la pensée n'est « en rapport » qu'avec la pensée. Ce rapport mental est l'essence même du moi. Le moi veut prolonger le moi. Il y parvient en investissant le cercle vicieux de la pensée qui se contemple à son insu. Comprendre la gravité de cette nature équivaut à comprendre qu'elle est toujours portée à ne penser qu'à elle. Plus cela vous deviendra clair, plus il vous sera facile de quitter la ronde infernale du moi.

L'OBSERVATION, L'ATTENTE ET LA QUÊTE DU SILENCE MENTAL

Au point où j'en suis dans ma quête du Vrai, je prends conscience de mon besoin croissant de solitude, mais je devine que le simple isolement ne m'apportera pas une réponse satisfaisante. Ce que je veux, en réalité, c'est être seul intérieurement, mais je ne sais que faire pour y parvenir.

La solitude intérieure prend forme quand nous constatons intérieurement que les voix qui nous parlent en se faisant passer pour nous (c'est-à-dire nos pensées, nos élans, même nos conversations) ne sont pas nous. Nous sommes jusqu'à présent habitués au sentiment de présence que ces pensées nous procurent. Avec le temps, vous saurez que ces mouvements mentaux ont un but égoïste qui consiste à perpétuer le moi pensant ; mais cette perpétuation est contraire au travail spirituel. Plus cela nous devient clair, plus nous nous détournons de cette nature et plus nous nous rapprochons de la solitude intérieure.

Je sais que vivre dans l'ici et le maintenant est très important. Mais que fait-on lorsque notre curiosité nous distrait en nous bombardant de questions intéressantes à tout propos ?

La solitude est essentielle à notre progrès spirituel. Ceci ne veut pas dire que nous devions délaisser nos amis, mais bien que nous devions nous méfier de la présence intérieure qui ne veut pas nous quitter. Certes, ces intrus nous posent des tas de questions passionnantes et nous remplissent d'enthousiasme, mais la transformation que nous recherchons, nous ne la trouverons pas en leur compagnie. En guise d'exercice, et afin de discerner si ces présences intérieures sont réellement «amicales», refusez, pendant au moins quarante-huit heures, d'être attentif aux destinations où elles cherchent à vous entraîner. Apprenez à rester aux aguets et fuyez délibérément cette relation intérieure. Vous avez de grandes leçons à tirer d'un tel exercice. Persistez.

Pouvez-vous m'expliquer davantage l'écart qui sépare la pensée de l'action? Au début (il y a de cela des années), cet écart me paraissait vide. Maintenant, de temps à autre, on dirait qu'il s'emplit de lumière; en d'autres temps, il semble fait d'amour tendre. Ces perceptions différentes sont-elles dues au filtrage de mon cerveau?

Le plus difficile pour un individu qui s'observe est de demeurer en retrait, de se détacher du désir familier et commun à tous de trouver une signification à cet instant. L'auteur Vernon Howard a dit un jour: «Le paradis, c'est l'écart compris entre deux pensées.» Lorsque nous relions ce concept à l'habitude que nous prenons de nous interposer intérieurement entre la pensée qui surgit et l'action que celle-ci commande, nous entrons dans le royaume intemporel et libre de toute pensée qui réside au cœur de notre conscience. Si vous vous efforcez d'y rester, tout un éventail d'occurrences intérieures inédites et valables se révéleront à vous. La clé consiste à ne pas puiser dans les répercussions de ce travail intérieur spécifique une seconde identité. Réveillez-vous à répétition et ne réfléchissez pas aux conséquences de vos efforts. Ce n'est guère facile, mais cela en vaut vraiment la peine.

Parfois les circonstances nous traversent, et il nous faut attendre sans agir. L'immobilité et l'observation passive sont des attitudes admirables. Pourriez-vous développer cette idée?

Vous êtes sur la bonne voie. Tous nos états mentaux et émotionnels sont des formes d'énergie qui, ayant pénétré le moi, ne peuvent décider par elles-mêmes d'y rester. Plus vous décèlerez le caractère provisoire de ces états et des moi qu'ils créent, plus la paix vous habitera.

J'aime l'idée de pouvoir voir quelque chose ou quelqu'un sans toujours m'identifier à ce que je vois. Comment puis-je développer encore davantage mon désir de me dissocier de ma vision habituelle et du moi auquel celle-ci semble donner naissance ?

Voir quelque chose ou quelqu'un sans s'y reconnaître est un exercice magnifique. Avec un peu de pratique, nous apprenons à comprendre notre vie sans devoir recourir à la réflexion pour lui trouver un sens. Commencez dès maintenant. Réveillez-vous et regardez autour de vous. Ce faisant, observez ce que vous voyez tout en restant conscient des pensées qui s'efforcent de décrire ce que vous voyez ou de définir l'être (vous) qui se livre à cette observation. Comprenez-vous que ces pensées sont inutiles à la compréhension du moment présent ou de tout ce qui s'y trouve ? Si vous faites consciencieusement cet exercice, vous pourrez faire face à des circonstances ou rencontrer des gens sans tenir compte de leur aspect extérieur, et vous saurez spontanément quelle attitude prendre sans devoir y réfléchir.

Ma question concerne ce qui se produit lorsque j'affronte des circonstances données sans m'y identifier et sans répondre à mes questions. Il me semble qu'aucune réponse ne se présente quand j'en aurais besoin, si bien que je dois quand même me fier à mes pensées (ou au hasard), sans quoi, rien ne se résout. Qu'est-ce qui me fait défaut ?

Rien ne vous fait défaut, sinon (peut-être) la volonté de tolérer le vide qui s'installe entre la disparition d'une réponse réfléchie et la manifestation de la connaissance intuitive. Cet espace, ce laps de temps pendant lequel nous avons soudainement l'impression d'être « stupide », nous devons appendre à l'observer avec la même rigueur que les moments qui le précèdent. Bien entendu, si vous êtes en pleine réunion d'affaires, vous devriez avoir en mains les solutions qui s'imposent. Mais si vous décrivez des occurrences sociales, ne vous occupez pas de l'opinion des autres. Votre seule responsabilité, en ces occasions (comme en tout autre occasion), est de vous efforcer d'apprendre le plus possible à vous connaître.

Le matin, dans les minutes de calme solitude que je me réserve avant que les autres membres de la famille ne soient levés, j'éprouve beaucoup de difficulté à me concentrer sur des notions spirituelles. Mes pensées oscillent entre les événements de la journée précédente et ceux d'aujourd'hui. Dois-je continuer à les repousser vigoureusement ? Lorsque je me contente d'observer les idées qui me viennent et d'en tirer des leçons, elles occupent presque toutes ces minutes de solitude. J'en éprouve une grande frustration.

C'est tout à fait naturel. Mais ne vous battez pas avec vos idées. Occupez-vous plutôt à les observer. Voici un petit truc : aucun de nos échafaudages mentaux ne survit bien longtemps si on ne l'y aide pas. Cessez d'appuyer vos pensées et attendez qu'elles passent. Elles s'évanouiront et le silence vous submergera.

Expliquez-moi ce que signifie se détacher délibérément d'un instant spécifique. J'aimerais mettre ce concept en pratique dans plusieurs domaines de ma vie, mais j'ignore comment m'y prendre.

Pour vous détacher de l'instant, vous devez déceler les moments où quelque chose vous pousse à faire ce qui pourrait vous nuire, puis apprendre à vous détacher de la volonté du moi qu'attirent les comportements autodestructeurs. Par exemple, l'impatience : arrêtez-vous sur-le-champ lorsque vous sentez que l'impatience vous gagne (le moi qui vous domine à cet instant vous dira toujours que ce n'est pas votre faute), puis rejetez et l'impatience et le moi auquel elle appartient. Grâce à une conscience accrue de ces instants, et grâce à votre désir de vous affranchir de ces états destructeurs, vous apprendrez à vous dissocier consciemment de cet aspect de votre moi.

Moyennant de grands efforts, je m'applique à observer toutes mes pensées et mes émotions avec curiosité. On dirait que, dans ces cas-là, mes pensées ralentissent et s'arrêtent plus souvent. J'ai aussi l'impression que tout ce qui m'entoure est plus vivant. Est-ce mon imagination qui me joue des tours ?

Non, c'est la réalité : les pensées que l'on observe tendent à ralentir. Ce n'est pas une règle absolue, mais l'une des conséquences naturelles de l'observation de soi est le silence de la pensée. Si ce qui vous entoure vous semble plus vivant, c'est que, pendant ce travail intérieur, *vous* êtes plus vivant. La perception est un miroir.

Je me suis souvent demandé, tandis que j'observais mes pensées, si ce que je « vois » n'est pas seulement une recrudescence de ces pensées. Un conseil ?

Voici un truc qui pourra vous aider : apprenez à observer vos pensées comme si vous observiez une volière : vous n'en avez jamais vu et vous ne connaissez rien de rien aux oiseaux. Quelle expérience vivez-vous ? Voilà des douzaines d'oiseaux qui gazouillent ou qui pépient, ils volent et volettent dans leur plumage coloré. Aucun d'eux ne reste en place bien longtemps. En tant qu'observateur, il ne vous est pas nécessaire de bien connaître ces oiseaux, car leur comportement suffit à vous en apprendre beaucoup sur eux. Observez-vous de la même manière, sans idées préconçues. Vous saurez qui est qui dans ce « jardin zoologique » que vous êtes !

◆ ◆ ◆

GUIDE DE VOYAGE INTEMPOREL VERS LA CONNAISSANCE DE SOI

L'esprit habituel, l'esprit sensuel, est toujours en quête d'expériences. Il trouve la nourriture dont il a besoin pour se sustenter principalement dans une réaction en chaîne inconsciente, c'est-à-dire dans le réflexe des associations d'idées.

L'appétit de cette entité se manifeste de la façon suivante : chaque réaction entraîne une *contraction* qui lui est à la fois douloureuse *et* agréable... Cette contraction est agréable, car elle lui procure un sentiment provisoire d'identité, un « faux » moi né de l'opposition entre ce qu'elle est et ce qu'elle observe. La douleur associée à la contraction vient de ce que toute action rejette ou isole l'entité qui en fait l'expérience. Un tel isolement est douloureux, car l'entité aspire à l'union.

Si l'expérience conduit à la quête de soi, elle ne représente que la moitié la moins importante de la *connaissance de soi*. La connaissance de soi ne dépend pas de l'expérience. Elle est autonome. Elle est intemporelle.

La connaissance de soi exige la mise en péril du moi qui appréhende de n'être personne. Ce « péril » devient un choix inévitable lorsque celui qui cherche constate que sa quête d'expérience (dont la racine est la confirmation secrète du moi) est impuissante à mettre fin à son sentiment de solitude et d'isolement. Vous trouverez ci-dessous neuf révélations et directives pour vous aider à placer votre désir de vraie connaissance de soi au-dessus de la quête d'expérience à laquelle aspire votre esprit sensuel.

1. L'esprit qui demande « Comment puis-je le mieux occuper mon temps ? » recherche une stimulation familière (on appelle cela l'industrie), si bien qu'il passe à côté de ce qui lui viendrait en aide, soit l'exploration silencieuse de ses désirs auto-créés.

2. L'esprit qui demande « Comment puis-je le mieux occuper mon temps ? » s'efforce de se cacher son propre vide.

3. L'esprit qui demande « Comment puis-je le mieux occuper mon temps ? » veut *être*, et dans sa quête agitée de devenir, il ne peut comprendre que, puisqu'il existe, c'est que quelque chose *est* déjà.

4. L'esprit qui demande « Comment puis-je le mieux occuper mon temps ? » se jettera volontiers dans des milliers d'activités inutiles au lieu de voir, fût-ce une seule fois, la futilité de ses aspirations.

5. L'esprit qui demande « Comment puis-je le mieux occuper mon temps ? » exclut, en raison de l'étroitesse de sa vision, la possibilité que le temps n'existe pas hors de ses réflexions tatillonnes et que, conséquemment, il n'existe aucun lieu qu'il puisse atteindre, aucun moi distinct à compléter et, par conséquent, rien qu'il puisse faire.

6. L'esprit qui demande « Comment puis-je le mieux occuper mon temps ? » ne peut comprendre que le meilleur usage qu'il pourrait faire de son temps consisterait à percer à jour les mouvements inconscients des ses processus mentaux, c'est-à-dire

ces processus qui créent non seulement la question qu'il se pose, mais aussi le moi dont il a besoin pour trouver la réponse à cette question.

7. Pour l'esprit qui demande « Comment puis-je le mieux occuper mon temps ? », l'oisiveté et la solitude n'ont aucune valeur ; il lui faut les éviter à tout prix, car son système d'autoévaluation requiert deux présences continuelles qui s'opposent.

8. L'esprit qui demande « Comment puis-je le mieux occuper mon temps ? » est un esprit en quête des sensations que crée le temps, c'est-à-dire l'impression de se hâter d'un endroit à l'autre (d'une pensée à l'autre) et ce, en raison du sentiment d'identité que cette course contre la montre lui procure.

9. L'esprit qui demande « Comment puis-je le mieux occuper mon temps ? » recherche l'expérience, et en raison de son conditionnement, il est incapable de comprendre que sa quête vise plutôt *l'inexpérience*, c'est-à-dire un état qui, par définition, ne se laisse pas chercher.

CHAPITRE 5

Comment surmonter ses comportements autodestructeurs

Vous êtes-vous déjà demandé, surtout en ce qui a trait à vos comportements autodestructeurs, pour quelle raison il faut toujours atteindre le « fond du baril » avant d'effectuer des changements significatifs ? Qu'en est-il de ces moments critiques qui nous aident à nous transformer, à mieux nous comprendre et à nous renforcer ?

Pour les Chinois, le mot « crise » englobe le mot « opportunité ». Cette façon de voir est très différente de la nôtre, surtout en ce qui concerne notre inaptitude à nous distancer des habitudes néfastes qui ne tarderont pas à nous dominer. Mais si nous parvenons à rassembler le courage qui nous fera regarder en face la nature *réelle* de la crise que nous traversons, en renonçant à notre réflexe habituel qui consiste à provoquer un changement ou à échapper aux conditions qui sont à l'origine de cette crise, nous pourrons comprendre que ces moments difficiles représentent en réalité une formidable occasion de grandir.

Commençons par apporter une nouvelle définition au mot « crise » et renonçons bravement au sens que nous lui avons donné jusqu'à présent, soit « l'atteinte d'un moment critique issu de conditions hors de notre contrôle. » Cette nouvelle et courageuse définition est la suivante : un moment de crise est un moment où nous prenons conscience de la nature mensongère de ces aspects de nous-mêmes qui sont déjà parvenus à nous dominer.

En d'autres termes, le point tournant se produit (pour nous) à chaque fois que nous découvrons la fausseté de ce que nous croyions être authentique et vrai. Un marché, une personne, une relation ne sont pas ce qu'ils semblaient être. Qui plus est, nous comprenons qu'ils ne pouvaient jamais remplir leurs promesses. C'est là, au cœur de cette révélation non désirée, que nous devons avoir la force de regarder en face ce que seuls osent envisager de rares et courageux individus.

Ordinairement, dans ces moments-là, nous pensons que la cause de notre déconvenue réside dans cette personne ou dans son inaptitude à rencontrer nos attentes. Mais nous ne percerions jamais ce mensonge si ce mensonge caché n'existait pas au départ. Si vous ne voyez pas trop bien où je veux en venir, songez à cette citation de Mauriac : « Le feu ne prend pas tout seul », et méditez les quelques mots qui suivent, car ils vous indiqueront la seule façon possible pour vous d'éviter les chausse-trapes que vous auriez créées de toutes pièces et d'être victime de circonstances que vous n'avez pas désirées :

Aucun scénario ne peut naître de lui-même. La vérité de ce constat vous frappe-t-elle ? Voyez-vous comment les pièges où nous tombons ont leur source dans un espoir, une attente, un enthousiasme ? Comment, au départ, le germe d'une telle ronde du moi ne ressemble en rien au fruit amer qu'elle en vient à produire ? Et puisqu'il est impossible à la semence d'un fruit sucré de produire un fruit amer, la leçon que je veux vous apprendre est la suivante : Avant de pouvoir briser un cercle vicieux douloureux, nous devons en étudier consciencieusement l'origine et refuser de perpétuer ce mensonge en rejetant la responsabilité de nos malheurs sur l'arbre et les fruits qu'il donne. Maudire les effets désagréables d'une cause cachée équivaut à tenter de chasser l'ombre que nous produisons tout en tournant le dos à la lumière.

Pour surmonter nos comportements autodestructeurs, nous devons avant tout prendre conscience de leur cause réelle. Disons cela autrement : *Quelque chose en vous qui se croit perturbé ou inachevé confond cet état non désiré avec quelque chose ou quelqu'un qui, si vous le possédez, vous procurera un sentiment d'intégrité et de maîtrise de vous-même.*

Cet éclaircissement est très important ; en effet, nous pouvons tous voir, jusqu'à un certain point, qu'un comportement néfaste a son origine dans une vision de soi inconsciente qui nous convainc de notre incomplétude. Lorsqu'une telle perception de nous-même a pris racine en nous, l'étape suivante n'est plus qu'un réflexe mécanique. Car tout est soudain clair à nos yeux : pour parvenir *enfin* à nous aimer tels que nous sommes, nous devons retrouver notre intégrité.

Cette douloureuse constatation est réaliste à première vue. Mais, ainsi que nous l'avons dit, il en va de même de tout nouveau mensonge auquel nous croyons à notre insu. C'est pourquoi il importe de jeter sur cette notion un éclairage nouveau. La compréhension supérieure et le halo de rationalité qui l'entoure donnent lieu à une forme très particulière de lumière intérieure. C'est la naissance de cette lumière qui perce à jour nos scénarios destructeurs et qui nous procure les moyens de mettre fin au cercle vicieux de la ronde du moi. Voici un aperçu de cette connaissance, la semence de vérité qui peut nous aider à tout transformer :

Nous ne sommes pas des créatures incomplètes, du moins pas dans l'optique de notre moi sensuel. Mais nous sommes des créatures *inachevées.* L'écart entre ces deux états est immense, ainsi que vous le verrez.

Face à cette supposée « incomplétude » que perçoit notre nature pensante, nous croyons devoir, à la lumière de nos propres « découvertes », chercher à retrouver notre intégrité ou accepter une inéluctable imperfection. Nous sommes *a priori* persuadés que ce moi incomplet ne saurait trouver son « intégrité » *qu'à l'extérieur de nous, sinon, pourquoi chercherions-nous quelque chose ?*

Ainsi, nous nous engageons dans chacune de nos quêtes confiants et enthousiastes à l'idée de posséder enfin ce qui nous permettra d'entrer en possession de nous-mêmes. Mais au terme de nos recherches, nous constatons que, loin d'avoir acquis un sentiment d'identité nouveau et enrichissant, nous nous sommes malgré nous pris au piège de l'état même qui, avions-nous espéré, pourrait nous libérer !

Comparez maintenant la semence née de *ce* moi, et le fruit qu'elle donne, à toute autre semence authentique, qu'il s'agisse d'une graine de moutarde ou de la semence du vrai moi. Ces semences ne sont pas incomplètes, mais bien *inachevées* puisqu'elles renferment un fruit non né. Mais il y a plus :

Ce que requiert une semence pour accéder à sa forme suivante – pousse, arbre, ou moi conscient – est déjà présent dans cette semence et dans le terreau où elle est semé. Elle possède déjà tous les éléments nécessaires au fruit à venir. Ces semences sont conçues sur le modèle même de l'achèvement et, tout au long de leur cycle de croissance, elles secondent d'autres formes dans leur quête de perfection. Il importe de méditer la vérité contenue dans ces idées pour parvenir à se dégager de la ronde du moi. Voici pourquoi.

Pour surmonter nos comportements autodestructeurs, il importe avant tout de comprendre que le « moi » qui cherche, en nous, à se dégager de ces scénarios douloureux est le même moi qui, dans sa quête d'intégrité, a délibérément créé ce cercle vicieux. Mais il croit que, pour parvenir à sa complétude, il doit échapper au piège qu'il a lui-même créé. Gardez cela en mémoire en lisant ce qui suit :

Il est beaucoup plus facile de tomber dans un trou que d'en sortir. Par conséquent, restez éveillé à vous-même. Il est beaucoup plus important de s'emparer et de se débarrasser du moi qui se croit incomplet *avant* que celui-ci ne se lance à la recherche de son « autre moitié » que de perdre son énergie à tenter de se libérer des chaînes que ce moi a créées. Mais si, en vous éveillant, vous constatez que vous vous êtes laissés prendre au piège d'un quelconque scénario, efforcez-vous le plus possible de vous remémorer ce dernier petit brin de lumière :

Vous n'êtes ni ce moi incomplet, ni ses aspirations, ni les cercles vicieux où il tourne en rond à la recherche de sa complétude. Le fait d'admettre cette vérité vous engagera dans la voie d'une liberté que rien ne pourra mettre en péril.

◆ ◆ ◆

COMMENT SURMONTER NOS IDÉES AUTODESTRUCTRICES

Lorsque nous avons pris conscience de nos pensées autodestructrices, comment faire la différence entre les ignorer et les réprimer ?

Il nous est impossible de ressentir la présence d'une pensée autodestructrice sans percevoir aussi, fût-ce de façon minime, sa cause occulte. Par exemple, la haine de soi est autodestructrice. Sa cause occulte, ou son contraire caché, réside dans la notion inconsciente que nous entretenons d'être meilleur que le moi que nous haïssions. Il ne s'agit donc pas de réprimer ou d'ignorer nos pensées ou nos émotions autodestructrices, car aucune de ces réactions intérieures ne saurait nous affranchir des conséquences négatives de ces états non désirés. Le fait d'admettre sans l'ombre d'un doute (ou avec un soupçon de doute, s'il le faut) que ces pensées nous assaillent parce que nous leur avons permis d'agir ainsi, voilà ce qui nous permet de lâcher prise. L'on peut dire que la souffrance associée à ces pensées est sans espoir et sans plaisir. Elle s'estompe donc d'elle-même.

Comment déceler en nous le dialogue intérieur autodestructeur qui est peut-être la cause secrète de notre anxiété ?

Il est plus important de s'éveiller à la nature autodestructrice qui s'agite en nous à nos dépens que de déceler un quelconque dialogue intérieur autodestructeur. Imaginez les choses ainsi : Qu'est-ce qui peut le mieux vous indiquer la présence d'un danger dans un pièce obscure – une lampe de poche ou un plafonnier ? Ne vous inquiétez pas des dialogues qui prennent place dans votre inconscient ; n'y songez même pas, car l'attention que vous leur portez fait sans doute elle-même partie du problème. Efforcez-vous plutôt de demeurer dans un état d'éveil en tout temps.

Il m'arrive souvent, la nuit, de me sentir assailli par quantité de « voix intérieures » qui ne se taisent qu'au petit jour. La même chose se produit lorsque je m'adonne à un certain type d'activités (tondre la pelouse, prendre ma douche, etc.). Pourquoi certains moments sont-ils aussi bouleversants et d'autres aussi apaisants (par exemple, le petit jour) ?

Tout comme il existe des créatures de l'aube, du jour ou de la nuit, certains « moi » préfèrent certaines heures. Il convient d'apprendre à devenir sensible à ce tourbillon de moi bouleversants. Efforcez-vous de déceler leur présence de plus en plus tôt, et vous pourrez lâcher prise plus rapidement.

J'ai découvert récemment que mon cerveau est toujours occupé à tenter de résoudre un problème. Quand il n'y en a pas, il s'en invente un. Par exemple, lorsque mon attention est distraite par un problème qui vient se superposer au premier, ce premier problème s'annule comme par magie. Pourquoi ?

Réfléchissez à ce qui suit : ces problèmes (psychologiques) ne se distinguent nullement du moi qui les engendre. Si bien que, lorsque les circonstances retiennent l'attention de ce moi, celui-ci invente un autre problème. À cet instant précis, le problème précédent disparaît puisque le moi qui l'a engendré disparaît également. Je vous conseille de lire le chapitre intitulé « Vivre libre à la première personne » dans mon ouvrage intitulé *Vaincre l'ennemi en soi*. Vous y trouverez des révélations fort enrichissantes.

L'un des principes de développement personnel auxquels j'adhère le plus est celui-ci : pour nous affranchir d'une situation difficile, il suffit de la « traverser ». Comment pouvons-nous mettre une telle approche en pratique pour combattre nos pensées porteuses d'anxiété ?

Tout dépend de l'aptitude d'un individu à distinguer intérieurement les pensées et les sentiments qui magnifient notre bien-être de ceux qui nous sont néfastes. Lorsqu'une marée d'impressions vous submerge, votre meilleure arme est encore le silence. Prenez du recul en ramenant tout ce qui se passe en vous dans votre champ d'attention intérieur. L'esprit silencieux en union avec le vrai est capable à la fois d'observer et de « sentir » les pensées et les émotions qui le traversent. Ce champ de silence intérieur vous révèle la nature réelle de toutes vos impressions et vous les montre sous leur vrai jour. On ne peut guère se tromper lorsqu'on aspire avant tout à percer à jour ses pensées et ses émotions plutôt qu'à se soumettre inconsciemment à leur empire.

Je puis dire que je me sens plutôt heureux et de moins en moins victime des circonstances qui m'entourent. Toutefois, j'ai parfois des pensées (sur un plan plus profond) que l'on n'attribuerait jamais à une personne aussi optimiste que moi. Ces pensées sont même plus négatives que toutes celles que je pouvais avoir avant de m'engager dans ce travail de connaissance de soi.

Ne luttez pas contre cet éclairement nouveau. Nos aspects négatifs nous disent qu'une « bonne personne » n'a pas de pensées autodestructrices, si bien que nous résistons à celles-ci et, en leur résistant, nous leur insufflons la vie. C'est ainsi que nous devenons la proie du négativisme. C'est un leurre. Apprenez à tout observer sans porter de jugement. Apprivoisez le silence. Tous vos états autodestructeurs s'estomperont d'eux-mêmes si vous acquérez cette discipline.

Depuis quelque temps, j'observe mes pensées et mes émotions autodestructrices sans participer à leur dialogue intérieur. Je commence à comprendre qu'elles ne font pas du tout partie du véritable moi.

Voici quelques mots d'encouragement pour vous, et à l'intention de tous les hommes et toutes les femmes qui aspirent à une vie nouvelle : il existe une intelligence supérieure qui s'efforce de vous aider à découvrir une vie infiniment supérieure à celle que vous connaissez actuellement. Cette intelligence est active, présente, infaillible. Notre seule responsabilité consiste à continuer à désirer acquérir des connaissances inédites et vraies sur nous et sur le monde qui nous entoure. Persistez.

D'où proviennent ces voix intérieures ou ennemies ?

Rassurez-vous. Le lieu de leur provenance importe moins, pour le moment, que le fait qu'elles existent. Persistez dans votre travail intérieur en vous efforçant surtout de prendre de plus en plus conscience de ces voix. L'inimaginable se produira : petit à petit, vous parviendrez à percer l'entité (qui n'appartient à aucun individu) qui engendre ces voix conflictuelles. Tout, dans la nature, possède un lieu de séjour. Le nôtre se situe au cœur de la vie supérieure, là où ces voix n'ont aucun effet et en viennent à s'évanouir.

ÉLEVEZ-VOUS AU-DESSUS DU MOI AUTODESTRUCTEUR

Les études spirituelles font beaucoup de cas de la « dualité » et de notre ignorance du fait qu'en prenant parti pour une chose nous nous opposons forcément à autre chose. Est-ce juste ? En quoi cela affecte-t-il nos gestes quotidiens et les décisions que nous devons prendre ?

L'étude de la dualité est très importante dans tout travail intérieur, car il est dans la nature même de la pensée de se complaire dans les contraires. C'est un processus de balancier. L'important est que, pour bien comprendre ce phénomène de dualité, il faut observer son fonctionnement en nous, dans nos pensées, dans l'instant présent. Par exemple, il est facile de voir des forces contraires en action lorsque la peur engendre une réaction réflexe qui vise à nous libérer de la peur. Mais toutes ces pensées et ces portes de sortie imaginaires ne sont que le produit d'une dualité inconsciente. Lorsque nous nous laissons guider par ce niveau de pensées, nous demeurons captifs du cercle vicieux de la ronde du moi. Mais la manifestation la plus « rusée » de ces mécanismes mentaux dualistes veut que la pensée sépare toujours celui qui voit de ce qu'il voit. C'est là une question profonde qui requiert beaucoup d'étude et d'observation de soi, mais qui est indispensable au développement intérieur.

Il m'est de plus en plus évident que certaines pensées, ces « voix » que nous entendons, sont en réalité des forces extérieures nées hors de nous et que je ne devrais pas leur conférer plus de pouvoir qu'à la voix d'un annonceur radiophonique. Je m'efforce maintenant de comprendre pourquoi Dieu nous donne ces pensées destructrices et pourquoi nous y succombons si facilement.

La question de la dualité n'est pas simple. Notre progrès vers un niveau de vie supérieur dépend en grande partie de notre connaissance des rapports. Je m'explique. « Qu'est-ce qui vient en premier ? L'œuf ou la poule ? » Cette énigme recèle une importante vérité : le deux doit forcément venir de l'un. L'un est supérieur ou au-dessus du deux. Dans notre univers, le deux – ou la dualité – est une expression naturelle du monde physique, y compris de nos pensées positives et négatives. Au-dessus de notre univers, cette dualité n'existe pas. Mais l'existence même de cette dualité dans notre univers « prouve » l'existence d'un univers supérieur, indivis. C'est cela que nous « cherchons ».

En autant que je puisse comprendre, les bêtes de somme ne subissent pas les désagréments d'une dualité douloureuse et bouleversante. Pourquoi nous ?

Les bêtes de somme ne sont pas soumises à la dualité que nous devons subir, mais elles ne peuvent pas non plus accéder à la transcendance.

J'ai beau m'efforcer de dissoudre ce que je sais être « moi », j'éprouve beaucoup de difficulté à cesser d'avoir des pensées dualistes. Je commence à comprendre que les étiquettes sont à l'origine de plusieurs de nos problèmes, sinon de la plupart d'entre eux. Devons-nous renoncer à voir du « bon » et du « mauvais » en toute chose et nous contenter de constater leur existence ?

Tout comme notre instinct sait spontanément comment agir pour nous protéger du danger, nous possédons des forces intérieures qui savent d'instinct ce qui est bon pour nous et ce qui ne l'est pas. Une analogie toute simple : la lumière ne se querelle jamais avec l'obscurité, puisque sa présence suffit à dissoudre l'obscurité. La force de l'obscurité ne réside que dans l'absence de lumière. Cette analogie nous enseigne ce que nous devons faire et accueillir.

Pourriez-vous me donner des exemples concrets de notre dualité intérieure ?

Nous nous mettons en colère, et cette colère nous indique la direction à prendre pour trouver un apaisement. Ces états, soit la colère et l'apaisement qu'elle promet – sont des états dualistes, tout comme les indications que nous fournit un état intérieur lorsqu'il veut échapper à lui-même.

La recherche du plaisir et la fuite de la douleur sont les deux contraires d'une même pensée. Comment puis-je « prendre du recul » afin d'avoir une vue d'ensemble ?

Le processus dualiste ne se laisse pas saisir par l'intellect. Lorsqu'on fait appel à la rationalité pour échapper à la dualité ou pour la comprendre, on ne fait que commencer à la percer à jour. En vérité, tenter de rationaliser la dualité ne réussit qu'à nous confondre, car la pensée rationnelle ne peut étudier simultanément les deux côtés d'une même médaille. La vision authentique n'a rien d'intellectuel. Plus vous comprendrez la nature profonde des pensées dualistes et leur inaptitude à se réconcilier, plus vous échapperez spontanément à leur influence lorsqu'elles pénétreront en vous. Avec le recul, vous constaterez que votre vie se déroule à l'extérieur de ces pensées dualistes et vous serez de plus en plus en mesure de les voir telles qu'elles sont.

COMMENT METTRE FIN À LA CONFUSION ET AU DOUTE

J'ai du mal à croire que je vous demande cela, mais ce doit être vrai : qu'est-ce qui m'attire tant dans ma confusion puisque j'y passe presque tout mon temps ?

Si vous constatez qu'une partie de vous aime la confusion, vous avez fait le premier pas vers sa destruction ; mais pour y parvenir, il vous faut atteindre un nouveau seuil de connaissance. Réfléchissez à ce qui suit : la confusion, c'est la dualité qui s'emballe. Une pensée tire une conclusion et se voit aussitôt délogée par une autre pensée qui jette le doute sur cette conclusion et vous propose une solution différente au même problème. Mais le véritable problème réside dans votre nature pensante dont le moteur est la dualité et dont l'intention secrète et de maintenir bien vivant le faux sentiment d'identité qu'alimente cet infernal dialogue intérieur. Prenez conscience de cela, puis sortez de la ronde folle du moi. La liberté ne s'y trouve pas. Ce secret vous aidera à sortir de vous-même.

Ma question concerne mon indécision et les difficultés que j'affronte quand une partie de moi veut une chose et une autre partie veut le contraire. Cela me rend fou !

Aucun contraire ne peut s'annuler par lui-même. Cela signifie que nous devons nous réveiller et comprendre qu'il est impossible de résoudre nos conflits en courant là où ils nous disent d'aller pour leur échapper. À mesure que cela vous deviendra clair, vous aspirerez à puiser votre vie dans le Vrai qui vous habite, car ce Vrai sait que vous n'aspirez pas à prendre une direction différente, mais bien à nourrir votre vie à la sienne. En d'autres termes, nous devons renoncer à toutes nos aspirations hormis celle qui nous dirige vers la vie céleste. C'est là notre porte de sortie.

Que faire quand on ne ressent rien d'autre que de la confusion ? Pourquoi cet état intérieur est-il si puissant ?

La confusion est l'un des pièges préférés du faux moi. Le moi confus veut vous inciter à trouver des réponses dans une tornade de pensées et d'émotions. Mais il importe de comprendre que tout ce tourbillon qui vous entoure (lorsque vous êtes confondu) se compose de ce que vous êtes en mesure de comprendre (au stade où vous en êtes), mais que si ces connaissances pouvaient résoudre votre problème, celui-ci n'existerait pas de toute façon. Si vous parvenez à comprendre cette vérité supérieure tout en n'ayant atteint qu'un seuil inférieur de connaissance, vous détenez l'avantage. Apprenez à réagir à toute confusion en vous basant sur ce que vous savez d'elle à ce moment-ci, plutôt que de la laisser vous entraîner dans un maelström qui ne peut que se perpétuer lui-même. Observez-vous avec recul, faites le silence en vous et attendez que l'orage passe : il passera. Il cédera la place à une meilleure compréhension de ce que vous ne devez pas faire et de la prochaine étape à franchir.

Je doute énormément de moi ; je manque de confiance en tout. Pouvez-vous m'éclairer ?

Si vous vous efforcez d'être en état d'éveil lorsque le doute vous submerge, vous découvrirez que cet état douloureux n'est rien d'autre qu'une manifestation du moi. Je veux dire par là que ce que vous avez fait ou ce que vous avez été dans le passé n'a aucune incidence sur la nature de l'instant présent. Si vous parvenez à comprendre cela et que vous vous distancez de la souffrance qu'entraîne inévitablement le fait que vous vous « additionnez » à l'instant présent, vous deviendrez libre. Cela exige beaucoup de travail et une phase de « solitude » intérieure. Persistez.

SURMONTEZ LA RÉSISTANCE ET ENTREZ DANS LE COURANT DE LA VIE

Comment puis-je être certain qu'en devenant silencieusement conscient d'un état négatif je ne me contente pas de réprimer en secret cette même émotion autodestructrice ?

La répression d'un état négatif est toujours inefficace (ou ne réussit qu'à intensifier cet état), car toute forme de résistance renforce l'objet de cette résistance. Le développement du silence intérieur et de l'observation n'est pas une forme de résistance, mais la prise de conscience délibérée de l'intrus. Cette prise de conscience accroîtra votre compréhension de ce qui vous anime jusqu'à ce que vous le mettiez au rancart. Aussitôt, votre état autodestructeur s'estompera.

Il m'est très difficile de ne pas m'identifier à mes pensées. Pouvez-vous m'aider ?

Il y a plusieurs années, l'auteur Vernon Howard déclarait à un petit groupe d'étudiants que « La résistance au chaos est le chaos lui-même. » Cela signifie que toute pensée ou tout aspect de nous-mêmes dont nous cherchons à nous débarrasser, notamment la douleur ou la peur que cette pensée ou cet aspect nous occasionnent, nous poussent à nous identifier inconsciemment à eux. Essayez ceci : au lieu de repousser les pensées troublantes, efforcez-vous de prendre conscience le plus possible de l'effet qu'elles ont sur vous, de ce que leur présence provoque en vous. Plus vous serez éveillé à la nature réelle de ces états conflictuels, plus vous cesserez de les aimer.

Est-ce que le fait de « lâcher prise » quand nous prenons conscience des limites de la pensée rationnelle nous permet de laisser arriver ce qui doit arriver ? Il me semble que le fait de combattre la vie est ce qui permet au faux moi de se défendre et de lutter pour avoir le dessus sur une réalité plus sereine.

Ce qui doit arriver arrivera. Nous pouvons choisir de nous laisser porter par la vie, ou de rêver que nous la portons (c'est un cauchemar). Toute forme de résistance psychologique nous garde captifs de la conscience qui ne peut se connaître que dans la résistance.

Que signifie cet enseignement du Christ, « ne résiste pas au Mal » ? En quoi cet enseignement concerne-t-il les films qui se déroulent dans ma tête ? Il me semble parfois que je vois un million de séquences en même temps.

Voyez les choses comme ceci : au lieu de concentrer votre attention sur les séquences qui se déroulent dans votre tête, efforcez-vous d'identifier le rôle – ou la notion d'identité – que vous en retirez. Si vous y parvenez, ces circonstances vous donneront à « sentir » quelque chose de tout à fait nouveau. Les films (autrement dit, les pensées et les émotions que suscitent en nous ce que l'on voit) ne sont pas au cœur du problème. Nous devons plutôt prendre conscience de notre résistance ou de notre attirance (ce qui revient au même) envers ce que nous voyons. Votre niveau de conscience et votre désir de faire vôtres la lumière et la vie du Christ modifieront votre rapport à ces forces intérieures. Votre triomphe réside dans ce rapport, non pas dans l'effort que vous faites pour parvenir à vous extirper de ce que vous voyez se dérouler en vous.

Est-il vrai que plus nous rencontrons de résistance, plus nous nous approchons du Vrai ?

Une résistance accrue peut, en effet, montrer que nous nous approchons du cœur de la dualité. Nous devons parvenir à ce croisement pour nous engager sur le chemin de la vie réelle. Mais la résistance grandit également en fonction de notre fragmentation intérieure, comme la tension qui se manifeste lorsqu'on tente de casser une bande élastique.

Je comprends que la pensée devient conflictuelle, surtout lorsque nous nous efforçons de dominer nos désirs. Plus je tente de contrôler mes pensées, plus je résiste. Mais si l'on ne tente rien, rien ne se transforme. Comment parvenir à surmonter cette dualité ?

Vous devez comprendre que la part de vous qui veut dominer ses désirs est elle-même opposée au désir que vous vous efforcez de dominer. Pour vous hisser au-dessus du cercle vicieux du moi (qu'engendre et perpétue la dualité), il n'y a qu'un moyen : comprendre comment certaines pensées et leurs schémas habituels vous poussent à vous identifier à cette nature inconsciente de soi et en soi. Cessez de vouloir dominer ce qui s'agite ainsi en vous et efforcez-vous plutôt d'en être intérieurement conscient. Vous lâcherez prise ensuite tout naturellement.

◆ ◆ ◆

LA SOLUTION INFAILLIBLE AUX QUESTIONS GÉNÉRATRICES DE CONFLITS

Notre cerveau ne se connaît et ne connaît ce qui l'entoure que par l'entremise de la dualité. Cela est l'évidence même. Les contraires sont tout à fait naturels et nécessaires dans notre monde physique. Dessus et dessous, droite et gauche, sucré et salé... tout cela nous aide à nous orienter et à orienter nos décisions. Mais lorsqu'il s'agit de nous hisser vers un niveau supérieur de réalité et d'y cueillir les récompenses qui nous attendent, ce même cerveau s'enferme constamment dans des limites autodestructrices.

Premièrement, à ce niveau réflexe, notre cerveau est *incapable de voir la vie* autrement que sous son aspect dualiste. Cela signifie qu'il est *fragmenté* dans ses pensées, ses actes et ses perceptions. Cette révélation dit tout. Notre niveau d'intellect ne peut comprendre que ce qui ne présente qu'*une seule facette*. Imaginez les conséquences de cela...

Par exemple, tout ce que cette nature pensante voit lui semble séparé d'elle. Toute circonstance qu'elle observe, lui paraît distincte. Les problèmes inhérents à cette division inconsciente ne sont pas évidents, mais la douleur qu'elle suscite ne passe pas inaperçue. Par exemple : chaque fois que nous ignorons la solution immédiate à un problème pressant, notre nature fragmentée en conclut tout naturellement que la souffrance qu'elle « voit » dans notre cœur et notre esprit existe parce que nous n'avons pas encore trouvé la réponse qui nous est nécessaire. Ayant admis cette réalité, il lui semble naturel et évident de devoir se lancer en quête de la réponse manquante comme remède à la souffrance perçue. Mais l'esprit ainsi divisé ne voit pas qu'il est le créateur du conflit né de sa dualité inconsciente. Tentons de clarifier un peu cette question en examinant autrement et avec un peu plus de profondeur ce processus psychologique inconscient.

Il arrive que nous nous arrachions les cheveux pour trouver des réponses qui n'existent pas, du moins telles que les conçoit *ce niveau* de notre rationalité. Par exemple, un esprit terrifié se demande comment réagir à une situation qui l'effraie, et il espère trouver une solution qui le libérera de sa terreur. Ce mental divisé ne comprend pas que ce qu'il a imaginé ne le libérera pas de la peur ; un nouveau conjoint, davantage d'argent ou une situation sociale plus avantageuse ne feraient qu'accroître en secret sa dépendance et, par conséquent, sa peur. Ainsi, quelle que soit la « solution » qu'il trouve, celle-ci ne fera que contribuer à son agitation. Prenons un autre exemple.

Il se peut que ce même niveau d'intellect se demande comment se venger de quelqu'un, quelle serait la meilleure vengeance dans les circonstances. Cet esprit ne voit pas que le fait même de se demander comment occasionner de la souffrance à autrui intensifie son angoisse, et que la vraie réponse se trouve à un plan supérieur et plus compatissant qu'il ne peut atteindre. Pourquoi ? Pour la simple raison *qu'à son niveau de développement, cet intellect ne peut voir les deux côtés de la médaille*. Il ne comprend pas que la personne dont il veut se venger aurait pu agir sans réfléchir, sans mauvaise intention et, très probablement, en y étant poussée malgré elle par une souffrance personnelle trop vive pour qu'elle puisse y résister.

Je ne crois pas que vous disiez qu'il n'y a pas de solution à notre souffrance tout simplement parce que notre cerveau est en proie à la dualité...

Non, non, pas du tout... Je dis seulement que *certaines* questions n'ont pas de solution parce que c'est *le niveau de rationalité utilisé pour poser des questions* qui est à l'origine de la souffrance de celui qui les pose.

Je ne suis pas sûr de comprendre. Comment peut-il y avoir des questions sans solution ?

Je m'explique. Lorsque nous souffrons d'un mal d'estomac, notre détresse intérieure nous pousse à nous demander : « Qu'est-ce que j'ai mangé qui m'a fait du tort ? » Il existe manifestement une réponse à cette question. Si nous la trouvons et que nous agissons en conséquence, notre mal d'estomac disparaît. Mais dans cet exemple, la douleur et le remède sont d'ordre physique, ce qui simplifie beaucoup la solution. Mais dans le domaine plus subtil du psychique, tout n'est pas aussi tranché. Prenons, par exemple, l'anxiété ou la peur. Au niveau actuel de notre développement, ces émotions nous inspirent la question suivante : « Que faire pour mettre fin à mon inquiétude ? » Mais, ainsi que vous le comprendrez, *c'est cette question même*, ou toute autre question similaire, qui contribue à produire et à perpétuer notre inconfort.

Voulez-vous dire que les questions que nous nous posons pour remédier à nos souffrances sont les causes mêmes de ces souffrances ? Est-ce possible ?

Dans la plupart des cas, absolument ! Notre réaction « normale » à la douleur est d'ignorer celle-ci jusqu'à ce qu'elle nous devienne insupportable, et alors, la tension monte et nous pousse à nous demander « qu'est-ce que je pourrais bien faire ? », car nous croyons qu'un remède adéquat à notre inquiétude apaisera la douleur que nous ressentons. Mais, en vérité, quelles que soient nos petites victoires sur l'anxiété, celle-ci revient toujours. C'est l'évidence même, et cette évidence nous révèle deux autres points importants qui méritent notre attention :

- Nous avons là la preuve que les remèdes que nous apportons à notre anxiété ne sont pas réels.
- Nous avons là la preuve que nous n'avons pas très bien compris le problème.

C'est effectivement le cas.

Nous n'avons pas su voir que certaines questions créent la souffrance qu'elles veulent apaiser... et que de telles questions n'ont pas de réponse *réelle*, hormis dans la prise de conscience de leur fausseté.

Un bon exemple de question génératrice de conflits et qui n'offre aucune solution est celle-ci, qui nous est pourtant très familière : « Que faire pour que ma vie soit plus enrichissante ? » Réfléchissez attentivement à ce qui suit : Jusqu'à ce que cette question, « Que faire pour que ma vie soit plus enrichissante ? » vous vienne à l'esprit, *vous n'étiez pas anxieux*. Mais dès que vous vous êtes demandé ce qu'il vous fallait faire pour vous améliorer à vos propres yeux, une ombre s'est attachée à votre interrogation. Cette ombre, c'est *la peur de ne pas atteindre l'objectif que vous avez imaginé*. Attention, maintenant : au moment où la douleur associée à cette peur prend toute la place, *votre certitude de devoir trouver une solution l'accompagne*. Il s'ensuit un carrousel d'inquiétudes qui ne cesse de tourner et tourner. Et qui en est prisonnier ? Rassurez-vous. Si vous demeurez éveillé à vous-même, vous pouvez empêcher que cela se produise.

Avant d'aller plus loin, il importe que je vous rappelle que cette quête de soi un peu particulière *ne consiste pas* à analyser nos souffrances, car une telle approche est vouée à l'échec. Nous ne voulons pas *penser* à notre anxiété, mais bien *voir* l'anxiété au moment où elle prend forme en nous. Comme vous le fera mieux comprendre ce qui suit, la différence entre voir notre anxiété et analyser notre anxiété est très importante.

Voici l'un des jeux favoris du faux moi : la douleur à laquelle il vous force à penser provient précisément de ce que vous vous demandez comment l'apaiser ! Ceci explique aussi pourquoi, du moins en ce qui concerne ces domaines intérieurs, plus nous comprenons le fonctionnement de notre nature divisée et génératrice de conflits, plus nous nous en libérons. Résumons maintenant ce que nous avons appris jusqu'ici.

Si vous ne ressentez de bouleversement qu'*après* qu'une question ait pris forme dans votre esprit, il se pourrait bien que cette question ait contribué à créer le conflit qui vous déchire. Le secret pour s'en dégager consiste à admettre qu'*il n'y a pas de remède* à cette douleur... puisque celle-ci n'existait pas avant que votre question, quelle qu'elle soit, ne lui insuffle vie.

Le cycle de la détresse rappelle le marin perdu en mer qui, à son insu ou par pur désespoir, boit de l'eau de mer pour étancher sa soif. Plus il boit, plus il est altéré. La folie survient tôt ou tard si les sauveteurs ne lui viennent pas en aide ou s'il ne trouve pas d'eau douce. Cette analogie est particulièrement appropriée, car, depuis très longtemps, on compare le Vrai à l'eau fraîche. Nous devons permettre au Vrai de nous guider. Au lieu de tenter par pur réflexe de répondre à ces questions conflictuelles en nous plaçant à leur niveau, c'est-à-dire en cherchant des solutions toutes aussi erronées et futiles les unes que les autres, nous devons oser percer à jour la nature divisée qui pose ce genre de questions. La solution inédite et consciente consiste alors à mettre au rancart *et* notre inquiétude *et* le moi que ces questions génératrices de conflits parviennent à créer provisoirement.

« Je vois bien la sagesse de ces révélations, bien que je ne les comprenne pas parfaitement. Mais si ma douleur n'est pas ce qui me pousse à me poser de telles questions pour lui trouver un remède, d'où proviennent-elles ? »

Ne vous occupez pas de cela pour le moment. Pourquoi vous inquiéter de savoir plonger alors que vous apprenez à peine à nager ? Avec le temps, une étude sincère et une sérénité croissante, tout vous sera révélé. Disons seulement que ces questions dualistes peuvent avoir plusieurs sources. Elles peuvent naître d'une autre souffrance dont vous n'avez pas conscience, ou naître d'une association d'idée inconsciente comme celles qui se produisent lorsque, apercevant un bel habit dans la vitrine d'un magasin, vous le comparez à votre insu aux vêtements que vous portez ce jour-là. Aussitôt, vous vous sentez moche et désespérément inepte. Peu après, vous vous demandez : « Qu'est-ce qui cloche et m'empêche de réussir ? Que faire pour avoir du succès ? » Sur-le-champ, la roue de l'inquiétude se met à tourner *sur* vous. *Vous n'êtes pas au volant.*

Bien sûr, il y a des douzaines d'autres questions que l'intellect ainsi divisé se pose sans pouvoir leur trouver de réponses. Efforcez-vous d'en trouver quelques-unes qui vous sont familières et qui vous poussent à tourner en rond ! Ce sera un début. Tout ce que vous pouvez faire pour rester en état d'éveil vous aidera à effacer les peines que provoquent ces questions conflictuelles dépourvues de solutions.

CHAPITRE 6

Transformez l'obscurité en lumière régénératrice

Le bref énoncé qui suit recèle une vérité importante et intemporelle. Celle-ci nous révèle les raisons de nos moments de noirceur et nous apprend comment tirer parti de nos malheurs pour parvenir à la victoire intérieure. Quand nous comprenons ce que nous apprend cette vérité sur notre rapport à l'univers invisible en nous et autour de nous, nous détenons le pouvoir qui jusque-là nous faisait défaut pour transformer notre affliction en lumière régénératrice.

Nous sommes le sujet de tous nos accomplissements futurs et l'objet de tous nos accomplissements passés.

Pour les besoins de ce chapitre, nous aborderons d'abord la première partie de cet énoncé : *Nous sommes le sujet de tous nos accomplissements futurs.* Quelques exemples de ceci puisés dans notre vie quotidienne nous aideront à mieux comprendre ce principe. Reformulons d'abord notre énoncé.

Nous sommes le sujet de tous nos rapports physiques incompris. Le plus évident de ces exemples réside dans une dépendance passée ou présente. Tout d'abord, quiconque comprend la nature *réelle* d'une dépendance refuse de s'y soumettre. Pourquoi ? Parce que cette personne saurait, avant même d'agir, qu'une telle interaction équivaudrait à un esclavage : elle deviendrait la servante de ce qui, à l'origine, devait lui rendre service. Mais en l'absence d'une telle perception, elle se laisse dominer par ce qu'elle avait voulu dominer elle-même.

Voyons, par exemple, notre situation financière : si nous dépensons nos revenus à acquérir tout ce qui nous fait envie, préférant ainsi les plaisirs immédiats à la sécurité à long terme, ne sommes-nous pas inquiets parce que nous vivons au-dessus de nos moyens ? Bien entendu. Le plus souvent, nous devenons les esclaves des biens matériels qui devaient nous être utiles. Que s'est-il passé ? Ces élans trompeurs qui nous poussent à la surconsommation nous promettent le bonheur et même une certaine liberté, mais, au bout du compte, ils nous rendent victimes d'un endettement qui nous angoisse et nous terrifie.

Voici un dernier exemple de cela : tant que nous n'avons pas compris que notre conjoint, nos collègues ou nos enfants (et même nos animaux de compagnie) savent précisément sur quels boutons appuyer pour que nous nous soumettions à tous leurs désirs, nous leur « appartenons ». Encore une fois, ce sont nos réflexes invisibles qui leur permettent de manipuler les ficelles de notre esprit et de notre cœur comme si nous étions, malgré nous, des marionnettes entre leurs mains.

La loi est donc la suivante : nous sommes le sujet de tout rapport dans la mesure où nous ne le comprenons pas, et tous les rapports que nous entretenons avec le monde qui nous entoure prennent leur source en nous. Incidemment, à l'opposé de notre niveau actuel de connaissance, nous dominons tout niveau de connaissance inférieur au nôtre. Voici un exemple de cela : lorsque deux individus font connaissance, l'un d'eux domine forcément l'autre, car leur rapport dépend de celui de ces deux individus qui comprend le mieux les mécanismes invisibles de sa propre personnalité.

Ces trouvailles nous amènent au propos principal de ce chapitre. Nous nous apprêtons à jeter un éclairage bienvenu sur nos afflictions et, tout dépendant de la qualité de notre intuition, à trouver le courage de nous affranchir des souffrances inutiles qui nous affligent.

Tant que nous n'avons pas compris nos noirceurs intérieures ni percé à jour les ruses qu'elles mettent en œuvre pour nous soumettre à leur volonté, elles ont le pouvoir de nous faire danser comme des animaux de cirque. Le tableau n'est guère joli, mais nous devons le regarder en face, car il recèle des vérités évidentes. Quand nous nous laissons dominer par une émotion négative, que ce soit la peur ou la colère violente, quand nous prenons des décisions trop rapides ou que nous en voulons à la terre entière, nous *pensons* maîtriser la situation, mais une toute petite question nous prouve que la vérité est tout autre. Qui, ayant toute sa tête, irait s'immoler par le feu ? La réponse est claire. Personne ne nuit délibérément à ses propres intérêts. Nous savons que c'est tout à fait juste. Mais nous ne comprenons pas encore par quelle ruse nous sommes devenus victimes de ces afflictions. J'ose espérer que la suite de mon propos vous sera tout à fait clair.

À chaque fois que des ténèbres intérieures s'emparent de nous, nous souffrons. Notre intelligence innée se voit aussitôt remplacée par de l'ignorance, une saine souplesse par une rigueur destructrice. Ces forces violentes et mutilantes nous imposent leur volonté et notre comportement se transforme jusqu'à devenir méconnaissable même à nos propres yeux. Bref, les ténèbres spirituelles sont synonymes de souffrance. Rien de plus simple. Enfin... presque.

Lorsqu'un bouleversement intérieur s'empare de nous, nous faisons l'impossible pour lui échapper. Bien qu'il semble « logique » de fuir à toutes jambes ce qui pourrait nous faire souffrir, la vérité est tout autre. *Nous ne pouvons pas échapper aux ténèbres intérieures, car il nous est impossible de nous distancier de la sombre menace de notre propre incompréhension.* Méditez cette vérité et comparez-la aux faits relatés ci-dessous.

Dès qu'une émotion négative nous submerge, notre premier réflexe est de trouver le moyen d'échapper à notre malheur croissant. Nous élaborons sur-le-champ une stratégie et nous passons à l'action. Ce réflexe n'a jamais qu'une cause : *quelque chose* en nous, une part invisible de notre être, nous persuade que *nous comprenons* la nature de notre affliction. Mais c'est faux. Il importe de ne pas appréhender et de ne pas rejeter cette nouvelle révélation, car *notre souffrance ne prendra fin que lorsque nous cesserons de nous identifier à notre insu à l'émotion négative qui en est responsable.* Il n'y a qu'une façon pour nous de mettre fin à notre rapport avec cette émotion négative non désirée : être plus futés qu'elle ! Comment ? En nouant avec elle des liens *conscients* qui se fondent sur ce que *nous* savons à son sujet au lieu de baser nos décisions sur ce qu'elle nous dit de nous. Au lieu de fuir ou de lutter contre la présence douloureuse d'une émotion pénible, nous avons maintenant la possibilité de remettre consciemment en question son droit à nous dominer. Plutôt que de fermer les yeux en rêvant d'un monde meilleur, nous nous réveillons délibérément et nous permettons à l'anxiété qui nous accable de nous montrer son vrai visage.

Je sais ce que vous pensez : « Qui, ayant toute sa tête, *choisirait* d'affronter un aussi terrible ennemi ? » ... en particulier un ennemi qui s'est maintes fois montré supérieur à notre volonté de nous prendre en mains et qui parvient parfois à l'emporter sur nos intuitions les plus avantageuses ? La méditation essentiellement inconsciente de cette question clé – de même que notre conclusion prévisible – ramènent notre étude à son point de départ. Comprenez-vous cette révélation ?

Nos émotions négatives gagnent la bataille sans que nous sachions qu'elles s'arrachaient le contrôle de notre vie. Comment pouvons-nous espérer triompher d'elles lorsque nous avons été contraints par la ruse à capituler avant même le début des hostilités ? Vous pensez que c'est faux ? Réfléchissez à l'une des deux manières dont nous nous soumettons à ces forces négatives. D'une part, nous appréhendons leur « pouvoir » et nous tentons d'échapper à leur courroux en nous cachant, ou bien nous refusons d'admettre leur existence. Ou encore, ce qui n'est guère mieux au bout du compte, nous écoutons les « conseils » de ces émotions et de ces pensées destructrices et nous tentons d'échapper à leur châtiment en respectant leur plan de sauvetage... autrement dit, nous imitons le fermier qui prie le renard de veiller sur le poulailler !

Dans tous les cas, sachez que les ténèbres intérieures sont victorieuses parce que *nous avons foi en elles.* Plus justement, nous nous fions aux illusions qu'elles font naître en nous sans nous rendre compte que ce sont ces certitudes factices qui structurent ensuite notre réalité.

Oui, mais... ma souffrance n'est pas une illusion!

Mes peurs sont authentiques!

Si vous étiez aussi anxieux que moi, vous changeriez de ton!

Je ne prétends pas que nos ténèbres intérieures n'existent pas. Ceux qui l'affirment se leurrent et leurrent leur auditoire. Cette obscurité intérieure est bien réelle, de même que les créatures de l'ombre qui y ont élu domicile. Mais *la leçon* à apprendre ici est que cette réalité qui porte le nom de ténèbres n'est que le produit d'une réalité lointaine beaucoup plus grande : la lumière.

Voici la révélation que nous recherchons depuis le début. Les ténèbres, *quelle que soit* leur forme – de la simple obscurité à la nuit noire, en passant par la dépression – *n'existent qu'en l'absence de la lumière.* Plus nous comprenons la vérité de ce principe, quel que soit l'univers dans lequel celui-ci se manifeste, plus nous devenons aptes à prendre conscience de son pouvoir.

Dans les moments, par exemple, où une émotion négative s'empare de nous, que ce soit sous la forme d'une crainte, d'une inquiétude, ou de la déception que nous cause notre vie présente, nous devons *voir* qu'elle parvient à nous dominer tout simplement parce que, au même moment et dans l'espace d'âme qu'elle occupe, *toute lumière est absente.*

En d'autres termes – et sans doute plus justement – nous ne sommes pas *conscients* de la lumière en nous au cœur de ces ténèbres, car si nous en étions conscients, cette douloureuse noirceur intérieure ne serait pas l'unique fondement de notre réalité.

La solution pour mettre fin à notre souffrance inconsciente repose entre nos mains. La force nécessaire à notre délivrance réside dans la connaissance des moyens qu'emploient nos ténèbres intérieures pour nous garder dans l'ombre. Autrement dit, lorsque nous *connaissons* leur nature réelle, nous *triomphons* d'elles. Il est temps maintenant de transformer ces vérités en actes.

En guise de résumé de cette section du présent chapitre, vous trouverez ci-dessous une brève énumération de sept lumières particulières. Pour chasser vos ténèbres intérieures, il vous suffira de puiser dans les révélations qu'elles recèlent.

- Aucune noirceur intérieure n'a le droit d'élire domicile en vous ; elle ne peut y demeurer que si, succombant à ses ruses, vous lui offrez une pièce sombre où s'installer.
- La lumière est la seule arme dont vous avez besoin pour repousser les intrus intérieurs.
- Votre désir sincère de comprendre vos ténèbres intérieures permet à la lumière particulière nécessaire à la réalisation de ce désir de pénétrer en vous.
- Notre assentiment involontaire à la souffrance est ce qui nous fait souffrir. Pour nous affranchir de ces afflictions invisibles, nous devons prendre conscience de leur sombre présence en nous.
- N'acceptez jamais une souffrance sous prétexte qu'elle avance pour justifier sa présence en vous.
- Il est possible d'annuler une émotion négative en la comprenant !
- Vous êtes constitué d'ombre et de la lumière qui crée cette ombre. Mais votre nature véritable, votre essence même, est une lumière dépourvue d'ombre.

◆ ◆ ◆

ANNULEZ VOS TÉNÈBRES INTÉRIEURES PAR LA CONNAISSANCE

J'éprouve énormément de difficulté à triompher de mes ténèbres intérieures. Pouvez-vous me suggérer des façons d'échapper aux émotions destructrices qui s'emparent de moi si souvent ?

L'aspect le plus difficile de la voie spirituelle et des luttes que nous devons y livrer est que la bataille intérieure que nous appréhendons de perdre serait gagnée d'avance si nous choisissions le bon camp. Nous devons poursuivre la lutte le temps qu'il faut pour percer à jour ce qui, en nous, crée nos ténèbres intérieures et les expériences négatives que ces ténèbres produisent. Si vous acceptez de comprendre ce que signifie tenir le coup jusqu'au bout (c'est-à-dire rester éveillé à ces noirceurs jusqu'à ce qu'elles s'estompent – ce qu'elles ne manqueront pas de faire puisqu'elles ne sont que des réflexes), vous aurez fait un pas de plus dans la voie de l'éclairement. Vous saurez que vous vous êtes hissé sur un plan supérieur parce que vous avez percé à jour le plan inférieur où vous vous trouviez et que vous avez lâché prise.

Est-il normal qu'une noirceur intérieure disparaisse plus vite à mesure que nous nous entraînons à la tolérer? On dirait que j'appréhendais ces états parce que j'ignorais tout de ce qu'ils pouvaient provoquer. Mais, maintenant, je constate qu'il ne s'agit ni d'endurance ni de peur, mais bien d'une sorte de neutralité. Quand tout est fini, je ne me sens plus vidé de mon énergie. Suis-je dans la bonne voie?

Oui. Les émotions négatives ne survivent pas sans nourriture. En réalité, aucune pensée, aucun état d'esprit destructeur n'est autonome. Cette découverte est la plus importante de toutes celles que l'on peut faire lorsqu'on s'engage dans la voie de l'éclairement. Voilà pourquoi nous devons apprivoiser la solitude, et pourquoi, si nous admettons la vérité de ce que nous voyons en nous-mêmes, nous nous dégageons à la fois de nos ténèbres intérieures et de notre moi.

Lorsque je m'efforce de me distancer de mon moi familier, mon univers semble s'assombrir et se remplir de haine. Je ressens et imagine l'obscurité d'une façon presque palpable. J'en vois les conséquences sur tout ce qui m'entoure, mais je me sens déséquilibré et perdu.

Faisons une comparaison. Vous est-il déjà arrivé d'entrer dans une pièce obscure et de ne pas pouvoir faire de la lumière? Si vous y êtes resté quelques minutes, vos yeux se sont habitués à l'obscurité ambiante et vous avez pu percevoir des formes qui, auparavant, vous étaient invisibles. Une part de vous qui, jusque-là, était en quelque sorte endormie, s'est réveillée et vous a doté d'une «vision nocturne». Restez dans le noir. Ne cherchez pas à vous identifier à l'obscurité. La lumière viendra. Vous saurez alors toujours comment agir en de telles circonstances.

Lorsqu'une remarque sarcastique me blesse, je me vois transporté dans une noirceur intérieure et je me sens totalement impuissant à y échapper. Je sais que cette noirceur n'est pas

un état normal, mais il est très difficile de mettre fin à nos réflexes naturels. Que faire ?

Dix mille fois par jour (et même davantage s'il le faut), distancez-vous de la personne qui porte votre nom. Si vous persistez, vous comprendrez que vous êtes l'auteur de votre propre souffrance. Je vous assure que l'intelligence authentique est incapable de se nuire.

Je suis toujours pris au dépourvu devant mes éclats de colère ou ceux de quelqu'un d'autre. Qu'est-ce qui peut nous aider à mettre au jour ces passions secrètes que nous hébergeons tous ? Devrais-je m'efforcer de multiplier de tels moments afin de mieux me comprendre et mieux comprendre ma colère ?

Nous devons travailler sur ce qui est, non pas sur ce qui n'est pas. Autrement dit, le fait de rechercher les émotions négatives et autodestructrices équivaut à rechercher sa propre main. Ces états coexistent avec votre vie telle qu'elle est aujourd'hui. Nous ne devons donc pas rechercher ces ténèbres autodestructrices supposées, mais apprendre à tolérer en toute conscience leur irruption en nous. La vie est le champ où cela se déroule ; il nous suffit d'y être. La haine intérieure, l'impatience et l'intolérance vis-à-vis de nous-mêmes et des autres en sont les meilleurs indices. Observez minutieusement ces émotions : elles vous révéleront ce qu'elles cachent.

Je peux parfois vivre de deux à trois semaines dégagé de toute émotion autodestructrice. Puis, soudainement, les pensées et les émotions négatives ne me laissent aucun répit. Que se passe-t-il ? Mon faux moi accumule-t-il périodiquement des énergies autodestructrices ?

Il y a deux côtés à cette médaille. Primo, vous devez comprendre que *tout*, dans l'univers physique, obéit à un cycle. Un cycle est une suite naturelle de mouvements contraires. Secundo, notre travail vise la transcendance de l'univers physique et du moi terrestre soumis à ces cycles. Par conséquent, détendez-vous. Ce que vous traversez est tout à fait normal. Restez en état d'éveil. Puis, efforcez-vous de vous distancier de vous-même.

Dites-moi pourquoi je persiste à laisser entrer chez moi la rage, l'anxiété, et ainsi de suite, même lorsque je prévois leur arrivée et que je suis conscient de leur pouvoir ?

Nous devons surmonter un certain nombre de chocs importants pour devenir des êtres différents. L'un d'eux consiste à découvrir que nous sommes la proie de deux volontés distinctes. Saint Paul n'a-t-il pas dit : « Je ne fais pas le bien que je veux et commets le mal que je ne veux pas » ? Il soulignait par là que c'est une chose de prendre conscience de sa nature conflictuelle, et que c'en est une autre de parvenir à ne pas exprimer cette nature. L'aptitude à ne pas exprimer nos ténèbres intérieures ne s'acquiert pas. Au contraire, nous nous libérons de nos conflits intérieurs en mourant à la nature qui les engendre.

Mon cœur doit encore beaucoup s'adoucir... non pas tant parce qu'il est en proie à un ressentiment conscient, mais parce que « persister dans l'arrogance » est terrifiant. Quels conseils pouvez-vous me donner ?

L'expression qui dit que « la nuit est plus profonde juste avant l'aube » est une grande vérité spirituelle. Tous nos états d'esprit destructeurs, en particulier l'arrogance, savent que, plus ils nous sembleront forts, moins l'entité qu'ils dominent sera disposée à « remettre en cause » leur droit à l'existence. Vous traversez une phase normale, profitable et nécessaire. Elle marque le début d'une réelle humilité, c'est-à-dire le plus inestimable présent spirituel qui soit. Persévérez. Vous ne pouvez pas perdre.

COMMENT METTRE FIN AUX ÉMOTIONS DOULOUREUSES

Pouvez-vous m'expliquer en quoi consiste la solitude et comment y mettre fin ?

La solitude n'est pas un problème ; la peur de la solitude, si, car elle nous entraîne dans des relations néfastes et dans la désespérance de soi. Réfléchissez : le sentiment de solitude n'est nullement négatif en soi et ne comporte aucun élément destructeur. Mais lorsque notre esprit s'appesantit sur la solitude et se remémore les déceptions que nous avons toujours associées à la solitude, celle-ci se transforme tout à coup en lion furieux. Nous ne pouvons jamais nous affranchir d'une émotion douloureuse sans d'abord la regarder bien en face. Les émotions douloureuses continuent de nous dominer parce qu'elles savent que nous n'osons pas les affronter. Un secret : si nous mettons nos ténèbres intérieures au défi de nous attaquer de la pire manière, Dieu prendra notre défense. Autrement dit, nous verrons le vrai visage de nos émotions douloureuses.

Ces dernières années (je suppose en raison de ma quête spirituelle), j'ai remarqué que je suis de moins en moins intéressé à nouer des relations avec autrui. Je constate que ces relations n'étaient pour moi que des « biens » qui me permettaient de me sentir « vivant ». Ce besoin d'éloignement n'éveille en moi aucune appréhension, mais je me demande parfois s'il m'est néfaste.

Quand nous nous engageons dans la voie de l'éclairement, nous devons faire l'expérience d'une nouvelle forme de solitude. Au début, nous croyons que notre éloignement a tout à voir avec autrui. Mais, à force de persévérance, nous voyons que notre peur de trop nous éloigner des autres n'est qu'une ruse mentale destinée à nous empêcher d'échapper à la ronde du moi. Laissez le Vrai (ou votre désir de vérité) s'occuper des détails de vos relations personnelles. Et songez à ce qui suit : qu'y a-t-il de plus solitaire que le narcissisme ? À quels types de relations donne-t-il lieu ?

Ma femme refuse de m'appuyer dans ma quête spirituelle. Je crois qu'elle appréhende que cela crée une distance entre nous. Que puis-je faire ?

Dans la voie de l'éclairement, nous avons le devoir de ne pas craindre ce qui nous attend mais d'être disposé à y entrer quoi qu'il arrive. La lumière redressera votre chemin si vous acceptez de ne pas sortir de son rayon toujours plus large.

Pourquoi suis-je si seul, alors que je n'aspire qu'à devenir meilleur ?

Je sais. Cela peut sembler étrange et même injuste que, dans notre quête du Vrai, nous ayons l'impression de subir un châtiment.

Connaissez-vous cette phrase du Nouveau Testament : « Heureux êtes-vous quand on vous insultera à cause de moi » ? Voilà ce que le Christ a dit à ses disciples. Mais la Bible ne mentionne pas qu'il s'agit là à la fois de l'expression extérieure et intérieure de la quête spirituelle d'un individu. Ceci est très important. La souffrance qui résulte de notre recherche de la vie réelle (qu'il s'agisse de solitude, d'un sentiment de vide intérieur, de peur, ou de quoi que ce soit d'autre) n'est pas une conséquence de cette vraie vie *en soi*, mais bien une forme de représailles que nous inflige notre ancien moi, car il ne dispose d'aucune autre arme pour nous garder sous sa coupe. À mesure que cette vérité vous apparaîtra, votre intolérance envers ces différentes menaces intérieures se renforcera. Un beau jour, vous vous moquerez d'elles et votre rire s'enracinera dans la réalité.

Je suis en proie à deux peurs conflictuelles : la peur de rester seul jusqu'à la fin de mes jours, et la peur de faire de nouvelles rencontres. Tout ce que je fais semble soumis à l'une de ces peurs. Y a-t-il une solution à mon dilemme ?

Efforcez-vous de voir que la peur que vous ressentez n'a rien à voir avec la solitude, mais bien avec le film qui se déroule dans votre tête. Il a pour titre *Ma vie solitaire*. Pour que cesse cette projection, vous devez entrer dans la solitude en sachant que votre peur d'être seul est mensongère. Si vous y parvenez, le film s'arrêtera et vous connaîtrez l'émerveillement et le bonheur de la véritable solitude.

Quelle sont les causes de la dépression grave et quelle est l'arme la plus efficace pour triompher d'elle ?

Pour nous affranchir de quelque état autodestructeur que ce soit, nous devons d'abord acquérir une vue d'ensemble. Tout ce qui vit dans notre monde physique obéit aux lois de la gravité, y compris nos pensées et nos énergies psychiques. Toutes nos pensées et les émotions qui les accompagnent sont soumises aux lois de l'association et de l'attraction. La dépression prend forme lorsque nous nous identifions inconsciemment à certaines visions de nous-mêmes. Ces visions, ou images, correspondent à ce que nous pensons devoir devenir ou accomplir dans la vie. L'ennui, c'est que ces visions ne nous appartiennent pas ; elles sont le produit de la société dans laquelle nous vivons dont c'est la nature même de nous juger selon des critères qui nous sont étrangers. Lorsque nous nous mesurons à notre insu à ces critères et que nous découvrons que nous ne sommes pas à la hauteur, nous favorisons la folle ronde du moi. Ce moi commence par se chercher, puis, ne se trouvant pas, il puise dans son propre contenu pour y dénicher une autre solution ; mais cette solution fait partie du problème et ne résout jamais rien. La dépression grave est la répétition infinie de ce processus. Puisque ces ténèbres pénètrent en nous et s'emparent de nous lorsque nous ne sommes pas éveillés à la vraie vie, la solution réside dans un nouvel éveil. Pour bien comprendre ce faux sentiment d'identité, il nous faut l'examiner et non pas capituler devant lui. Ne luttez pas avec lui. Enveloppez-le le plus possible de lumière (conscience) ; il relâchera peu à peu son emprise. Voici une autre révélation : plus vous vous désintéressez d'une noirceur intérieure, c'est-à-dire du sentiment d'identité qu'elle vous procure subrepticement, plus elle regagne ses ténèbres originelles. Elle cesse d'être un problème pour vous car elle ne peut plus résider en vous.

Une personne qui prend depuis longtemps des médicaments pour traiter sa dépression peut-elle espérer mettre fin à cette médication si elle s'engage dans la quête du Vrai ?

Si vous me demandez si la connaissance de soi peut mettre fin au désespoir et aux autres ténèbres intérieures, ma réponse est oui, absolument. La médecine actuelle se contente de traiter les symptômes. Soyez sage. Faites votre quête spirituelle.

Pouvez-vous m'aider à surmonter ma dépression ? Chaque fois que je sollicite l'aide de mon mari il ne parvient qu'à m'irriter en me répondant « N'y va pas ! » ou « La dépression est une image mentale ; rejette-la ». Je ne comprends pas du tout ce qu'il veut dire. Avez-vous des suggestions ?

La prochaine fois que la dépression s'emparera de vous, pensez à aller vers elle au lieu de la fuir. Je veux dire, efforcez-vous de constater, au moment où cela se produit, que l'état dans lequel vous vous trouvez veut que vous lui accordiez toute votre attention.

C'est précisément de cette façon que nos ténèbres intérieures parviennent à nous garder captifs. Envisagez la dépression comme un ennui temporaire au lieu de lui obéir lorsqu'elle lui dit que vous devez accepter d'y rester. Persévérez, et vos efforts seront récompensés.

Quelle différence y a-t-il entre la dépression due aux médicaments ou à un déséquilibre chimique, et la dépression clinique (la Personne provisoirement en charge) ?

Tous les déséquilibres spirituels/psychologiques du corps et du cerveau que l'on ne soigne pas prendront tôt ou tard la forme d'un déséquilibre chimique. L'important est que la dépression prend souvent sa source dans la vision préconçue qu'un individu a de sa vie et de sa raison de vivre. Mais les idées que nous explorons, si elles sont étudiées par un individu ouvert et réceptif, pourront engager quiconque dans la voie de la guérison.

ÉLEVEZ-VOUS AU-DESSUS DE LA PERTE ET DU DEUIL

D'où vient la tristesse inhérente à notre quête de vérité ?

La tristesse qui se manifeste sur le chemin de l'éclairement provient (en grande partie) des aspects inférieurs du moi qui ne parviennent pas à progresser. Le deuil de ce moi n'est pas celui auquel il pense ; il pleure sa propre perte. D'autre part, à mesure que nous nous éveillons et que nous prenons conscience des souffrances et des luttes inutiles qui affligent notre prochain, nous ressentons une grande tristesse devant tant de gaspillage. Cette empathie nouvelle, qui ressemble à la tristesse au début, marque le début de la compassion.

Récemment, mon père est tombé gravement malade. J'ai très peur de le perdre. Je sais que ma peur provient de mon égoïsme et de ce que j'éprouverais s'il n'était plus là. Au lieu de concentrer mon attention sur lui et sur sa souffrance, je suis victime de ma peur du deuil. Je sais que je n'ai rien à craindre, sinon la peur elle-même, mais je me sens impuissante à la surmonter.

Cessez de vouloir la surmonter. Ne faites rien pour combattre la peur ou le deuil. Le faux moi nous joue à tous un très vilain tour en nous dissociant des états intérieurs qu'il a créés de toutes pièces. Ainsi, ou nous les combattons ou nous nous y soumettons, parce que nous croyons qu'ils sont extérieurs à nous. Lorsque nous n'agissons pas mais nous contentons de les observer, nous mettons fin à leur emprise sur nous. Si vous vous efforcez d'y parvenir, vous verrez que *vous* serez entraînée dans toutes sortes de tourbillons. Mais un jour viendra où vous en aurez assez de ces maelströms.

Est-il juste de dire que le deuil que nous ressentons à la perte d'un être cher est l'œuvre du faux moi ? Si c'est le cas, existe-t-il un deuil qui n'englobe pas aussi la notion de perte ?

Le deuil existe. La perte d'un être cher, d'un intime, ne peut pas ne pas nous affecter. Le secret consiste à demeurer conscient et à veiller à ne pas pleurer sur soi lorsque nous perdons un être cher. Car ce deuil-là est non seulement « mensonger », il n'est pas dans l'ordre naturel des choses et il débouche inévitablement sur le malheur, car il nous force à sans cesse revivre la perte que nous avons subie.

Pouvez-vous expliquer plus en détail ce que signifie s'investir dans ce qui nous a déjà quitté ?

Dans cette vie, tout passe. Il n'y a pas d'exception. Lorsque nous investissons notre moi dans ce qui passe – c'est-à-dire dans cette chose, ce bien ou cette personne qui change – nous commençons par avoir peur, puis nous éprouvons un sentiment de perte, car nous avons confondu sa vie avec la nôtre. La souffrance s'ensuit toujours.

Ma fiancée m'a quitté après six ans de vie commune. Je suis désespéré. J'ai fréquenté trois autres femmes depuis, mais je n'ai pas cessé de les comparer à ma fiancée. Comment parvient-on à s'affranchir de telles obsessions?

Le moi que crée toute souffrance trouvera toujours le moyen de perpétuer cette souffrance. Dans les moments où ces pensées attristantes vous viennent et vous ouvrent la porte de leur univers, efforcez-vous de voir qu'elles vous promettent toujours quelque chose. Associez la douleur qui s'ensuit à votre présence chez elles. Avec le temps, vous verrez clair dans leurs intentions et vous déclinerez leur invitation.

Je viens de vivre une rupture après douze ans de relation. Bien que je ressente fortement en moi une présence supérieure, j'ai l'impression d'avoir été « poussé de côté », car ma quête spirituelle ne progresse pas aussi bien qu'il y a un mois. Pouvez-vous m'aider à tirer parti de cette expérience pour m'élever?

Posez-vous souvent la question suivante: « Qu'y a-t-il de bon dans ce que je possède qui m'arrache à moi-même si je le perds? » Méditez cette question (et sa signification) jusqu'à ce que quelque chose en vous en vienne à désirer sa propre vie de préférence à la « vie factice » qui lui venait de circonstances provisoires.

J'ai été un bon chrétien presque toute ma vie. Il y a quelques années, j'ai subi une opération à cœur ouvert qui a dégénéré en thrombose. Je ne suis plus en mesure de travailler aussi bien qu'autrefois. J'ai perdu un emploi dans lequel j'excellais et que j'aimais beaucoup. Je me sens comme Job, en ce sens que, puisque la vie m'a empêché de faire ce que je faisais si bien, j'ai tout perdu. On répète sans cesse que pour chaque porte que Dieu ferme, il en ouvre une autre. Je sombre dans la dépression et je ne sais plus que faire. Je m'efforce de ne pas perdre la foi, mais je crois être en train de perdre la bataille. J'essaie de vivre dans l'ici et le maintenant, mais cela m'est de plus en plus difficile.

Dieu n'abandonne jamais l'âme qui l'aime. Jamais. L'ennui est que notre âme, dans son état actuel, pêche par ignorance spirituelle. Nous croyons être qui nous sommes, et cet être mentalement conçu, cette idée que nous nous faisons de nous-mêmes, est en quelque sorte l'ennemi de Dieu. Pour cette raison, lorsque Dieu se donne à nous, nous ne comprenons pas toujours la nature de ce don. Par exemple, Job. Ses épreuves et sa volonté de les endurer en dépit de tout n'ont nullement affecté son amour du Tout-Puissant. Pourquoi ? Parce qu'il avait foi en la compassion divine. Les épreuves que Dieu nous envoie sont pénibles, mais, pour des raisons connues de lui seul, il n'afflige d'épreuves pénibles que ceux qu'il veut rendre plus forts.

Pourquoi Dieu, dans son infinie sagesse, permet-il que l'humanité endure tant de souffrances et d'épreuves ?

Mis à part le Mal, la souffrance est le sujet le plus mal compris qui soit. Vous devrez sans doute méditer ce qui suit pendant un certain temps : la souffrance d'un être cher ne vous a-t-elle jamais incité à vouloir remédier à la situation... puis à prendre les moyens nécessaires pour y parvenir ?

PRENEZ SOIN DE VOTRE INÉBRANLABLE NATURE VÉRITABLE

Quel rapport y a-t-il entre quête spirituelle et santé physique ?

La quête spirituelle a pour but de nous révéler que nous possédons tous une vie intérieure invisible. C'est un fait inéluctable que ce qui est dedans détermine ce qui est dehors.

La « personne provisoirement en charge » (PPC) peut-elle nous rendre malade ?

Certainement. En fait, certaines PPC ne vivent que pour être malades afin que le moi qu'elles fabriquent ne les abandonne jamais. Ceci devrait vous aider à comprendre et à définir l'hypocondrie.

Chaque fois que je sens que je progresse vraiment, un malaise survient et me ramène à la case de départ. Je suis alors assailli de peurs et de doutes. Quelle attitude devrions-nous avoir en présence de la maladie ?

Apprenez à faire feu de tout bois. Tout peut servir. Là est le secret de l'éveil de soi.

Je ne suis pas du tout satisfait de mon poids, de ma vie sédentaire, etc., mais je ne parviens pas à changer. Je ne veux pas me mettre à résister à mes états « autodestructeurs », mais je veux recouvrer la santé. C'est l'impasse.

L'un des pires mauvais tours que nous jouent nos ténèbres intérieures consiste à nous convaincre que rien d'autre ne peut exister que ce qui « est ». Mais cette conclusion est celle de votre conflit. Elle n'est pas la vôtre.

Quel rôle joue la guérison dans le Vrai ?

Tout est question de rapports. En ce qui concerne le corps, il importe d'avoir une bonne alimentation et de faire de l'exercice. Mais le nœud de l'affaire dépend de forces invisibles qui opèrent en deçà ou au-delà du corps physique. Aucun corps ne peut être plus en santé que l'énergie qu'il dégage et absorbe. Au bout du compte, la santé véritable relève de nos associations. Nous devons prendre conscience des associations intérieures malsaines que nous vivons afin de les remplacer par des éléments plus élevés et plus sains. La guérison progressera à la mesure des pas que nous ferons en ce sens. Incidemment, la guérison est, elle aussi, une question de rapports, tant sur le plan physique que sur le plan spirituel. La santé de Dieu est infinie !

Lorsque je souffre physiquement et que je ne maîtrise plus mon corps, que puis-je faire pour apaiser l'anxiété inévitable que cet état de choses suscite en moi ?

Tout, dans la vie, nous prépare à la mort. L'inévitabilité de la mort physique nous indique que nous devrions nous orienter sur son ombre pour découvrir la lumière. Si étrange que cela puisse paraître, la peur ou la résistance face à notre fin est justement ce qui perpétue le rapport douloureux que nous entretenons avec la mort. C'est sans doute difficile à comprendre, mais si nous nous rapprochions de la mort au lieu de la fuir, nous nous lasserions tant d'avoir peur que nous mourrions à cette peur. Lorsque nous mourons à notre peur de la mort, nous mourons à la mort. Il n'est pas possible d'expliquer cela plus clairement ; c'est une exigence intérieure très grande à laquelle nous sommes tous appelés. Si nous refusons la débandade devant la lutte, quelle que soit cette lutte, nous serons victorieux.

Que signifie devenir « intime » avec la peur ou la douleur ? Est-ce synonyme d'acceptation ?

L'acceptation de quelque noirceur intérieure que ce soit n'est pas du tout synonyme d'accueil. Nous devons plutôt laisser la vie nous enseigner ce qu'elle veut que l'on sache en puisant dans nos expériences du moment. La vie ne nous bombarde pas de questions ; elle nous fournit des réponses. C'est là le plus merveilleux secret de l'univers. Les réponses véritables sont parfaites. Nous devons comprendre cela. Persistez. Je vous promets que, si vous persévérez dans votre quête intérieure, tout ce que vous devez savoir vous sera révélé.

Un seul mauvais souvenir parvient à me rendre malade quand il me traverse l'esprit. Que puis-je faire pour désamorcer la souffrance plutôt que d'y céder ?

La prochaine fois que vous serez en proie à l'hostilité, soit en pensée (en vous remémorant ce qu'on vous aura fait subir par le passé) ou à l'occasion d'un conflit avec une personne présente, posez-vous la question suivante *dès que vous vous souviendrez de devoir le faire :* ce moi dont je fais l'expérience est-il celui que je veux être ? Ou encore : ce moi qui souffre correspond-il au moi que je veux connaître ? Puis, rendez-vous compte le plus possible que vous n'êtes pas la personne que vous aspirez à être en cet instant, mais que quelque chose d'étranger à votre nature réelle s'est imposé à vous et a pris possession de votre vie. Cela fait, arrêtez tout ; constatez seulement que, même s'il vous est impossible d'empêcher ce moi inférieur de vous posséder, *vous avez la force* de reconnaître en lui un intrus. Cette conscience de votre véritable souffrance équivaut à projeter un rayon de lumière sur votre problème. C'est là votre devoir. La lumière remplira son rôle si vous remplissez le vôtre. Persistez jusqu'à ce que vous soyez libre !

Est-il vrai que, si je reste dans l'instant présent, il m'est inutile de souffrir ?

C'est vrai. Votre souffrance actuelle ne vous est d'aucune utilité. Le fait de rester dans l'instant présent vous le révélera. Par la suite, ce que vous apprendrez sur la nature de la souffrance vous servira et vous affranchira de la peur de souffrir.

RÉVEILLEZ-VOUS ET LIBÉREZ-VOUS DE LA PEUR ET DE L'INQUIÉTUDE

J'ai peur quand je constate que je n'ai pas de prise sur mes pensées et mes actes. Il m'arrive parfois de faire ou de dire des choses qui, je m'en rends compte plus tard, vont à l'encontre de mon éveil spirituel. Comment le Vrai peut-il me venir en aide ?

Commencez par admettre que la peur que vous ressentez devant les pensées et les émotions qui vous effraient sont le prolongement secret de ces pensées et des ces émotions et du moi qui leur a donné naissance. Il faut comprendre que certaines parties de nous s'opposent à notre éveil. Même si cela est difficile à comprendre, nous n'avons d'autre choix que de nous éveiller avant de mourir à notre faux moi. L'on pourrait dire que l'éveil nous permet de constater qu'un moi endormi a vécu à notre place. Lorsque la nature de ce moi endormi nous est révélée grâce à la lumière de l'éveil, la peur qu'il provoque et le moi apeuré que nous avons été en nous identifiant à lui s'estompent. Persistez !

Lorsque je parle à quelqu'un qui m'intimide, je fige, ma gorge se serre sous la tension et j'en perds la voix !

L'un des moyens à notre disposition pour nous élever au-dessus des problèmes auxquels nous faisons face consiste à ne pas permettre à ceux-ci de nous dicter notre conduite. Dans ces cas-là, lorsque nous affrontons des défis, une partie de nous veut fuir tout ce qui nous est désagréable. Il faut aller vers le problème et ne pas permettre au problème de nous empêcher de déceler sa cause réelle. Nos mauvais aspects tentent toujours de nous définir en fonction des limites qu'ils établissent à notre insu. Tout ce que nous appréhendons, tout ce qui nous pousse à d'étranges comportements nous affirme qu'une personne ou une circonstance est cause de notre conflit. Nous ne devons jamais perdre de vue qu'en toute circonstance nous sommes l'occurrence même que nous vivons, et qu'en établissant un contact direct avec ces aspects de nous, en faisant ce qu'eux-mêmes appréhendent de faire, nous démontrons l'irréalité de nos appréhensions. Toutes nos peurs, toutes nos ténèbres intérieures, sont des états conditionnels. Cela signifie que, si nous persistons dans la bonne voie, si nous acceptons de demeurer conscients de nous-mêmes pendant que ces aspects de nous nous menacent, nous les verrons s'estomper et, finalement, disparaître. Là est la seule vraie liberté.

Pouvez-vous nous conseiller un affirmation pour conjurer la peur et une autre pour nous inciter à demeurer éveillé à l'instant présent ?

Méditez ce qui suit : nous n'avons pas besoin d'affirmer la peur ni notre conscience de cette peur dans l'instant présent. Le simple fait d'être en état d'éveil (sans rien affirmer, sans rien penser) et présent dans l'ici et le maintenant nous démontre que la peur est une intruse, un ajout inutile et artificiel à l'instant présent. Ainsi, nous affirmons la réalité, la vérité du moment. Nous triomphons parce que le Vrai a déjà remporté la victoire.

Lorsque la peur ou les émotions destructrices commencent à m'envahir, j'ai découvert une prière très puissante qui m'aide à résister à ces émotions. La voici : « Ceci ne concerne pas ma vie, mais la vie de Dieu. » Pouvez-vous m'en suggérer d'autres ?

Faites ce qui est efficace pour vous. Si vous agissez ainsi, que vous persistez et que vous vous efforcez de sortir de vous-même, une connaissance instinctive et plus profonde fleurira et vous procurera des moyens de plus en plus efficaces de vous distancier de vous-même. Quand cela se produira, d'autres « prières » vous viendront spontanément aux lèvres.

J'appréhende beaucoup une réception que je suis en train de planifier : que servir, qui inviter, et ainsi de suite. Comment puis-je savoir si ces peurs sont irrationnelles ou si je dois obéir à cette petite voix et tout annuler ?

Toutes nos peurs psychologiques sont irrationnelles en un certain sens. C'est un début. Si vous voulez organiser une réception, faites-le. Mais ne permettez pas que cette réception ou aucune autre réception empiète sur votre vie spirituelle. Il y a deux façons de procéder et toutes deux requièrent un travail intérieur : organisez cette réception (et invitez qui vous voulez) exactement comme vous l'entendez. Mais prenez la décision de ne pas amuser les invités intérieurs qui vous tourmenteront pendant vos préparatifs. Si vous faites cela, vous en apprendrez plus sur vous-même que si vous décidiez de ne pas recevoir vos amis. Ou bien, annulez votre réception et restez à l'affût de ces mêmes intrus intérieurs.

Est-ce lorsque la peur nous envahit, lorsque nous nous éveillons et que nous la «voyons» sous son vrai jour que la vie supérieure peut enfin entrer en nous?

La qualité de notre vie intérieure dépend des rapports que nous entretenons avec nous-mêmes en ce moment. Lorsque nous nous efforçons de regarder la peur en face au lieu d'avoir peur à notre insu, ce rapport se transforme. Il suffit qu'une toute petite idée correcte concernant la nature réelle de la peur vous vienne à l'esprit à l'instant même où la peur y entre pour que votre peur s'estompe. Bien entendu, l'instant qui suit se compose de quelque chose de supérieur.

La peur. Voilà mon problème. Le fait que j'ai presque toujours peur de la vie indique-t-il que je suis spirituellement endormi?

Oui, c'est là une bonne description. Il est bien que vous doutiez de vous ainsi. Lorsqu'on a peur, la bonne attitude à prendre consiste à comprendre que l'on n'aurait pas peur si l'on ne s'était pas endormi intérieurement. Une fois cette vérité admise, et comme conséquence de cette admission, le rapport que vous entretenez avec votre peur est radicalement transformé.

En dépit des progrès que j'ai pu réaliser sur la voie de la vérité, je suis toujours en proie à l'appréhension lorsqu'une mauvaise nouvelle m'arrive par téléphone ou par courriel. Mon cœur bat à tout rompre, j'oublie tout ce qui est vrai, et je me retrouve à la case départ. Que puis-je faire?

C'est étrange, mais lorsque nous découvrons que nous avons oublié ce que nous pensions savoir, nous nous engageons dans la voie d'une connaissance supérieure. Je m'explique. Pendant des années, nous associons la pensée à la pensée, les circonstances aux justes principes. Mais ces pensées supérieures et ces justes principes se situent sur le même plan que nos attaquants. Nous devons apprendre durement nos leçons. Ce faisant, nous cessons de nous battre, de résister à nos ténèbres intérieures. Nous n'apprenons pas à vaincre l'obscurité mais bien à demeurer en ce lieu intérieur où l'obscurité ne peut pas nous atteindre.

L'anxiété semble être mon lot depuis quelque temps. Je dois m'occuper des enfants, j'occupe un poste très exigeant et j'ai peu d'intérêts extérieurs, mais il me semble apporter à tout cela un certain équilibre et savoir où se situent mes priorités. Pourtant, l'anxiété m'envahit souvent, une anxiété qui semble prendre sa source dans l'inquiétude, et ainsi de suite. Pouvez-vous m'aider à surmonter cela ?

L'anxiété est l'une des noirceurs intérieures les plus pénibles en raison de sa manière d'agir en nous. Le secret consiste à comprendre que le seul pouvoir de l'anxiété réside dans ce qu'elle promet de nous donner si nous lui obéissons. L'un des aspects les plus importants de la quête intérieure réside dans notre aptitude à déceler les ténèbres qui envahissent notre psychisme et, au début, de les affronter – l'anxiété surtout – en toute connaissance de cause au lieu d'écouter ce qu'elles nous disent à notre sujet. Le Vrai veut que vous parveniez à comprendre ceci : l'anxiété ne pense qu'à elle et elle vit à vos dépens. Plus cela vous deviendra clair, moins vous serez porté à vous abandonner à l'anxiété.

Il m'apparaît de plus en plus que l'humanité vit sur un plan extrêmement troublant... Je ne peux m'empêcher d'appréhender le sort de la race humaine. Que veut dire tout cela ?

Lorsque nous prenons conscience de la dégénérescence de l'humanité, nous en éprouvons un sentiment d'impuissance. Mais si nous persévérons dans notre traversée de cette « nuit obscure de l'âme », nous verrons une nouvelle lumière de l'autre côté. Cette lumière possède une double nature : d'une part, elle nous permet de voir que le monde qui nous *entoure* ne peut ni nous combler ni nous libérer et, comme conséquence de cette révélation, nous cherchons en nous-mêmes le courage et la sécurité qui nous font défaut.

Que pensez-vous du traitement ignoble fait aux animaux?

Ne gaspillez rien. Ne mangez pas plus que nécessaire et restez conscient de ce que vous mangez quand vous mangez. Nourrissez les oiseaux. Observez les écureuils. Flattez un chien ou un chat et témoignez-lui de la tendresse en sachant que cet animal est l'expression vivante de la création de Dieu. Soyez toujours conscient de la façon dont vous traitez tout ce qui vous entoure, même les objets inanimés, et vous comprendrez pourquoi le monde est tel qu'il est. Seule une telle attitude permettra le changement.

Pourquoi suis-je parfois si confiant dans l'avenir de l'humanité, et parfois si désespéré?

Cela semble paradoxal, je sais, mais ces deux sentiments sont justes. Voyons cela avec un peu de recul. Le destin heureux de l'humanité réside entre les mains des hommes et des femmes qui, comme vous, commencent à comprendre que le monde est dans l'état où il est parce que l'humanité dort. D'autre part, pour une humanité qui dort, il n'y a guère d'autre espoir que le rêve qui lui promet d'échapper demain au cauchemar de ses actes inconscients. Travaillez. Ne permettez pas au découragement d'avoir le dessus. Pour l'homme ou la femme en quête de spiritualité, la défaite ne saurait exister. Un jour, vous comprendrez cette grande vérité et la confiance réelle dans l'avenir de tous ceux qui y ont élu domicile vous sera révélée.

Je commence à voir clairement où va notre planète. Il y a des guerres partout, et je suis au beau milieu de tout cela. Ma quête spirituelle m'arrachera-t-elle à ce lieu sordide? Si oui, où m'entraînera-t-elle?

Pour nous évader de cette planète devenue folle et de ses guerres nous devons d'abord identifier les guerres qui font rage en nous-mêmes et nous en évader. En vérité, il n'y a pas d'autre combat que celui-là. Ce que nous voyons autour de nous est la manifestation inévitable de la douleur qui sévit en nous-mêmes, qui pousse et pousse jusqu'à trouver une issue. En ce qui concerne votre quête spirituelle, laissez-la entre les mains de l'Esprit. Il ne vous trahira jamais.

COMMENT TRIOMPHER DES FORCES OBSCURES

Qu'est-ce qui empêche les êtres de sortir de leur sommeil psychique? Le «diable» ou toute autre puissance spirituelle sont-ils en cause?

Oui, certaines puissances inhérentes agissent délibérément, résident dans la matière et nous poussent au sommeil. Ne tentez pas de fragmenter cette notion; gardez une vue d'ensemble. Tout aspire à demeurer statique. Tout veut vivre. Ce tout inclut les puissances et les esprits dont toute la vie repose sur notre inaptitude à comprendre cette vérité.

Si les forces du mal requièrent ma collaboration inconsciente pour me dérober ma vie et se manifester à travers moi, pourquoi s'acharnent-elles à me détruire?

Je sais, on dirait bien que les forces du mal sont dans une impasse. Mais vous devez comprendre la notion de rapport. Même le virus qui consume notre corps physique ne périt pas lorsque le corps meurt. Ce virus appartient à un ordre plus profond de l'existence qui, en un sens, est éternel si on compare sa vie à la durée de la vie humaine. Il en va de même des forces du mal.

Est-il vrai que, lorsque nous nous engageons dans la voie supérieure et que nous progressons, le mal tente délibérément de saboter nos efforts spirituels?

Oui. Notre quête de lumière attire les ténèbres. Mais comprenez ce qui suit: lorsque cela se produit, lorsque le «mal» nous attaque parce que nous aspirons à la sainteté de la vie, il se trahit en se dévoilant. Chacun de ces dévoilements s'accompagne, si nous sommes en état d'éveil, de l'écroulement du lieu ou nous nous étions à notre insu associés à ces forces obscures.

Cela semble si difficile de faire le bien et d'être bon, et si facile d'être la proie des forces obscures qui nous poussent au sommeil. Ne pouvons-nous en conclure que les ténèbres sont plus puissantes, voire plus naturelles, que la lumière?

N'oubliez pas que nous avons un corps physique et que nous vivons dans un monde physique qui, tous deux, obéissent à certaines lois (notamment, la gravité) en raison desquelles il est plus facile de tomber que de s'élever. Cette condition physique et son inhérente obscurité, conséquence de son enveloppe matérielle, n'est nullement le moteur de quiconque aspire à se dépasser. Le seul pouvoir que détiennent les ténèbres réside dans l'absence de lumière.

◆ ◆ ◆

TROIS NOUVELLES SOLUTIONS POUR CHASSER LES TÉNÈBRES INTÉRIEURES

Pour la plupart d'entre nous, la seule réaction qui nous vient quand la vie prend un mauvais tournant et nous met en face de ce que nous ne désirons pas, est de prendre nous aussi un mauvais tournant ! Et quand les circonstances tournent carrément au désastre, nous rejetons d'un revers l'occurrence « en cause » et nous retournons notre colère contre notre propre vie en affirmant qu'elle « ne vaut pas la peine d'être vécue ! »

De tels élans de frustration, issus d'un sentiment croissant de futilité, sont raisonnables en apparence et semblent même soulager le moi qui se sent ainsi désespérément acculé au pied du mur. Mais regardons les choses plus attentivement, et nous verrons que ce n'est pas du tout le cas.

Quelques-uns d'entre nous doivent encore comprendre que nos réactions négatives en face des événements malencontreux ne peuvent *rien* contre la situation. En fait, ces élans douloureux produisent justement l'effet contraire. Ils « cimentent » les événements, se consolident eux-mêmes et consolident le faux moi qui leur permet de poursuivre leur petit bonhomme de chemin. Voici quelques suggestions pour vous aider à voir la vérité dans tout ceci.

Chaque élan destructeur qui nous traverse à notre insu confirme sa propre triste vision des choses : « la vie m'a floué ! » Mais ce n'est là que la moitié de son processus secret. Cette conclusion – le fait d'être la victime de la vie – nous empêche d'apprendre les vraies leçons et la vérité que cachent ces « épreuves ». Lorsque la vie vous contrarie, ce n'est pas la vie qui vous refuse le bonheur.

Non. Le seul coupable qui puisse assombrir vos heures est l'idée que vous vous faites de la nature de votre bonheur.

Évidemment, il faut beaucoup de courage pour admettre cela, car au lieu de lutter pour transformer cette « noirceur » intérieure ou de la ruminer, vous voilà contraint de regarder en face le faux « moi » qui en est responsable. Mais vous n'avez pas vraiment d'autre choix si vous comprenez que, aussi longtemps que vous n'affronterez pas ce moi exigeant, vous continuerez de vous battre contre le malheur. La prochaine fois que la vie frappera à votre porte pour vous offrir un présent dont vous ne voulez pas, au lieu de vous laisser entraîner dans le bon vieux tourbillon habituel, choisissez les trois solutions qui suivent et voyez comme elles chassent les ténèbres qui tentent d'entrer chez vous.

La première solution (toujours !) est de vous éveiller à vous-mêmes. N'oubliez pas que votre nouvel objectif est de ne pas permettre à vos réflexes d'avoir le dessus. Puis, dans cette conscience de soi, admettez que le désagrément dont vous faites l'expérience ne prend pas sa source dans les circonstances, mais qu'il est *la conséquence de votre résistance à comprendre* que quelque chose vous a volé votre bonheur. La clé pour échapper au châtiment que vous n'en finissez pas de vous infliger consiste à prendre conscience de son existence et à comprendre que *votre désir de ne pas ressentir une émotion spécifique est justement la cause de cette émotion !*

Deuxièmement, cessez de vous plaindre de ce que la vie vous a « fait », car vous ne parvenez ainsi qu'à recréer le moi que vous repoussez. Optez délibérément pour aller dans une autre direction. Et nous voici parvenus à la troisième, et la plus importante, des trois solutions que je vous propose.

Dites « oui » à la vie. Plutôt que de refuser aveuglément et de repousser les moments qui vous semblent contrarier votre bonheur, apprenez à les accueillir. Permettez-leur d'entrer dans votre vie réelle, dans la lumière de la conscience de soi au lieu de tout tenter pour les chasser. Votre accueil conscient les incitera à vous révéler ce moi qu'ils peuvent vous aider à connaître. Ensuite, vous serez libre.

CHAPITRE 7

Annulez la cause secrète de votre autocaptivité

Un jour, un étalon sauvage fut capturé et enfermé dans un enclos en bordure des champs où, auparavant, il courait en toute liberté.

Au cours de sa première semaine de captivité, il eut le comportement que l'on peut attendre d'une créature sauvage dans sa situation. Mais au bout de quelque temps, même l'herbe sèche qu'on lui donnait à manger lui parut non seulement tolérable, mais savoureuse. Après tout, il pouvait manger à sa faim sans avoir à chercher sa nourriture. Chaque jour, on lui offrait à manger et à boire. Sa captivité semblait lui procurer aussi d'autres avantages.

Certes, il ne pouvait pas sortir de son enclos, mais rien ne pouvait y entrer non plus. Ses nuits agitées de naguère, quand il était toujours à l'affût des prédateurs, n'étaient plus pour lui qu'un vieux cauchemar. Sa nouvelle situation ressemblait de plus en plus à un troc avantageux.

Plus tard, on ne sait trop quand, un étalon sauvage parut sur une colline environnante d'où il pouvait voir son cousin captif. Il s'approcha précautionneusement de l'enclos et, tout en surveillant les alentours, il dit : « Que fais-tu ici, dans ce lieu étrange ? »

« On m'a enfermé », répondit l'étalon entre deux bouchées de nourriture.

L'étalon qui était hors de l'enclos grattait impatiemment de ses sabots les montants en bois de la barrière. «Ça ne m'a pas l'air très solide en fait de barrière, dit-il. Si nous fonçons dedans tous les deux, je parie qu'elle s'écroulera. Tu pourrais t'échapper. Qu'en dis-tu ? »

« Merci, mais ça n'en vaut pas la peine », dit le cheval captif tout en grattant le sol pour s'y faire une couche où dormir. « Nous nous blesserions tous les deux. De toute façon, j'ai déjà essayé, et ça n'a rien donné. »

Les naseaux du cheval sauvage frétillèrent et il dit, en reniflant : « Je vois bien que, de ce côté, le bois est pourri. Essayons ! »

« Non merci », soupira l'étalon captif en s'étendant pour dormir. Il eut envie de rouler dans la poussière, mais renonça, ne voulant pas souiller sa provision d'eau qui était toute proche. « De toute façon », ajouta-t-il, en se remémorant les ecchymoses qu'il avait à l'épaule, « j'ai tenté d'enfoncer cette barrière des douzaines de fois. Si quelqu'un sait dans quel état elle est, c'est bien moi. Crois-moi », fit-il dans un hennissement autoritaire, « c'est peine perdue. »

À ces paroles, le sang du cheval sauvage ne fit qu'un tour. Soulevant son avant-train bien haut, il le rabattit sur la barrière, arrachant de ce fait de grands lambeaux de bois pourri. Puis, tout en combattant férocement son envie de fuir ce lieu de désolation, il dit encore : « Quand as-tu mis la solidité de cette barrière à l'épreuve pour la dernière fois ? Quand as-tu testé ta propre force ? »

L'étalon captif l'entendait à peine. Il sombrait déjà dans un sommeil profond et rêvait, une fois de plus, de grandes prairies ouvertes, de champs herbus, de courses folles et sans itinéraire...

Lorsque nous nous retrouvons en un recoin de nous-mêmes que nous n'aimons pas, soit parce que nous revivons une ancienne douleur ou que nous sommes en proie à une irrépressible colère ou à une inquiétude persistante, nous sommes pour une bonne part convaincus d'être « captifs » de ces circonstances. À ce sentiment confus d'enfermement viennent s'ajouter toutes nos petites voix intérieures pessimistes. Elles nous disent que nous sommes l'otage de ces occurrences désagréables et que notre souffrance n'aura pas de fin.

Il se peut que nous rassemblions nos forces pour enfoncer la « barrière » et que nous refusions d'accepter l'aspect irrémédiable de notre souffrance. Mais plus nous fonçons vers la cause supposée de notre captivité (la « barrière » de l'enclos, dans le cas de l'étalon), plus celle-ci nous résiste, ou pis, plus nous nous y blessons tandis que croît notre frustration devant l'impossibilité de la fuite.

Peu à peu, nous en venons à accepter cette situation selon nous « inéluctable ». Si, d'aventure, nous entendons une petite voix provenant de cette minuscule partie de nous qui vit encore en liberté nous dire : « Essaie encore. Tu n'as rien à faire dans cette prison », des douzaines de voix négatives viennent la submerger : « C'est inutile. » Alors nous nous endormons intérieurement, préférant rêver de jours meilleurs ou imaginer ce qui vit hors de nos rêves agités et qui nous échappera toujours. Mais nous pouvons nous réveiller ! Nous pouvons nous réveiller non seulement de la vie rêvée et insatisfaisante où nous nous sommes laissés sombrer, mais aussi de ce moi inconscient et rêveur qui préférerait nous garder captifs de ses mensonges. Pour détruire cet univers imaginé, pour venir à bout de son emprise sur nous, nous devons l'inonder de lumière véritable. Cette lumière indispensable nous est d'abord donnée sous la forme d'une nouvelle connaissance, une révélation, telle celle qui suit, une intuition de l'essence de nos ténèbres intérieures et du moi qu'elles capturent.

Sans égard aux affirmations d'une noirceur intérieure qui veut vous convaincre du contraire (en vous donnant pour « preuve » de la pérennité de votre captivité sa présence douloureuse en vous), mettez en pratique la grande vérité ci-dessous : Toutes vos émotions autodestructrices sont « mensongères ». Si elles ne parviennent pas à briser votre volonté et votre désir de mettre leur réalité à l'épreuve, elles se détruiront forcément. Comment pouvez-vous les remettre en question ? En apprenant à observer leur présence et en découvrant que, en vérité, *rien dans la vie n'est permanent.* Tout change. Tout passe. Ceci est la vérité. La reconnaissance de cette vérité nous permet de triompher de notre geôlier.

D'autre part, toute chose, dans la vie, tend à devenir encore plus intensément elle-même. Si bien que, notre seule « permanence » réside dans l'ignorance qui persiste en nous et veut nous convaincre de résister au changement. Lorsque cette part de nous que la peur envahit et qui tend à descendre au lieu de s'élever nous persuade d'accepter *ses* conclusions, elle se confond avec notre captivité. Nous tolérons inconsciemment la vie restreinte et douloureuse que cette obscure alliance nous propose. Mais nous pouvons faire mieux !

La véritable transformation intérieure prend sa source dans l'acceptation que la vie réelle n'est autre que transformation. Cela signifie qu'aucune circonstance ne peut vous garder captif si vous lui refusez votre assentiment inconscient. Refusez. Réveillez-vous. Sortez de vous-mêmes en transformant votre vision de la vie. Comprenez que, même si les circonstances de votre vie vont, viennent, s'assombrissent ou s'éclairent, tout passe. Si vous restez conscient de cette vérité tout en aspirant à vous hisser sur un plan supérieur, vous ferez la rencontre en vous de la vie, qui est l'immuable témoin de ces transformations. Ce moi réside hors du changement, et tout ce qui change le traverse.

◆ ◆ ◆

DÉBARRASSEZ-VOUS DES PETITS PROBLÈMES ET DES FRUSTRATIONS

Pourriez-vous me suggérer des moyens concrets et conscients qui m'aideront à composer avec les petites frustrations quotidiennes ?

D'une part, il est possible d'apprendre à tirer parti des désagréments et des frustrations qui s'ensuivent pour nous affranchir de tous nos désirs inconscients. Commencez par ceci : si vous examinez brièvement une frustration quelconque, vous verrez qu'elle prend secrètement sa source dans un désir inconscient. Notre objectif principal, dans cette quête intérieure, est de rester éveillé et de recourir délibérément aux forces à notre disposition plutôt que de laisser les parts « endormies » de nous-mêmes dilapider cette énergie à leur gré. La frustration et l'anxiété, sa compagne, sont deux excellents exemples de ces forces débilitantes. Restez éveillé.

Je dois mieux apprendre à affronter mes ennuis quotidiens. Comment puis-je cesser de vouloir désespérément échapper à un problème, et développer une volonté passionnée de comprendre la véritable voie à suivre ?

On n'échappe pas à ses problèmes. Ce que l'on appelle un « problème » est en réalité un miroir. La perception du rapport invisible qui vous relie à vos difficultés transforme totalement ce rapport. Au lieu de tenter de résoudre ce qui n'est en somme qu'un casse-tête chinois qui résiste à toutes vos tentatives, vous apprenez à lâcher prise et à vous détacher de votre supposé problème et du moi qu'il retient captif. Cet apprentissage vous aide à ne plus gaspiller votre précieuse énergie vitale et vous conduit vers l'amour du vrai.

La plupart du temps, pendant la journée, je suis tout à fait calme. Mais le matin, au réveil, il me semble parfois m'être battu toute la nuit. Je pratique la relaxation telle que vous la décrivez dans *Pensées pour lâcher prise,* mais y a-t-il autre chose que je puisse faire ?

L'ennui est que nous voulons toujours « faire » quelque chose de nos ténèbres intérieures sans nous douter que les parties de nous qui cherchent à se dégager d'une émotion bouleversante sont elles-mêmes des prolongements de ces états désagréables. Efforcez-vous de voir que les expériences que vous vivez veulent vous apprendre à voir clair en vous-même, à y découvrir une vérité indispensable. Ces supposés moments « indésirés » renferment de grandes leçons pour peu que nous leur soyons réceptifs. Il faut être courageux et comprendre que la résistance aux ennuis multiplie nos ennuis ! Lâchez prise.

Lorsque je me penche sur moi-même pour examiner ma réaction aux ennuis quotidiens, je persiste à n'en voir que les conséquences ; leur cause me reste toujours inconnue. Pouvez-vous m'aider à découvrir les lutins qui se cachent sous les tableaux terrifiants qui assaillent mon esprit ? Un peu de patience suffirait-elle ?

Il existe un secret que vous devez comprendre... et vous le comprendrez si vous persévérez dans l'étude de ces principes. Tout ce que notre moi « chercheur » perçoit est presque toujours un aspect de lui-même, sous une forme ou une autre. Ce moi ne tient pas à l'admettre, car s'il l'admettait, qui pourrait-il blâmer pour ses ennuis fréquents ? L'apprentissage de soi n'a rien à voir avec la découverte de la cause d'un problème supposé. Je sais, cela peut paraître étrange, mais nous découvrons les causes de notre malheur quand nous cessons d'aimer être malheureux. Cette conclusion naturelle annule le moi et tout ce qui s'oppose à lui, ce qui revient à annuler les circonstances auxquelles nous voulons échapper.

Parlons d'épanouissement personnel dans notre milieu de travail. Pourquoi un individu persisterait-il, au travail, à dire et à faire des choses qui sabotent sa carrière en sachant pertinemment qu'il se nuit ? Par exemple, il dit des bêtises, il s'occupe de ses affaires personnelles, et ainsi de suite ?

L'un des premiers et des pires obstacles à notre épanouissement personnel est la découverte que résident en nous plusieurs « moi » qui font l'impossible pour freiner notre développement. La découverte de ces moi saboteurs signe leur arrêt de mort. Tant que nous n'avons pas admis leur existence, nous avons foi en leurs conseils. Lorsque nous constatons qu'ils nous mentent, le Vrai vient combler les vides.

Je comprends maintenant qu'un grand nombre de mes activités passées ne servaient qu'à combler mon vide intérieur. Mais, en matière de sexualité, c'est plus difficile, car les hormones et la libido entrent aussi en jeu et compliquent les choses. En quoi l'éclairement peut-il me venir en aide ?

Cessez de vous débattre ! Notre unique souffrance réside dans la vision que nous avons de nous-mêmes et de ce que nous devrions être. Cette vision, cette notion de la spiritualité, par exemple, ne parvient qu'à obscurcir les réponses qui nous crèvent pourtant les yeux. N'essayez pas d'être différent ; contentez-vous d'observer qui vous êtes. Dans cet état d'éveil où votre désir conscient de transformation vous précède, vous obéirez à vos élans naturels, mais puisque vous voudrez aussi connaître leur nature réelle, le Vrai, l'intelligence véritable pénétrera en vous et résoudra votre dilemme.

Je me suis engagé dans la Voie de l'émerveillement depuis quatre ans. J'admire le ciel nocturne, une balade dans la neige fraîchement tombée, je sens la terre rouler sous mes semelles comme si elle mettait fin à l'inertie. Je retire énormément de plaisir de ces moments libérateurs. Comment puis-je les mettre en pratique pour résoudre un vieux problème qui me tient toujours dans son étau ?

Bonne question. La prochaine fois que vous vous sentirez écrasé ou qu'un ennui ordinaire vous agacera, brisez délibérément la chaîne des pensées qui vous décrivent la situation et qui vous définissent en fonction de cette description. Dans ces moments-là, n'oubliez pas l'Être suprême et concentrez toute votre attention sur le fait que votre vie dépasse en richesse la réalité que votre moi pensant vous a procurée.

C'est l'impasse ! J'ai besoin de me motiver pour faire ce que je n'ai pas envie de faire, même si je sais que je dois le faire. Où trouver ces nouvelles motivations ?

Remettre à demain, c'est résister. Le cerveau qualifie une tâche de déplaisante en la comparant à d'autres tâches passées, puis résiste aux résultats de sa comparaison. Si nous fermons les yeux à cette dynamique intérieure, nous entérinons à notre insu ses conclusions et elle triomphe de nous ! Efforcez-vous de faire ce qui vous répugne en sachant que vous y puiserez des connaissances nouvelles. Le nouveau est le principe même de la vie. Au-delà de la résistance s'écoule le flot de la vie réelle.

On dirait que le fait de participer à des sports de compétition nuit à la vie spirituelle. Est-ce juste ?

Lorsque nous nous opposons à un autre être (le moi entre en concurrence avec un autre moi), nous créons des situations de conflit, quelles que soient les circonstances. Bien sûr, on peut pratiquer ces sports avec plaisir si l'on a soin d'en tenir notre moi à l'écart. Soyez attentif aux parties de vous qui croient que dominer un être ou une chose est synonyme de victoire. C'est faux.

Je m'aperçois de plus en plus qu'il m'arrive d'extérioriser malgré moi certains aspects négatifs de ma personnalité. C'est très ennuyeux. Pouvez-vous m'aider?

Ne capitulez pas. Depuis quand la libération de soi deviendrait-elle possible sans que nous y laissions une part de nous-mêmes ? Nous devons reconnaître la nécessité de l'abandon de soi. Notre faux moi se rebutera, bien entendu, mais il n'a que l'ombre pour toute arme.

Je comprends assez bien de quoi la vie est faite (du moins, rationnellement) sans pour autant me sentir perdue. Mais la sexualité, c'est une autre histoire. Je me sens très impuissante dans ce domaine, particulièrement lorsqu'il s'agit d'amener une personne du sexe opposé à m'aimer. Dans d'autres domaines de la vie, j'ai toujours obtenu ce que je voulais, mais la sexualité persiste à me dérouter.

Voilà un autre des paradoxes de la voie spirituelle. Nous croyons apprendre à connaître ce que nous ne comprenons pas en «y» réfléchissant ou en l'évitant (cela vaut pour tout). Mais en vérité, la seule solution à un dilemme consiste à tout apprendre à son sujet. On ne peut pas le contourner. Il faut passer à travers.

Je sais bien que je dois composer avec tous mes états intérieurs, mais que puis-je faire (ou voir) pour ne pas me laisser distraire par les contraintes de la vie «réelle» ? Ces ténèbres intérieures exigent tout de moi.

Non! Vous faites fausse route! La vraie vie n'est pas double, elle ne consiste pas en événements intérieurs et extérieurs. Cette vision est celle du moi scindé en deux. La vie réelle est entière... le dedans et le dehors ont lieu simultanément. La vie réelle commence lorsqu'on apprend à vivre en fonction de ce qui, en soi, sait spontanément et en tout temps que notre expérience et nous sommes une seule et même chose, en toutes circonstances.

Récemment, dans la prise de conscience d'un problème que j'affrontais, j'ai eu le sentiment de le comprendre parfaitement. Tout soudain, il a cessé de m'ennuyer. Quelques jours plus tard, le même dilemme m'a obsédé pendant toute une

semaine. Ma perception antérieure m'échappait. Est-ce que ce mouvement de balancier va se perpétuer jusqu'à ce que je voie enfin le Vrai? Y a-t-il quelque chose en moi que je ne comprends toujours pas?

Je dirai ceci pour commencer: il y a toujours quelque chose de plus, ou de plus élevé, que nous devons apprendre à voir. Par conséquent, vous ne voyez pas tout. Mais ce que vous voyez est indispensable à votre développement. Avant tout, le fait de savoir que vous n'avez pas encore réussi la «transformation» à laquelle vous aspiriez vous permet de constater à quel point notre nature pensante se montre du doigt en se flattant de tout. Elle dit: «Maintenant, je suis ceci» ou «je suis cela», etc. Mais la véritable transformation intérieure ne passe pas par la pensée. Lorsqu'une partie de nous que nous croyions révolue se manifeste à nouveau, nous devons tirer parti de cette récurrence pour comprendre que l'essence réelle de la transformation nous échappe. La fois suivante, nous serons un peu plus éveillé, moins aptes à nous identifier à ce que nous croyons être nous. Cette nouvelle forme de non-identification représente un ordre supérieur de transformation.

Parfois, lorsque je m'efforce de me hisser au-dessus d'un «problème», j'ai l'impression de seulement l'éviter. Pouvez-vous m'aider à comprendre la différence entre le fait de se hisser au-dessus d'un problème et celui de l'éviter?

Si vous parvenez à faire la différence entre refuser et lâcher prise, c'est bon signe. Pour échapper aux «problèmes» auxquels nous sommes confrontés, nous devons mettre fin à la fascination inconsciente que ces ennuis produisent. En vérité, «vous» ne pouvez rien contre un problème dont vous êtes la cause occulte tant que vous n'admettrez pas ce cercle vicieux. Plus vous prendrez conscience de la ronde du moi et que vous la verrez sous son vrai jour, plus vous «vous» délaisserez et délaisserez votre dilemme.

Comment l'éveil spirituel peut-il nous aider à détruire ces terribles Personnes provisoirement en charge (PPC) que sont la paresse et la procrastination ?

L'ennemi en soi, quel qu'il soit, meurt si on ne le nourrit pas. L'éveil à soi est, en partie, relié à notre aptitude à percevoir les mécanismes invisibles de notre nature dualiste, de ces oppositions inconscientes qui forment le terreau où prennent racine nos PPC. Chaque fois que nous constatons que la carotte et le bâton ne font qu'un et que nous portons sur les épaules ce mouvement perpétuel intérieur, nous nous arrêtons. Cet arrêt intérieur conscient, ce refus de nous laisser mener par le bout du nez, contribue à nous dévoiler la nature véritable du créateur de notre dilemme.

Que fais-je pour me « récompenser » de ma paresse et de ma procrastination ? Ces états ne m'amusent pourtant pas du tout... ils m'hypnotisent.

Lorsque nous nous reprochons nos faiblesses, n'en retirons-nous pas un sens accru de notre identité ? Ce sentiment destructeur est la récompense de la faiblesse et la confirmation de ce qu'elle nous dit d'elle-même.

LA FIN DES MAUVAISES HABITUDES, DES TENTATIONS ET DES DÉPENDANCES

Quelle serait, selon vous, la meilleure façon de développer de bonnes habitudes et d'en perdre de mauvaises ?

Voici un petit poème : « La pensée agit – ainsi naît l'habitude ; l'habitude façonne le caractère. » Nous perdons nos mauvaises habitudes en prenant conscience du fait que chacun des actes destructeurs auxquels nous consacrons un peu de notre vie est dès l'abord un peu de vie qu'on nous a volée. Ce n'est pas facile à comprendre, mais avant d'être en mesure de nous nuire, nous devons être en rapport avec un moi vaincu qui ne nous appartient pas. Lorsque nous nous efforçons d'être éveillé à nous-mêmes dans l'ici et le maintenant, la conscience que nous avons de ces forces destructrices nous permet de percevoir leur malignité *avant même* qu'elles puissent triompher de nous. Mais comment triomphentelles de nous ? En promettant de nous soulager de la souffrance que leur présence en nous a suscitée ! Quand cette vérité vous deviendra claire, vous comprendrez aussi que tous nos actes autodestructeurs sont le résultat de notre inconscience. La conscience – l'éveil – met fin à cette association négative.

Pourquoi sommes-nous aussi séduits par la violence et le sang ?

Tout être humain porte en lui le spectre entier de la lumière et des ténèbres. Toutes les forces cohabitent en nous. Notre fascination pour le mal et la violence appartient aux aspects sombres de notre être qui se nourrissent et trouvent leur subsistance dans cette force énigmatique. Restez en état d'éveil. Dissociez-vous autant que possible de votre rapport aux ténèbres. Vous avez beaucoup à apprendre. Vous êtes en sécurité aussi longtemps que la lumière demeure votre alliée et votre aspiration la plus profonde.

Pendant des années j'ai su que j'étais alcoolique, mais il a fallu une crise majeure pour que je reconnaisse enfin la phénoménale « raclée » que l'alcool infligeait à mon psychisme. Je suis maintenant en mesure de déceler bon nombre de mes peurs et de mes lacunes, mais pouvez-vous me suggérer un exercice qui m'aiderait à « pressentir » le problème avant que la prochaine crise n'ait lieu ?

Vous devez apprendre à vous connaître, en n'oubliant pas qu'il ne s'agit pas d'un apprentissage didactique, mais bien spirituel. Toutes nos expériences, dans cette vie, et quelles qu'elles soient, sont le reflet de ce que nous savons ou de ce que nous ignorons sur notre nature présente. Lisez de bons livres, écoutez des cassettes, recherchez la solitude, apprenez à faire le silence en vous, demandez ce que vous devez apprendre sur vous-même sans craindre les conséquences. Votre désir de lumière vous éduquera et vous mettrez fin à votre autodestruction inconsciente.

Que me conseillez-vous de faire pour perdre mes mauvaises habitudes ?

Ce qui suit vous aidera sans doute. Les mauvaises habitudes n'ont pas plus de pouvoir sur nous que le bref élan de peur que nous ressentons lorsque nous osons relever le défi qu'elles nous lancent. Ces mauvaises habitudes sont la manifestation de la partie de nous qui domine les autres. Nous pouvons perdre nos mauvaises habitudes dans la mesure où nous sommes disposés à traverser les menaces inconscientes dont elles nous bombardent. Quand nous nous sommes lassés de nous connaître par la seule entremise de la défaite, nous renonçons à notre défaitisme et au moi qui ne peut s'en passer.

Je m'efforce de composer avec mes mauvaises habitudes sans leur résister. Avec le temps, chaque fois que la tentation m'assaille, elle s'estompe plus rapidement. Ses attaques deviennent aussi moins fréquentes. La tentation cessera-t-elle un jour complètement de m'attaquer ?

Tout traverse la vie et nous traverse selon un cycle prévisible. À certains étapes de ce cycle, la tentation est facile à repousser ; mais elle fait demi-tour et, soudainement, voici qu'elle devient incontrôlable. Je veux dire par là que, oui, les forces qui vous « assaillent » s'affaibliront si vous ne les soutenez pas, mais restez en état d'éveil et ne vous laissez pas convaincre que vous êtes plus « fort » que votre mauvaise habitude. La seule façon de nous affranchir d'un problème consiste à nous élever au-dessus du moi qui lui accorde de l'importance.

La consommation d'alcool nuit-elle à notre croissance spirituelle ? Un verre de temps en temps est-il néfaste ?

La croissance spirituelle est une entreprise délicate. Toute forme d'abus reflète le moi dépendant qui recherche la dépendance. N'oubliez pas non plus que l'alcool tend à stimuler certains des aspects « inférieurs » de notre être qui, à leur tour, attirent leur contrepartie. Chacun doit savoir évaluer ses comportements en ne perdant jamais de vue ses aspirations véritables. Si vous agissez de cette façon, tout devient productif, y compris vos défaites momentanées.

Il m'est facile de me défaire de la colère ou de l'anxiété. J'ai plus de mal avec les habitudes que j'aime, mais qui me sont néfastes: par exemple, l'enthousiasme, l'expectative, et ainsi de suite. Je sais qu'elles n'ont rien de vrai, mais elles sont si agréables... Comment faire pour y renoncer?

Voici un dicton qui s'applique à votre question: «L'enfant trouve la salle de cours quand il en a assez de jouer.» En réalité, vous dites que la tentation du plaisir surpasse (en ce moment) votre désir d'entrer en rapport avec ce qui ne se livre jamais à l'instant. Nous devons tous apprendre à rester en éveil dans de tels moments; ce rappel continuel de nous-mêmes nous permettra de «sentir» plus profondément ces moments de plaisir. Il n'y a rien de mal à se donner «du bon temps», sauf si cela compromet notre conscience. L'éveil et la persistance de votre quête spirituelle vous conféreront le courage dont vous avez besoin pour rester à l'écart des «ennuis», qu'il s'agisse de ceux-là ou d'autres.

Que dois-je surveiller en moi pour vaincre la tentation?

Quel vaste sujet que la tentation... Voici une pensée qui vous aidera à méditer là-dessus. Lors de la «première» tentation, notre moi incomplet cherche un moyen d'éprouver un sentiment d'achèvement. Mais, en raison de sa propre nature provisoire, tout ce qu'il trouve est, forcément, temporaire. La réaction de notre faux moi à ce cercle vicieux est de réinventer le «prochain» objet de son achèvement. De plus en plus frustré, il accélère ce processus. La personne qui comprend cela parvient à se détacher du besoin fugace et désagréable qu'elle ressent de trouver un achèvement hors d'elle-même. Méditez cela jusqu'à ce que ce processus vous devienne clair.

Il y a toutes sortes de dépendances: la toxicomanie, l'abus d'autrui, la dépendance financière ou sexuelle... certaines sont-elles bonnes et d'autres non? Pouvez-vous nous livrer quelques pensées supérieures sur la dépendance?

Il n'existe pas de saine dépendance, pas plus qu'il n'existe, dans les faits, de plaisir que nous soyons forcés de rechercher pour nous-mêmes. Vous devez comprendre cela. Tout ce qu'une partie de nous fait pour stimuler une autre partie de nous est la preuve qu'existe en nous une scission où nous sommes à la fois l'esclave en mal d'évasion et le maître qui nous relâche pour mieux nous capturer de nouveau. Incidemment, c'est là une des caractéristiques de toute pensée inconsciente.

LIBÉREZ-VOUS DE LA CULPABILITÉ, DU BLÂME ET DU RESSENTIMENT

Je vois clairement, maintenant, que le sens de l'expression « tends l'autre joue » est beaucoup, beaucoup plus profond que je ne l'avais d'abord cru. D'une part, cela signifie que je ne dois permettre à aucune circonstance de me faire perdre toute maîtrise de moi-même. Pourquoi suis-je incapable de me libérer du moi qui veut se porter violemment à la défense du moi que, jusque-là, je croyais être ? J'ai tout à fait conscience de ce qui est sur le point de se produire, mais je tombe quand même dans le panneau. Y a-t-il quelque chose que je n'ai pas encore compris ?

Vous ne « comprenez » pas entièrement ce que vous avez déjà commencé à comprendre, rien d'autre. Vos propos décrivent bien le début de la perception spirituelle authentique qui porte le nom de « vision » de soi. Une des bizarreries de la quête spirituelle est que celle-ci nous procure la maîtrise à laquelle nous aspirions quand nous commençons à comprendre que nous ne possédons pas cette maîtrise par nous-mêmes, et que le moi qui s'acharne à vouloir triompher sème sa défaite. Quand cette perception nous est claire et que nous renonçons à tous nos désirs – sauf celui de grandir en esprit –, la force que nous cherchions nous est enfin donnée.

Après certaines expériences négatives, j'éprouve parfois un désir de revanche destiné à m'apaiser. Ce désir est très violent et persistant. Puis-je vaincre cette obsession par la quête spirituelle ?

Notre désir de revanche promet de libérer l'esprit qu'il occupe des pressions mêmes que ce désir suscite. Toute vengeance est non seulement inutile, mais détruit celui qui l'accomplit. Ce ne sont pas de vaines paroles. Si vous refusez suffisamment longtemps de confier votre vie à vos pensées et à vos sentiments de méchanceté, vous verrez en ceux-ci les destructeurs occultes qu'ils sont en réalité. Je vous assure que ces ténèbres intérieures n'ont d'autre existence que celle qu'elle vous volent quand vous leur donnez prise. Méditez cela jusqu'à bien le comprendre. Les forces du mal ne tiennent pas leur promesse de liberté ; elles magnifient votre combat intérieur.

Quelle est la meilleure façon de « racheter » le tort que l'on a fait aux autres dans le passé (trahison, mensonge, vol, etc.) ?

Nous avons tous fait du tort à quelqu'un. En vérité, tant que nous ne nous réveillons pas, nous connaissons tous à des degrés divers un rapport factice avec la vie. Voilà pourquoi le rachat de nos erreurs passées réside dans notre état d'éveil à l'ici et au maintenant. Nos mauvais aspects veulent survivre et, pour y parvenir, ils nous confrontent sans répit à nos anciennes fautes. Nous réagissons à ces images et nous leur résistons d'une manière ou d'une autre. Mais cet acte inconscient a pour unique résultat la survie de notre perception erronée et du comportement fautif qu'elle perpétue. Oubliez le passé et demeurez conscient de ce qui s'en vient. Tout changera.

Aujourd'hui, quelqu'un m'a fait une proposition d'affaire que j'ai rejetée, car l'homme en question m'a fraudé dans le passé. Je voulais qu'il sache que je n'avais pas confiance en lui. Maintenant, je me demande si je n'aurais pas dû faire preuve d'une plus grande indulgence. Entre pardonner le mal qu'on nous a fait et éviter qu'on abuse de nous, où se situe la frontière ?

Vous pouvez pardonner à quelqu'un sans pour autant lui donner carte blanche pour abuser de votre générosité. Si quelqu'un vous a volé, il devra être très persuasif pour que vous lui permettiez de faire à nouveau affaire avec vous. Mais vos convictions personnelles ne vous donnent pas le droit de le traiter comme un détenu. Notre faux moi se demande toujours « comment traiter » les autres. Pour vous assurer de ne pas retomber dans les mêmes erreurs, éveillez-vous à vous-même : votre moi en éveil est invulnérable à la trahison.

Ai-je raison de vouloir me « débarrasser » des décombres du passé ? J'ai l'impression que cela m'aide, mais il me semble que c'est une erreur de vouloir redresser tous mes anciens torts.

Les décombres du passé n'existent que dans la pensée du moi qui leur permet de survivre. Faites le « bien » ici et maintenant. Prenez conscience de la douleur que vous vous infligez en ruminant vos regrets et vous constaterez que vous revenez sur les lieux d'un « crime » depuis longtemps révolu. Ces images sont le cauchemar de votre moi endormi. Tant que vous dormez, ils vivent. Apprenez à préférer la conscience de l'instant présent au souvenir du passé et aux sentiments conflictuels qui sont à son service. La guérison suivra, y compris le pardon. C'est une loi spirituelle.

Le domaine spirituel que je fouille depuis quelque temps est celui du repentir et de la perception de la joie véritable. On dirait qu'il nous faut examiner notre vie et nous demander si la joie et la paix y progressent ou y régressent.

Permettez-moi de dire ceci : le repentir authentique n'a rien à voir avec la perception que nous avons de la « méchanceté » de nos actes ou du « regret » que nous en éprouvons. Le repentir authentique est une révélation instantanée, indubitable qui nous donne à voir (à notre ébahissement) qu'un moi faux, dépourvu de joie et autodestructeur a vécu notre vie à notre place et fait en sorte que nous nous définissions et nous connaissions en fonction de sa présence. Ce choc et ses conséquences donnent lieu à la naissance, à la découverte d'une forme nouvelle de joie et de paix intérieure que rien ne saurait contrarier.

◆ ◆ ◆

ÉCHAPPER AVEC SAGESSE AU CERCLE VICIEUX DE NOS DÉSIRS

Nous nous laissons pour la plupart porter chaque jour de notre vie par le courant ininterrompu de nos attentes. En fait, ces attentes sont si familières à notre sentiment d'identité et au bien-être du moi que nous en avons à peine conscience et ce, jusqu'à ce que nous rencontrions un obstacle qui les détruit. En voici la preuve : vous êtes-vous déjà demandé pourquoi le moindre changement d'attitude d'une autre personne envers vous vous bouleverse autant ? Ou pourquoi vous réagissez comme vous le faites quand le chemin que vous empruntez d'habitude pour vous rendre au travail est fermé pour réfection ? De ce point de vue, notre vie est très révélatrice de notre perception des choses : *L'inattendu est presque toujours perçu comme un événement désagréable.*

Cette découverte a des répercussions importantes pour quiconque désire s'engager dans la voie spirituelle, tout simplement parce que le cœur et l'âme, le fondement et la charpente de la véritable spiritualité, c'est *l'inattendu.* Examinons cela de plus près.

Nous avons tous fait l'expérience d'un moment où quelque chose d'inattendu fonce sur nous et nous laisse pantois. Par exemple, au détour de la route, vous apercevez un panorama beau à couper le souffle, ou vous êtes saisi d'émerveillement quand les dernières lueurs du jour caressent de vert et de jaune les feuilles satinées d'un arbre noyé dans la pénombre. Peut-être s'agit-il d'une aube immobile et sereine qui semble vous dire « tout va bien ». Peut-être encore, pour ceux d'entre vous qui en ont le bonheur, l'inattendu est-il cet instant où la grâce divine tout à coup vous enveloppe.

Dans de tels moments de surprise, vous savez qu'*existent réellement* un autre univers et une autre vie. Vous comprenez qu'il y a beaucoup plus que la perception que vous aviez de vous-mêmes quelques instants plus tôt. Tout se transforme et, l'espace de quelques secondes, ce qui était n'est plus, n'existe que le nouveau. Quelque chose s'épanouit en vous au cœur de cette lumière inattendue. C'est là que naît le chercheur authentique. Mais la promesse s'accompagne souvent de dangers.

> **Si vous n'êtes pas conscient de vous-mêmes dans ces moments de transformation, un désir invisible prend forme en vous, celui de revivre ou de dominer à votre gré cet émerveillement. Dès que prend forme ce désir inattendu, prend également forme une nouvelle attente.**

> **Rassemblons maintenant ces deux leçons : tout désir de grâce spirituelle crée l'attente de l'objet du désir. Si vous parvenez à**

saisir la vérité de cela, vous comprendrez aussi les deux révélations importantes qui suivent.

Premièrement, l'attente vous empêche de connaître des expériences qui ne peuvent qu'être *inattendues*. Deuxièmement, tant que vous ne voyez pas et que vous ne vous libérez pas de ces moi qui vous font inconsciemment tourner en rond, vous êtes captifs d'un cercle vicieux. Récapitulons.

Désirer, c'est attendre. Attendre, c'est savoir. Savoir, c'est avoir fait l'expérience de quelque chose. Avoir fait l'expérience de quelque chose, c'est vivre dans le passé. Vivre dans le passé, c'est être enfermé dans un cercle vicieux mental. Être enfermé dans un cercle vicieux mental, c'est se sentir à l'écart. Se sentir à l'écart, c'est éprouver un sentiment d'inachèvement. Le sentiment d'inachèvement est la source de tout désir. Vous tournez en rond, mais vous n'allez nulle part ! Voici ce que vous devez savoir pour échapper au cercle vicieux des désirs : Certes, nous parlons souvent de « vie supérieure », mais s'engager dans une quête spirituelle authentique ne consiste pas tant à trouver une orientation à sa vie qu'à lui donner de l'*expansion*.

Lorsque vous vivez un moment sublime de révélation (vous n'avez pas eu à faire un pas), *vous* vous ouvrez, vous entrez dans un univers qui a toujours été là, qui sera toujours là, qui sera toujours de plus en plus lui-même. Vivre une telle révélation équivaut à vous retrouver au beau milieu d'une sphère lumineuse plus vaste que vous mais à l'intérieur de vous. Ce qu'elle vous révèle donne naissance en vous à de nouvelles aspirations, à de nouvelles forces. Tout se renouvelle. Cette ouverture à d'infinies possibilités est un miracle. Le miracle est en vous, pourtant vous êtes en lui, et le processus se renouvelle sans cesse, à jamais inattendu.

L'exercice ci-dessous est facile ; il vous aidera à échapper au cercle vicieux de vos désirs afin de connaître une vie nouvelle, authentique et inattendue.

Chaque jour, efforcez-vous de passer quelques minutes dans la nature. Ne dites pas « je n'en ai pas le temps ». Si vous voulez sortir de vous-même, *trouvez* le temps de le faire. Allez faire une promenade au parc, ou allez simplement là où il y a des arbres, quelques oiseaux, quelques écureuils. Si vous voulez que l'inattendu se présente, apprenez à l'inviter.

Regardez autour de vous. Ne restez pas assis à réfléchir. Regardez. Regardez l'arbre qui se tient droit, la feuille qui tombe, le soleil qui glisse sur la route ou la prairie. Notez que rien, dans la vie, n'est statique, sinon votre perception de votre propre vie. Abandonnez votre moi familier. Osez renoncer à vos désirs, à vos attentes ; contentez-vous d'être heureux de vivre et... accueillez l'inattendu. Éveillez-vous parfaitement à vous-mêmes. Puis, *sachez* que, partout autour de vous, dans toute chose vivante, en vous et dans votre vie même réside un univers en expansion qui livre son histoire à tous ceux qui veulent bien l'entendre.

À mesure que vous vous adonnerez à cet exercice, ce que vous voulez de la vie se transformera. Pourquoi ? Parce que vous comprendrez de mieux en mieux que *vous possédez déjà tout ce que vous désirez*. Vous n'avez rien à chercher, rien à pourchasser. Vous ne pouvez rien retenir car, non seulement est-il clair que toute vie est toujours en expansion, mais aussi que tout ce que vous retenez entre vos mains vous empêche d'obtenir davantage. Comprendre cela, c'est trouver l'issue. Allez-y.

Chapitre 8

Les leçons que seul l'amour peut nous enseigner

Une part du plaisir ressenti à l'occasion d'une bonne surprise provient de la satisfaction de nos désirs et d'une certaine paix que procure la réalisation de nos attentes profondes. Mais chacun de ces moments enferme aussi le germe d'un désir futur. Cela est assez évident, puisque, à peine sommes-nous satisfaits que nous recréons aussitôt de nouveaux désirs et de nouvelles attentes visant à combler nos nouvelles passions. Ainsi va la vie... Aussi savons-nous déjà que nos surprises toujours renouvelées renferment des éléments doux-amers. Pourtant... ce n'est pas *toujours* le cas.

Très rarement, nous découvrons une forme inédite de surprise, une surprise sans fanfare, qui n'annonce ni gain à la loterie ni réussite sociale, mais plutôt l'étonnement serein qui accompagne la découverte d'un secret intérieur. En nous réside un moi caché si lumineux, si prometteur, que tout devient possible : nous voici comblés par l'attente qui a pris forme dans notre âme. En nous, conscient, libéré de son propre but, voici « l'espoir de l'invisible » ; c'est une promesse muette de l'Esprit divin. Si nous la suivons pas à pas, elle nous conduira à l'épanouissement éternel. Je parle de l'Amour et de ses formes infinies et à venir.

Quelque forme qu'il prenne en nous – de la plus terre à terre et sensuelle inspirée par le seul désir, ou de notre volonté de nous « distinguer » aux yeux des autres, jusqu'à l'ambition souveraine qui nous porte à vouloir devenir un « instrument » de création petite ou grande –, l'Amour nous régit et nous guide ; c'est lui que nous cherchons et lui que nous trouvons. Comment ? L'Amour, dans l'une de ses manifestions spirituelles infinies, nous pousse à le découvrir sous l'un de ses nombreux déguisements terrestres. L'aimant et l'aimé sont deux entités animées par un souffle unique : une passion éternelle qui insuffle la vie à toute créature et dont la source secrète constitue l'essence de notre être même. Ceux qui « ont des yeux pour voir » trouveront facilement dans cette invisible histoire d'Amour un mystère inégalable qui rend l'humanité perplexe depuis les premiers temps du monde : *l'Amour est un feu éternel, mais aucune substance terrestre ne peut nourrir sa flamme surnaturelle.*

Ce fait renferme l'une de nos plus grandes terreurs invisibles : nous ne nous sentons jamais aussi *vivants* que lorsque l'Amour brûle en nous, c'est-à-dire tant et aussi longtemps que sa flamme se nourrit au « combustible de l'âme ». Mais l'Amour dévore ce combustible de l'âme avec la même vigueur que le feu de brousse avale les herbes craquantes de sécheresse. Quand il ne reste plus rien pour le nourrir, quand nous ne lui fournissons plus aucun combustible, ce n'est pas l'Amour qui cesse d'être, c'est nous qui dépérissons et mourons. Tout comme le feu perd sa raison d'être s'il n'a rien à brûler, nous perdons toute raison de vivre sans Amour.

Nous connaissons tous des périodes difficiles où nous croyons mourir parce que notre cœur est affamé de vie : une relation affective importante se révèle sans espoir, le dernier objectif que nous avons atteint ne nous apporte aucune satisfaction. Pour toutes sortes de raisons, notre passion s'éteint et, battant de l'aile, nous revenons sur terre. Tous ont connu de ces terreurs mais peu ont vu de près leur vrai visage. Leur ombre nous raille et hante tous les feux de joie que nous nous acharnons à dresser dans l'espoir qu'ils nous réchauffent. Car la vie n'a eu de cesse de nous enseigner que même les feux les mieux entretenus perdent tôt ou tard leur flamme et leur lumière.

Un tel phénomène se produit, par exemple, quand nous constatons que nous nous éloignons d'une personne qui jusque-là nous était chère ou que le regard de l'aimé n'est plus aussi chaleureux. Dans d'autres cas, notre carrière ou notre style de vie ont perdu tout leur attrait, si bien que nous n'avons plus de raison de vivre. Mais nous ne devons pas, comme nous sommes si souvent portés à le faire, confondre ce refroidissement graduel du cœur avec la mort de l'Amour. L'Amour ne meurt jamais. Il est la vie même. Cette passion que nous ne ressentons plus ne signale pas la mort de l'Amour ; elle nous démontre seulement que nous avons épuisé tout notre *combustible intérieur, à ce niveau de développement spirituel où nous sommes parvenus.*

Sans doute vous sera-t-il possible de mieux comprendre ce concept en visualisant un feu de cheminée et la danse de ses flammes. Voyez comment elles ne cessent de tendre *vers le haut*, de monter, pour enflammer *ce qu'elles ont pour fonction de consumer.*

L'Amour fait de même, à cette différence près que l'Amour, en se consumant, se hisse *à travers* le moi. Au début, c'est un intrus qui incendie nos vanités. Auparavant, notre scintillante perception de nous-mêmes suffisait à nous réchauffer, mais l'Amour nous démontre que tout ce qui brille n'est pas d'or. Tandis que les flammes traversent cette région inférieure de l'âme, elles la purifient en entraînant notre narcissisme dans leur sillage. Lorsque l'Amour nous attire dans un narcissisme égoïste pour aussitôt le réduire en cendres avec compassion, il accomplit simultanément deux prodiges.

Premièrement, il brûle une partie du moi que nous croyions être notre fondement tout entier, et nous ressentons cette destruction graduelle comme la mort elle-même. Dans ces moments de chaos affectif, notre tour vient d'entrer sur les tréteaux dressés au-dedans de nous et d'assumer notre rôle dans la tragi-comédie de la vie. Là, encore et encore, il nous faut choisir de nous barricader contre les effets de l'Amour ou de nous rendre à lui.

Nous savons tous ce qui advient d'un cœur qui se ferme à l'Amour : il se couvre de givre et désespère, étouffe en lui toute émotion supérieure jusqu'à n'être plus qu'une coquille vide qui souffre de continuer à battre.

Nous avons aussi connu à des degrés divers le bonheur de l'Amour quand celui-ci se manifeste à différentes étapes de notre vie : comment la « perte » apparente d'un amour ou d'une passion crée d'abord en nous une sensation de vide, aussitôt suivie par l'espoir d'un amour plus profond ou plus sage. Si impossible qu'il nous soit de l'accueillir tant que perdure le deuil, c'est au cœur de ce deuil même que l'Amour dégage en nous l'espace où il logera dans sa prochaine, sa plus haute incarnation.

Voilà comment l'Amour accomplit ses merveilles. Voilà en quoi consistent le mouvement perpétuel et le miracle de l'Amour. Mais nous devons accepter d'obéir à ses desseins cachés. Nous devons apprendre à ouvrir notre cœur à son feu mystique et ne pas craindre de le suivre à chaque étape du chemin où il nous conduira.

Si nous y consentons, l'Amour se hissera en nous sans fin, ses flammes traverseront nos passions et entraîneront jusqu'à leur source originelle notre confiance en nous-mêmes, notre confiance en la révélation et, parfois, pendant nos nuits de détresse, notre confiance en l'Amour.

Si nous acceptons de le suivre tout au long de notre vie, même s'il se cache à moitié dans les cendres et la fumée que produisent ses flammes vivantes, un autre palier de l'Amour nous sera révélé. Nous nous tiendrons debout, émerveillés, au *piano nobile* du vrai moi, ce moi qu'auparavant nous cachait notre moi du dessous dont le destin était de se consumer aux flammes de l'expérience. Tel le Phœnix, nous renaîtrons de nos cendres, nous serons prêts à vivre un nouvel Amour et, enrichis de sagesse, nous serons de nouveau prêts à mourir pour lui.

◆ ◆ ◆

TROUVEZ L'AMOUR AUQUEL VOUS ASPIREZ

Souvent, je me surprends à « rêver » d'être amoureuse. Devons-nous aspirer à une relation d' « amour » humain, ou est-ce là un besoin du faux moi ?

Prétendre ne pas connaître le désir est un désir pire que celui qu'il remplace. Si vous rêvez d'une relation amoureuse, réalisez le plus possible votre désir. Les relations affectives nous sont précieuses. Non seulement nous en apprennent-elles beaucoup sur la vie intérieure de notre prochain, mais elles nous font nous éveiller à notre propre intériorité. Au bout du compte, toute notre vie nous prépare à l'Amour. L'amour humain nous hisse vers cet Amour supérieur, car il nous enseigne et finalement nous purifie de notre égoïsme secret.

Je me cherche dans le regard des autres, bien que je sache que c'est une erreur. Quel devrait être le rôle des autres dans notre vie ?

Lorsque nous envisageons avec raison la vie comme une institution de savoir supérieur, toute relation se transforme en une salle de cours. Mais lorsque la vie est pour nous une épreuve de popularité, chaque personne que nous rencontrons devient une alliée ou une ennemie. Nous ne devons pas nous préoccuper du rôle d'autrui par rapport à nous, car nous devenons ainsi la victime potentielle de notre entourage. Lorsque nous faisons de l'éveil notre but véritable, toute relation – quel que soit le rôle de notre partenaire – contribue à notre épanouissement.

Est-il possible d'aimer une personne sans lui être attaché, de sorte que ce qui lui arrive ne nous affecte pas ? Peut-on empêcher cela en s'observant ou devons-nous d'abord nous hisser sur un plan supérieur ?

Oui, il est possible d'aimer sans s'attacher. Cela étant, je ne veux pas dire que s'il arrive quelque chose à cette personne, vous n'en serez pas affecté. Connaissez-vous le vieux dicton chinois qui dit : « Les oiseaux du malheur peuvent survoler votre tête, mais qui dit qu'ils doivent y construire leur nid ? »

J'ai dix-neuf ans, et je crois que je suis trop dépendant de mes petites amies. Comment puis-je développer avec elles une relation non dépendante sans pour autant les repousser ?

N'essayez pas, tant avec vos amis qu'avec vos amies, d'être autre que ce que vous êtes. Prétendre qu'on n'a besoin de personne ne modifie en rien la relation. Au bout du compte, on nous aime pour ce qu'on est, et non pour l'image que l'on projette. De toute façon, il n'y a rien de mal à vouloir vivre une relation avec une personne de l'autre sexe. Si vous voulez tenter une approche différente, efforcez-vous plutôt d'être bon, attentionné et serviable avec les jeunes filles qui vous plaisent ; ainsi, elles verront qu'il est possible qu'un jeune homme ne se contente pas d'être leur partenaire sexuel.

On dit que, plus on cherche l'amour, moins on le trouve. Comment puis-je cesser de me demander si je vais bientôt rencontrer l'amour de mes rêves ?

N'empêchez rien. Attachez-vous plutôt à découvrir de plus en plus quelle est vraiment votre vie lorsque vous y errez dans l'espoir de trouver la personne qui réalisera votre achèvement. Nul être ne peut réaliser à notre place l'achèvement dont nous rêvons. Malheureusement, il nous faut d'abord « chercher l'Amour au mauvais endroit » avant de comprendre qu'il a toujours été en nous. D'autre part – et c'est là un des paradoxes de la vie spirituelle – nos relations amoureuses sont indispensables pour que ce fait nous soit révélé.

Tous mes désirs s'estompent, sauf celui de vivre une relation amoureuse stable. Le « besoin » d'être aimé diffère-t-il de nos autres désirs ? La souffrance que m'occasionne ce manque d'amour m'est parfois insupportable, mais je ne veux pas non plus me laisser prendre au piège de croire que l'amour effacera tous mes malheurs (comme je l'ai cru de mes désirs révolus).

La réponse est : oui et non. Oui, parce que le désir qui occupe chaque palier de notre être est le désir d'Amour. En un sens, notre vie prépare « l'amant » à être possédé du Bien-Aimé. Non, en raison de ce que vous soupçonnez déjà. Gardez vivant votre espoir dans l'amour, mais ne cherchez pas à le combler.

Je crois que tout est la manifestation de notre vie intérieure, mais puisque nous sommes des êtres de chair et des créatures sociales, quelle importance ont les êtres auxquels nous nous attachons dans notre bonheur?

Votre question ouvre un vaste champ d'étude, mais je m'efforcerai d'être bref. De même que certaines parties de vous aspirent à entrer en relation avec le Vrai/Dieu/le Christ, et que ce désir vous aide à nouer un tel lien, de même, de très nombreuses personnes se vouent à la destruction de ces aspects supérieurs de vous-même. Alors, oui, soyez prudent dans vos relations. N'ayez pas peur, mais soyez conscient de l'ambiance qui se dégage de tout groupe de personnes. Votre désir d'éveil et de connaissance du Vrai vous indiquera de mieux en mieux (extérieurement et intérieurement) qui vous convient et qui ne vous convient pas.

Comment puis-je savoir si je dois dire à un partenaire autodestructeur de se remettre sur le droit chemin ou de faire ses bagages, ou si c'est moi qui dois me redresser parce que, en « voulant obtenir quelque chose » de cet individu, c'est moi qui ai un problème? Autrement dit, comment puis-je savoir si je dois préserver une relation pour les mauvaises raisons (par exemple, parce que j'ai juré d'y rester « jusqu'à ce que la mort nous sépare »), ou si je dois rester mariée en acceptant de ne rien exiger en retour?

Acceptez de vous tromper pour l'amour du Vrai. Nous pouvons toujours affronter nos problèmes de couple en étant disposé à tirer un enseignement de nos actes. En d'autres termes, lorsque nous voulons remettre quelqu'un sur le droit chemin, nous nous trompons presque toujours. Mais lorsque nous sommes disposés à discuter de nos problèmes parce que nous aspirons à une vie supérieure, nous ne pouvons pas faillir. Autant que possible, vivez dans le Vrai tel que vous le comprenez. Ensuite, restez aux aguets. Les leçons authentiques nous sont toujours révélées lorsque nous sommes disposés à risquer notre soi-disant moi pour l'amour du Vrai. Vos actes auront été le lieu d'une purification. Vous constaterez que vous avez été transformée ou que votre conjoint aspire à changer. Quoi qu'il en soit, une transformation aura lieu.

Je me sens parfois très seul quand j'aspire à faire partager à d'autres mes découvertes spirituelles. Vers qui puis-je me tourner ?

Une certaine forme de solitude et d'isolement est essentielle à notre cheminement vers la vie supérieure. Ce sentiment de solitude provient de notre prise de conscience des limites inhérentes à nos relations humaines et d'un besoin spirituel croissant de communion plus profonde et plus significative avec autrui. Persévérez. Nous oublions trop facilement que Dieu existe, qu'une intelligence supérieure guide les pas de ceux qui placent Dieu/le Vrai au-dessus de tout. Cette même intelligence vous ouvrira à de nouvelles relations, intérieures et extérieures, qui vous permettront d'exprimer votre amour du Vrai et qui vous rempliront d'Amour.

J'ai entrepris l'étude des principes supérieurs il y a environ un an et ma vie a changé. J'ai constaté que des relations qui m'avaient paru indispensables s'évanouissaient, tandis que j'entrais dans une nouvelle liberté. Le moins que je puisse dire, c'est que j'ai découvert ce que signifie disposer entièrement de sa propre vie.

L'essence réelle du moi, c'est la relation avec autrui. C'est dans la relation avec autrui que nous continuons à grandir et à nous épanouir sur le plan spirituel, ou que nous rapetissons et régressons vers des formes plus primitives. Persévérez. D'autres découvertes fabuleuses vous attendent.

Les livres et les idées sont très utiles, mais j'éprouve le besoin d'un contact direct avec des gens qui ont une spiritualité semblable à la mienne. Comment fait-on pour attirer ces personnes dans notre vie ?

La compagnie de gens qui possèdent une spiritualité semblable à la nôtre est indispensable à notre épanouissement. Le Vrai, si vous persistez, vous conduira immanquablement vers des relations toujours plus enrichissantes. Soyez patient. Poursuivez votre travail intérieur et aspirez à la transformation. Le Vrai s'occupera du reste au fur et à mesure de vos besoins.

Je fréquente un homme avec plus ou moins de régularité depuis deux ans. Il continue à fréquenter d'autres femmes en affirmant qu'une seule personne ne saurait combler tous ses besoins et que plusieurs relations lui sont par conséquent nécessaires. Il refuse d'être « possédé ». Je crois qu'il m'aime, comme je l'aime aussi, et ses arguments me paraissent logiques. A-t-il raison ?

Chacun doit apprendre à reconnaître ce qui lui convient. Nos accomplissements, s'ils sont authentiques, ne doivent pas dépendre de l'opinion des autres. Nous recevons tous à chaque instant la récompense ou le châtiment correspondant à ce que nous sommes. Si votre attirance pour cette personne n'exclut pas la volonté de souffrir pour lui, vous avez votre récompense.

Peut-on désirer s'engager dans le Vrai en compagnie d'une autre personne, ou doit-on y progresser seul ?

Nous devons tout à la fois progresser seul et faire en sorte que nos relations affectives nous prouvent que, dans notre quête du Vrai, nous ne sommes jamais seul. Qu'un être cher aime le Vrai en même temps que vous est un grand bienfait, car vous pouvez ainsi apprendre de concert à vous abandonner à l'Amour supérieur. Au bout du compte, l'abandon de soi est la clé du succès. Nous pouvons apprendre plus facilement à lâcher prise quand nos êtres chers reconnaissent la validité de cet abandon de soi et ne nous punissent pas pour nos transgressions. C'est curieux : l'indulgence qu'un être nous exprime lorsque nous lui faisons du mal est parfois plus propice à notre progrès que le blâme dont il nous accable. C'est là la beauté de notre quête intérieure.

Comment peut-on, en couple, s'abandonner à un Amour supérieur sans devenir codépendant ?

Lorsque deux personnes placent l'Amour du vrai, du Tout-Puissant, au-dessus d'eux-mêmes, leur amour rayonne comme il ne saurait rayonner chez ceux-là qui n'ont qu'eux-mêmes à aimer ou à blâmer. La codépendance, c'est croire que l'autre détient la clé de notre bonheur.

Est-il préférable d'avoir un « compagnon de vie » que de ne pas en avoir, ou cela dépend-il de chacun ?

Cela dépend entièrement de chacun.

DÉCOUVREZ LES NOMBREUX PALIERS DE L'AMOUR

Qu'en est-il de l'Amour avec un grand A ? Peut-on partager cet Amour avec plusieurs personnes ? Comment notre vrai moi nous fait-il comprendre que l'Amour que nous éprouvons est authentique ?

Puisqu'il y a toutes sortes d'amour, je vous parlerai de celui qui ne devient jamais son contraire. Le véritable Amour, l'Amour conscient, n'est pas une émotion. Comme le soleil, il ne se concentre pas en un unique rayon. Les petites amours nous préparent à ce vaste Amour supérieur. Nos relations affectives nous apprennent à transcender l'amour égocentrique et narcissique et à entrer dans un Amour impersonnel et entier.

Expliquez-nous ce que signifie transcender l'amour égocentrique et narcissique pour entrer dans un Amour impersonnel et entier.

L'une des découvertes les plus importantes et les plus douloureuses que nous puissions faire sur la voie de l'émerveillement est que l'objet de notre amour ne nous aime pas en retour. Des sentiments puissants, des émotions fortes nous habitent en tout temps, qui semblent nous exalter ou rehausser notre estime de nous-mêmes. Ce n'est pas une exagération de dire que ces états intérieurs ne sont que mensonges. De tels sentiments sont si désespérément inachevés qu'ils en viennent à donner vie au sentiment contraire qui pourra parfaire leur complétude. Quand nous nous lassons de nous trouver pour mieux nous perdre, notre perception spirituelle nous aide à voir la trahison inhérente à ce cercle vicieux. Ainsi, nous cessons d'être nous-même l'objet de notre amour. Avec le temps, le détachement indispensable s'opère et nous découvrons que l'Amour véritable a toujours résidé en nous.

Je ne comprends pas ce que vous voulez dire par « Amour impersonnel ». Quelle sorte d'amour est-ce donc ?

Tout amour qui nous pousse à imaginer que nous sommes un « être aimant » s'accompagne de la peur de perdre ce moi lorsque l'être aimé se transforme. Puisqu'il est dans l'ordre naturel des choses que tout ce qui vit sur terre se transforme, il s'ensuit que, tant que notre seule expérience de l'amour est personnelle, nous vivons dans la peur de perdre. C'est là que réside la peur. L'Amour absolu repousse la peur. L'Amour absolu existe.

J'ai un petit chien qui me manifeste un amour inconditionnel. J'ai beau entrer et sortir à longueur de journée, il m'accueille comme si j'avais été partie pendant plusieurs semaines. Sa joie débordante me réchauffe le cœur. L'amour inconditionnel d'un être humain pour un autre est-il égal ou supérieur à l'amour d'un animal pour son maître ? Je me sentirais privilégiée si un autre être m'aimait autant que m'aime mon petit chien.

L'amour illimité que votre petit chien éprouve pour vous est un amour romantique et pur. À ce palier, l'amour, si merveilleux soit-il, est vide de toute intelligence supérieure parce qu'il provient d'un animal. Le véritable Amour n'est pas seulement source de plaisir ; il est indissociablement lié au discernement et à la justice. Tout comme les Lois doivent contenir la compassion de l'Amour, ainsi l'Amour doit-il exprimer ces Lois qui ne sont autres que son invisible cœur. Tout ce que vous désirez savoir sur l'Amour et ses nombreux visages vous sera révélé si perdure votre désir de vous hisser jusqu'à l'Amour supérieur.

Quels sont les différents paliers – ou formes – de l'amour ?

Les Grecs ont quatre mots pour définir l'amour : *eros* – l'amour romantique ; *philia* – l'amour fraternel ; *storgé* – l'amour entre parents et enfants et, enfin, le plus souverain de tous, *agapé* – l'Amour fondé sur le principe. Limitons-nous ici à deux formes d'amour. Le premier est l'amour romantique. C'est l'amour qui, dès la naissance, nous est donné à tous de connaître et l'instrument de notre progrès. Cet amour est bon et spontané ; il constitue le fondement qui nous permet de nous hisser plus haut, vers l'Amour supérieur. L'Amour supérieur est un Amour inclusif et impersonnel. La différence entre ces deux formes – ou paliers – d'amour réside dans le fait que l'amour romantique naît du moi et tend à créer le « moi » aimant. Il représente toujours une personnification. L'Amour supérieur naît de l'amour de Dieu et ne ressent pas le besoin de posséder l'objet de son amour, car il est entier et absolu. Dans le Nouveau Testament, le Christ demande plusieurs fois à Pierre s'il l'aime, mais Pierre ignore ce qui différencie l'amour qu'il ressent de celui dont lui parle le Christ. Lorsque, quelques instants plus tard, Pierre renie le Christ, il a la révélation de cette différence.

L'amour vrai (l'amitié sincère) peut-il exister entre un homme et une femme sans que n'intervienne le désir sexuel? Cette forme d'amour est-elle impossible? Je ne suis jamais parvenue à le trouver. Les hommes qui prétendent aspirer à une amitié sincère finissent toujours par exiger davantage.

L'amitié sincère existe absolument. Le désir physique et l'« amour » que celui-ci engendre est l'un des premiers paliers de l'Amour supérieur et peut nous y conduire. Aux paliers les plus élevés de cet Amour supérieur, les deux partenaires ont atteint leur achèvement et ne recherchent plus leur complétude dans l'autre, de quelque façon que ce soit.

Sachant que nous sommes capables d'entendre la vérité, que nous dirait un sage sur la nature des relations humaines?

Que ces relations ne sont que le reflet, le miroir provisoire où il nous est possible de comprendre le moi qui ne peut se trouver et se connaître qu'à travers de telles relations.

On a dit que nous devons acquérir le droit d'être aimés. La Bible dit: « Aime ton prochain comme toi-même. » Ce droit à l'amour se limite-t-il à l'amour romantique à l'exclusion de l'Amour supérieur (puisque nous sommes Amour)?

Demain, quand vous sortirez de la maison, sachez que vous n'avez pas dû acquérir le droit de goûter le soleil, mais que vous avez vous-même choisi de le laisser vous envelopper de ses rayons. L'Amour/Dieu/le Vrai ne s'est pas retiré de nos vies ; nous avons pénétré dans un monde où son influence, bien que toujours présente dans l'existence, a pratiquement cessé de se manifester en nous.

S'il vous plaît, parlez-nous encore de l'amour et du bonheur. Je suis à la recherche de quelque chose de particulier, et je crois qu'il s'agit d'amour.

À bien des égards, toute notre vie est en quelque sorte une préparation à l'Amour. Nous entrons dans cette relation infinie grâce aux liens que nous formons avec d'autres personnes, et grâce aux sacrifices qu'exigent ces relations affectives et aux enseignements qu'elles nous donnent. Mais plus tard, quand nous nous préparons à progresser dans notre quête spirituelle et à connaître, avec l'Amour qui veille à chacun des paliers de notre épanouissement, une relation plus profonde et plus enrichissante, nous faisons une incroyable découverte : plus nous possédons un être ou une chose, plus notre sentiment inconscient d'abandon est douloureux. À mesure que cela nous devient clair et que continue de croître notre besoin d'amour, nous avons une révélation : nous ne voulons pas posséder, mais bien être possédés. Ce que recherche le cœur, il le trouve en renonçant au moi en quête d'amour. Alors, l'Amour – le véritable Amour, l'Amour infini – vient occuper sa place.

Vous dites que la fin du narcissisme et l'éveil ont lieu en même temps. Quel est le rôle du narcissisme ou de l'estime de soi dans notre vie ?

Réfléchissez : Qu'est-ce que l'Amour sinon l'unité ? L'harmonie ? Demandez-vous maintenant dans quel état est la personne qui doit penser à soi pour se sentir importante à ses yeux ou aux yeux de quelqu'un d'autre ? Ne voyez-vous pas que cette personne est coupée en deux à son insu, qu'elle se sent incomplète et que le moi qui souffre de cette division s'efforce ensuite de s'étreindre lui-même ? Il en résulte un insatiable besoin de se rassurer en ramenant tout à soi.

Le Vrai est-il synonyme d'Amour ?

Les mots « Vrai » et « Amour » sont pratiquement interchangeables. Le Vrai étant l'enveloppe de l'absolu, et l'Amour, l'absolu qui comble et anime cette éternelle enveloppe. Mais les mots n'ont aucune importance. Ce qui compte, c'est notre recherche du Vrai. L'Amour suivra.

Comment peut-on s'ouvrir à l'Amour afin de ressentir sa présence, afin d'être sa présence même ?

Lorsque l'esprit fait silence, le cœur s'ouvre. L'Amour transformateur de l'être vient vers cet être selon son gré. En un certain sens, cet Amour n'a pas d'origine. Par conséquent, on ne saurait imposer les conditions qui président à sa prise de possession du moi. Mais il est possible d'inviter l'Amour. Nous devons lui laisser le champ libre pour qu'il puisse parfaire notre achèvement.

PÉNÉTREZ DANS LE ROYAUME DES ÉMOTIONS SUPÉRIEURES

Il m'arrive de me sentir coupable de me sentir « bien », croyant que, si je me sens bien, j'en éprouverai du contentement et je n'éprouverai plus autant le besoin de grandir. S'agit-il encore d'une autopunition délectable qui fait que nous nous sentons vivants ?

Tout à fait. Notre volonté de grandir spirituellement est une semence céleste qui transcende les hauts et les bas, les joies et les malheurs de notre vie terrestre. Je ne dis pas que nous sommes libres de tout prendre à la légère. Nous avons le devoir de nourrir cet aspect de nous-mêmes. Mais lorsqu'un être éprouve l'Amour de la Lumière, cet Amour ne se confondra pas à l'obscurité si nous veillons à ne pas éteindre notre bougie.

Comment pouvons-nous à la fois connaître la passion et faire en sorte que notre vie ait un sens ?

Ne serait-il pas préférable que vous vous demandiez quel genre de vie nous aurions sans passion véritable et sans véritable sens ? Lorsque nous trouvons en nous-même la réponse à cette question, notre passion authentique pour le sens réel de la vie commence à s'éveiller.

L'autodérision est-elle un réflexe protecteur du faux moi ?

Cela dépend. Une certaine forme d'autodérision est l'œuvre du faux moi qui veut prétendre que vous n'avez pas agi comme vous venez de le faire. Mais il peut également être rafraîchissant et régénérateur de se moquer de soi lorsqu'on comprend que nos actes sont ceux d'un autre moi qui poursuit ses propres objectifs. Avec le temps, l'humiliation que nous appréhendons se métamorphose en humour du moment que nous persévérons dans notre désir d'entrer dans la vie véritable.

Pouvez-vous m'expliquer s'il y a une différence entre développement personnel et développement artistique ? On dirait que le faux moi s'amuse à envahir nos projets artistiques même les plus sincères. C'est dans le domaine de l'art que nous sommes les plus vulnérables à la « Personne provisoirement en charge » qui recherche l'approbation d'autrui. Par quels moyens pouvons-nous maintenir le contact avec la vie réelle même lorsque nous devons composer avec des déceptions créatrices ?

Vous avez raison : la frontière entre le développement personnel et le développement artistique peut sembler mince. Mais cela n'est qu'apparence. Idéalement, l'artiste veut exprimer ce qui s'est imprimé dans son cœur et dans son esprit. Le bonheur qui accompagne la créativité provient de ce que nous donnons forme à l'énergie tout en étant conscient du moi dépourvu de forme qui nous a comblé de créativité. Nos défaites, artistiques ou autres, résultent du sentiment d'identité inconscient que nous puisons dans cette énergie. Apprenez à distinguer vos élans créateurs innés et originels du sentiment d'identité qui surgit aussitôt pour s'en attribuer le crédit. La plupart de nos déceptions artistiques surgissent lorsque nous nous croyons privilégiés. Puis, quand des circonstances hors de notre contrôle viennent contrecarrer nos efforts, nous découvrons que nous ne sommes pas à la hauteur de la vision embellie que nous avions de nous-mêmes.

Que savez-vous du terrible sentiment de vide qui afflige un artiste quand ses « muses » cessent de lui parler ? Que faire lorsque nous éprouvons une telle absence de passion ?

Il importe de comprendre le vide dont vous parlez, non pas de lui résister. Dit autrement, nous pouvons nous en vouloir pour ces moments d'obscurité (ce qui satisfait pleinement le moi), ou les envisager comme des phases de maturation spirituelle. Méditez cela, et persévérez.

Pourquoi la musique, ancienne ou moderne, nous émeut-elle autant?

Pendant des siècles, les écoles et les monastères ont eu recours à la musique pour susciter l'éveil intérieur. La musique est faite de vibrations, si bien que l'esprit réceptif l'accueille plus volontiers. Les vibrations musicales ont aussi le pouvoir de nous exalter et de nous hisser provisoirement sur un plan supérieur de conscience. Toutefois, la musique populaire d'aujourd'hui est souvent porteuse de sentimentalité ou de conflit. Restez aux aguets lorsque vous écoutez de la musique ; constatez l'effet qu'elle a sur vous. Par exemple, notez si le fait de connaître par avance la mélodie vous procure un sentiment de sécurité.

Pourquoi le sentiment de plénitude est-il si fugitif? Comment notre faux moi contribue-t-il à nous faire ainsi tourner en rond?

Réfléchissons un instant à nos multiples désirs : nous aspirons à ce que nous croyons *ne pas* posséder. Ainsi, nous recherchons la plénitude dans un moi imaginé qui ne peut se dissocier de ses désirs. Ces deux états créés de toutes pièces ne peuvent être réconciliés parce que l'un d'eux affirme être la source de sa plénitude fugitive. Il peut être difficile de comprendre que le moi soit fragmenté au point de ne pas voir que tout ce qu'il souhaite, au fond, c'est la perpétuation de ses désirs. Plus nous parvenons à saisir les vérités que dissimule ce moi fragmenté, plus nous pouvons le mettre au rancart, et trouver une plénitude authentique qui ne réside pas dans notre volonté de satisfaire ce qui ne peut être satisfait, mais bien dans notre moi réel et déjà achevé.

Partout, de nos jours, les gens semblent savoir ce qui est « bon » pour nous. Peut-on définir ce « bon » d'une manière qui s'applique à tous?

Ce qui est « bon » ou « pour notre bien », c'est tout ce qui permet à un être de s'éveiller au Dieu qu'il porte en lui. De même, le « mal » ou le « mauvais », c'est tout ce qui empêche un être de s'éveiller au Vrai.

Plusieurs sources, dont certaines très anciennes, affirment que l'énergie sexuelle est notre plus grand pouvoir. Si c'est le cas, comment pouvons-nous canaliser cette énergie ?

Vouloir canaliser l'énergie sexuelle avant même de savoir canaliser la simple énergie mentale équivaut à vouloir dresser un étalon sauvage avant même de pouvoir monter un cheval à bascule. Avant d'essayer de dompter ces passions, efforcez-vous de maîtriser quelque chose de simple, par exemple, votre impatience. Il est indispensable pour une personne en quête de spiritualité de ne pas s'imaginer capable d'accomplir quelque chose de vrai avant d'avoir compris ce qu'est la réalité. C'est là que tant échouent et tombent, tout simplement parce qu'ils se croyaient forts alors qu'en vérité ils souffraient d'une perception irréaliste d'eux-mêmes.

Depuis ma plus tendre enfance, lorsque quelqu'un me rend service (coupe de cheveux, cirage de chaussures, etc.), j'éprouve une étonnant sentiment d'euphorie. Cette euphorie se prolonge ensuite pendant une heure ou deux. S'agit-il d'un faux sentiment de bonheur issu de mon désir de me sentir « quelqu'un », ou s'agit-il d'autre chose ?

Oui, c'est un faux sentiment de bonheur ; et, ainsi que vous l'avez dit vous-même, il provient d'un faux moi qui se croit important parce qu'il se trouve pendant quelques minutes sous les feux de la rampe. Mais un homme peut ressentir une forme très différente de bien-être quand il parvient enfin à ne plus chercher son reflet dans les autres ou dans les circonstances.

Le bonheur authentique est-il un moyen de parvenir à nos fins ? La béatitude nous entraîne-t-elle dans le Vrai ou dans le sommeil ?

Tout, dans cette vie, nous sert à trouver les Moyens.

Vous dites que ce qui nous exalte nous terrifie. Devrais-je prendre conscience de cette exaltation afin de comprendre ce qu'elle veut me dire? Ou devrais-je constater qu'elle me dérobe quelque chose et revenir dans l'instant présent?

J'espère ne pas ajouter à votre confusion si je vous dis que l'exaltation n'est pas toujours une source d'appréhension. Le plaisir nous terrifie lorsque le moi exalté croit que son bien-être dépend de la source de son plaisir. C'est à ce moment que la peur surgit. Quoi qu'il en soit, l'effort que l'on fait pour demeurer conscient lorsque la joie nous étreint (au contraire de la douleur) est extrêmement productif et, avec le temps, indispensable. Faites-le. Les leçons qui vous seront révélées en cet instant vous conduiront à l'étape suivante.

Depuis peu, je me découvre des envies de faire des choses que je n'ai pas faites depuis longtemps (ou même que je n'ai jamais faites), par exemple, écrire des lettres chargées d'émotion à de vieux amis avec lesquels j'ai perdu tout contact. Il me semble que je devrais m'occuper de ce qui, auparavant, ne m'intéressait absolument pas.

Écoutez votre cœur, obéissez à votre intuition. Tant et aussi longtemps que ces nouveaux « désirs » ne font de mal à personne, chaque pas que vous faites dans cette direction vous permettra certainement de découvrir vos lacunes intérieures et à progresser dans votre quête spirituelle. Lorsque notre premier désir est celui de l'éveil, il nous est pratiquement impossible de faire fausse route, car chacune de nos actions nous conduit vers de plus vastes champs de découvertes spirituelles qui, à leur tour, engendrent une plus grande purification de soi.

Dans ces merveilleux moments d'éclairement, quand la « personne provisoirement en charge » disparaît, ou dans ces instants de silence où je ressens fortement la présence de Dieu, j'éclate toujours de rire... je ris de moi-même, je ris de l'inutilité de toutes les inquiétudes qui m'étreignaient quelques instants auparavant. Je suis si heureuse d'être en vie que je ne peux pas m'empêcher de rire. Ai-je fait fausse route ou ma joie est-elle le résultat de ma quête?

Notre objectif, dans cette quête dont vous parlez, est d'entrer en relation avec la joie synonyme de vie réelle. Ne permettez pas à vos pensées rationnelles de vous dérober la récompense qui vous est donnée parce que vous avez su percer à jour leur emprise sur vous. Mais, par la même occasion, ne ratez pas la chance de vous élever encore davantage en restant à l'affût de vous-même tandis que vous vous réjouissez. Il y a toujours quelque chose de plus élevé encore.

Ma quête intérieure m'a fait vivre une expérience spirituelle d'une indescriptible intensité. J'avais l'impression d'être portée par une vague d'émotion qui s'est ensuite transformée en un océan d'Amour. Pendant quelques jours, j'ai été plus heureuse qu'on puisse jamais imaginer le devenir. Puis, mon bonheur s'est peu à peu évanoui jusqu'à ce que je redevienne comme avant. Je veux retourner là-bas ! Je ne cesse de me demander pourquoi j'ai vécu cette expérience et comment retourner au paradis, mais je suis perdue. J'apprécierais beaucoup vos conseils.

Si difficile que cela soit pour vous, il vous faut perdre le souvenir de votre rencontre avec Dieu, sans quoi vous en serez réduite à pourchasser une image. Si agréables soient le souvenir d'une telle expérience et les émotions que ce souvenir suscite, il est un obstacle à votre entrée dans le sanctuaire du réel, là où l'unicité à laquelle vous aspirez vous attend. Renoncez à vous demander « pourquoi » cela s'est produit. Le « moi » qui se pose cette question n'est pas votre vrai moi. Mais si vous vous remémorez cet aperçu du divin dans une optique tout à fait *pratique*, vous constaterez que sa merveille réside dans le fait que *le moi qui faisait l'expérience de ce moment* n'a rien à voir avec le moi que vous ressentez en vous à présent.

◆ ◆ ◆

LAISSEZ L'AMOUR DU VRAI VOUS LIBÉRER DE LA PEUR

Le monde de la science admet *enfin* ce que les sages s'évertuent à nous dire depuis toujours : l'essence de toute chose est le changement.

Tout est toujours *en devenir*. Cela signifie que rien ne peut être considéré sans que l'on tienne compte des forces qui provoquent ces transformations invisibles.

Mais la science doit encore apprendre que ces forces au travail ont leur intelligence propre, et que la transformation continuelle de toutes choses dépend de leur rapport à cette intelligence.

Les créatures dépourvues de volonté d'évolution doivent obéir à leur nature. Les lions, les fleurs, les poissons ne peuvent exercer leur libre arbitre en ce sens. Mais les êtres humains sont dotés de certaines caractéristiques qui leur permettent de choisir ce qu'ils deviendront. Et puisqu'il ne s'agit pas de choisir *de devenir une chose ou une autre*, mais bien de choisir *ce que* nous deviendrons, les plus sages parmi nous tiennent compte de cette réalité et tentent de s'harmoniser aux forces qui travaillent pour le suprême bien. La bonté qu'elles renferment devient alors la nôtre, et notre vie, l'expression de cette bonté. Voici la clé de cette relation supérieure :

Pour apprendre à aimer le bien, *nous devons avant tout exprimer* en toute honnêteté *ce que nous aimons maintenant* et ce que cet Amour nous incite à devenir. Ce niveau supérieur de connaissance de soi transforme la vie dont *il* prend conscience ; à mesure qu'il nous transforme et que nous nous transformons en lui, nous découvrons que l'Amour du Vrai et *nous* sommes en réalité une seule et même chose. Ainsi que le démontrent les révélations énumérées cidessous, cet Amour sans cesse renouvelé n'a peur de rien !

- Seul l'amant du Vrai connaît l'Amour qui continue de croître pendant qu'il épuise toutes ses autres amours.
- Seul l'amant du Vrai accepte chaque vérité, aussi difficile soit-elle, car il sait aussi que la lumière crue qui le baigne ne signale pas la fin de sa vie mais son véritable commencement.
- Seul l'amant du Vrai connaît l'inflexible force d'attraction du Vrai qui lui échappe encore et qui l'invite à renoncer à tout le reste pour le suivre.
- Seul l'amant du Vrai peut connaître cette étrange intrépidité qui lui vient de la certitude qu'aucune vérité ne peut l'effrayer.

- Seul l'amant du Vrai parvient à voir la bonté qui réside au cœur de toute déception ou de toute peine.
- Seul l'amant du Vrai possède la sagesse de ne pas se blâmer, ou de blâmer autrui, pour ses faiblesses, car il sait que toute vérité dévoilée dans l'Amour du Vrai est une vérité que l'Amour du Vrai guérira.
- Seul l'amant du Vrai sait que l'Amour qu'il a connu ne lui a jamais appartenu, mais qu'il appartient en propre au Vrai.
- Seul l'amant du Vrai accepte de veiller sur cet Amour jusqu'à s'oublier pour lui.
- Seul l'amant du Vrai se satisfait de tout – ou du peu – qui lui est consenti, car son bonheur dépend non pas de ce qu'il possède ou ne possède pas, mais bien du fait qu'il est lui-même possédé par le Vrai qu'il aime.

Si nous faisons de ces pensées l'objet de notre méditation sur notre rapport au Vrai, nous saurons qu'elles promettent de nous libérer de la peur. Voici une bonne façon de les mettre en pratique : *Pour que vous soit donné l'Amour que vous* savez *vouloir, vous devez avant tout prendre conscience de ce que vous aimez en ce moment* à votre insu. Chaque jour, aussi souvent que vous le pouvez, réveillez-vous à vous-même et voyez à combien de faux amis vous avez ouvert votre cœur. Ne portez pas de jugement... contentez-vous d'observer. Laissez les faits parler plus fort que les protestations de ce qu'ils vous révèlent.

Lorsqu'on commence à comprendre que la colère, l'impatience, l'anxiété et la peur ont élu domicile dans les recoins les plus impénétrables de notre cœur, nous découvrons aussi *comment* elles y sont parvenues. Tout est clair. Ces intruses vous ont convaincu que leur étreinte vous procurera la force, la sécurité et l'Amour que vous recherchez. Mais c'est faux. Attirez ces présences destructrices sous la lumière de votre conscience supérieure et dans votre *Amour* de cette conscience. L'Amour lui-même se chargera de les bannir et vous comblera d'une intrépidité nouvelle et absolue.

CHAPITRE 9

Les relations affectives : chemin et promesse de la vie réelle

Un grand secret spirituel se cache au plus profond du cœur de chaque être humain. Tant qu'on ne le découvre pas, comme c'est le cas pour la plupart des gens, sa présence porte l'âme qui l'héberge à chercher quelque chose dont elle ignore la nature ; ce qu'elle trouve ne lui suffit pas, elle recommence donc sa quête inlassablement. Mais lorsque ce secret se révèle, le Vrai qu'il renferme ouvre tout grand le cœur où il a élu domicile et entraîne le chercheur fatigué dans un rapport inédit et supérieur avec la vie.

Quel est ce grand secret spirituel que nous portons en nous à la naissance et que nous devons découvrir pour mettre fin à nos errances et acquérir la force et la sérénité auxquelles nous aspirons ? *La relation que nous désirons dans notre cœur existe déjà.* Oui. C'est vrai. En dépit de notre perpétuel sentiment de manque, la plupart d'entre nous ont déjà fait l'expérience de ce grand secret. Nous avons senti sa présence apaisante et réconfortante en ces occasions où, levant les yeux au ciel, nous avons admiré la nuit étoilée ou les reflets du soleil sur le feuillage. Qui n'a pas été rasséréné d'observer une mère aimante apaiser les peurs de son enfant ?

Dans de tels moments, une vie plus grande, plus entière que la nôtre nous touche, fût-ce brièvement. Dans ces instants fugitifs et précieux, nous nous souvenons qu'existe près de nous quelque chose d'éternel, de bon, de vivant. Comblés, nous sommes transportés au-delà de nous-mêmes et, pour un trop bref instant, notre cœur souffrant et notre esprit inquiet trouvent un apaisement. Rien, aucun acte, aucun lieu, aucun individu ne requiert davantage que la révélation de ce moment. Mais puisque nous n'en comprenons pas encore la sublime essence, puisque nous ignorons comment il apparaît et d'où il provient, il sème en nous les germes du mécontentement. Dès lors, nous nous efforçons de retrouver ou de recréer le paradis dont nous croyons avoir été injustement chassés. Mais, ainsi que nous ne le savons que trop bien, rien de ce que nous tentons ne suffit et rien ne nous ramène à ce royaume paisible. Mais nous ne savons pas pourquoi. Voici la réponse : si sûrs que nous soyons, inconsciemment, de *ce* que nous cherchons, nous n'avons pas encore compris que nous ignorons *où* le trouver !

En un certain sens, les êtres spirituellement endormis que nous sommes ressemblent au noble et riche propriétaire terrien qui, après s'être blessé à la tête en tombant de cheval, titube jusqu'à la hutte d'un chasseur située en un endroit reculé de ses terres. Puisqu'il souffre d'amnésie, il ne sait plus qui il est et s'installe comme chez lui, croyant être le chasseur. Il suppose que le petit enclos devant sa hutte est tout le bien qu'il possède. Tout comme, on le suppose, cet aristocrate éprouve un sentiment d'enfermement dû à ces circonstances fortuites, nous-mêmes subissons la contrainte de notre conscience captive. Les enseignements du Vrai ont pour seul but de nous libérer des bornes que nous nous imposons. Les révélations ci-dessous vous conduiront à la liberté.

En ces moments plus heureux, quand nous sommes en paix avec nous-mêmes parce que nous avons aperçu un petit coin secret d'un univers lumineux et riche, *ce lieu que nous avons vu n'est pas extérieur à nous.* Pas du tout. Si nous contemplons l'éternité du ciel nocturne, si nous ressentons la caresse de la bonté, c'est parce que nous avons posé nos yeux sur un recoin secret et inconnu de notre moi. En résumé, *nous sommes ce que nous voyons*, et le bref enchantement dont nous faisons l'expérience dans ces instants magiques constitue notre récompense pour avoir su entrer en contact avec la vie réelle. Le sage et mystique chrétien saint François entonne la vérité de cette importante découverte de soi : *« La pensée de l'éternité me procure toujours un grand réconfort. Car je me dis : comment mon âme pourrait-elle se figurer la vie éternelle s'il n'existait un quelconque lien entre les deux ? »*

Ce saint éclairé nous dit qu'au plus profond de nous, dans l'invisibilité de notre essence, réside tout l'éventail des rapports possibles. Réfléchissez ! Mais dans les limites de notre aptitude actuelle à comprendre, chaque fois que les circonstances nous mettent en face de cet ordre plus lumineux et plus vaste de l'existence, nous attribuons ce sentiment d'expansion à notre participation à un événement qui nous « dépasse ». Cette perception prend appui sur la « réalité » sensorielle selon laquelle cette occurrence est le produit d'un événement qui a lieu « hors » de nous.

L'expérience que nous vivons en de tels instants *n'est pas extérieure à nous.* En guise d'explication à ces brèves illuminations, je dirai que nous avons été momentanément transportés au-delà du champ restreint de l'éventail inconscient de ces rapports intérieurs. Voici une illustration plus familière de ce phénomène.

Lorsque nous *voyons* vraiment un coucher de soleil magnifique, nous le *ressentons* et nous nous confondons à ses couleurs sublimes. Mais nous ne pourrions assurément pas participer à cette beauté qui est *devant nous* si l'essence même du ciel multicolore n'était pas *en nous*. En d'autres termes, la profondeur de cette beauté, et le bonheur intime qu'elle suscite, sont en réalité des aspects de notre conscience. Si nous comprenons la vérité de cette découverte, nous passerons à l'étape suivante qui consiste à faire l'expérience de la vie réelle par le biais de nos relations.

L'univers, composé des gens et des événements qui nous « entourent », est en réalité un miroir singulier. Voilà pourquoi toutes les grandes philosophies affirment que notre monde n'est qu'un reflet. Quel est le but de ce reflet ? Nous révéler à nous-mêmes ! Et nous voici parvenus à un autre élément clé de notre étude.

Lorsque nous comprenons notre vérité profonde, à savoir que l'être que nous sommes *en réalité* (y compris tout ce que nous avons appris sur nous-mêmes) *est déjà engagé* dans ce vaste rapport qui est nôtre en permanence, nous prenons conscience de la vie réelle. Examinons cette découverte importante à la lumière de notre expérience personnelle.

Nous savons tous qu'il est possible de « ressentir », aussi intensément que s'il s'agissait des nôtres, l'émerveillement et la joie d'un enfant qui déballe un cadeau. Certains d'entre nous ont parfois été fort agréablement surpris de « savoir » (bien au-delà du simple anthropomorphisme) ce que pensent leur chat ou leur chien. L'important est que nous ne pouvons pas accueillir une sensation en nous-mêmes sans que sa contrepartie existe déjà dans notre conscience, sans quoi nous serions incapables non seulement de la reconnaître mais aussi d'en jouir.

Nous voici sur le point de voir, pour la première fois, l'obstacle qui se dresse devant nous dans notre quête de bonheur et de contentement. Permettons à tout ce que nous avons appris jusqu'à présent d'éclairer les quelques idées qui suivent. Les contraintes que nous nous imposons, notre sentiment d'inachèvement, tout cela n'est pas le résultat de notre rapport au monde qui *nous entoure*. Le véritable problème est que notre vie s'exprime dans une part inconsciente du moi qui est *incapable d'entrer en rapport* avec ce qui est extérieur à lui et fait partie de son conditionnement. L'explication ci-dessous devrait pouvoir vous aider à comprendre cette révélation, mais aussi vous apprendre comment nous pouvons tirer parti de *toutes* nos relations pour entrer dans la vie réelle.

Il y a très longtemps, les chercheurs de vérité se mettaient en quête d'un mystérieux « accord perdu ». Ce mythe vous est-il familier ? D'un certaine façon, l'idée qui leur inspirait cette quête n'était pas étrangère à celle qui présidait à la recherche de la « pierre philosophale ». S'il était possible de découvrir, de regrouper et de faire résonner ensemble certaines notes de musique, en un lieu et au moment opportun, l'harmonie produite par cet accord céleste comblerait de vie réelle la personne qui aurait eu le privilège de le « composer » et de l'entendre.

Aujourd'hui comme hier (et pour tout type d'enseignement), au lieu de s'attacher au symbolisme de cette idée et au processus intérieur qu'elle décrivait, on a fait de ce principe spirituel une quête littérale. Mais le sens réel de cet « accord perdu » – qu'on ne saurait énoncer, mais seulement saisir – est le suivant : chacun de nous est en réalité un instrument dont la fonction est triple : chanter les notes de l'univers céleste, agir comme une table de résonance pour les autres chants et, grâce à cette résonance, à ce rapport harmonieux avec la vie réelle, *connaître* la vie réelle.

Imaginons qu'une petite fille, Christine, reçoit en cadeau d'anniversaire un instrument de musique qui ressemble à une harpe. Imaginons aussi que, dès qu'elle s'essaie à en jouer, ses mains sont si petites qu'elle ne parvient qu'à toucher cinq des cent huit cordes de l'instrument. Supposons maintenant que Christine s'identifie de plus en plus à ces cinq cordes et qu'elle décide de limiter son jeu à toutes les variations qu'elles permettent, sans égard pour la centaine d'autres cordes. Voyez la conséquence inévitable de ce choix : Christine éprouve inlassablement l'impression que quelque chose manque à sa vie.

Chaque fois que Christine joue les cinq cordes qui, selon elle, couvrent tout le registre de l'instrument, elle entend également résonner, mais à peine, les autres cordes. Pourquoi ? Il est inévitable que ces cordes vibrent, produisent des harmoniques. C'est une loi de la nature. Parfois, ces sonorités réjouissent Christine. En d'autre temps, tout dépendant des accords qu'elle produit, les dissonances la bouleversent. Et ce n'est pas tout !

Lorsque les amis de Christine viennent lui rendre visite, ils emportent avec eux leurs instruments de musique et, vraisemblablement, en raison du milieu dans lequel ils vivent et de l'éducation qu'ils ont reçue, chacun d'eux choisit de jouer un ensemble légèrement différent de trois ou cinq cordes. Certains des accords s'harmonisent tout naturellement à ceux de Christine, tandis que d'autres provoquent des dissonances. Il n'y a donc rien d'étonnant à ce que chaque enfant rejette sur la « musique » de chacun des autres instruments la responsabilité de son état d'esprit. Nous pourrions multiplier les exemples, mais je crois avoir été clair.

Nous sommes *tous* des notes de musique. Nous représentons toutes les notes du royaume. Nous avons démontré comment résonner à l'unisson avec tout ce qui produit en nous un son apaisant ou discordant. Il nous faut comprendre que lorsqu'un « son », une manifestation en provenance de quelqu'un d'autre nous exacerbe, ce ne sont pas *les vibrations de cette personne* qui nous vexent et nous blessent. Non. Nous bouleversent plutôt les vibrations de quelques-unes de nos propres « cordes » intérieures qui résonnent en réaction aux tons dominants du moment.

Notre résistance récurrente à ces circonstances non désirées, aux individus et aux conjonctures qui créent en nous des discordances dont nous leur attribuons la responsabilité, nous empêche de tirer parti de nos relations pour entrer dans la vie réelle. Par exemple, supposons qu'un collègue de travail nous irrite. Notre approche habituelle consiste à éviter cette personne puisque notre raison errante nous répète que l'absence règle tout. Malheureusement, comme nous avons tous pu en faire l'expérience, nous ne pouvons pas échapper aux sonorités du moi. Si bien que, nous aurons beau éviter *cette* personne, quelqu'un d'autre surviendra et plaquera un accord qui nous « forcera » à entendre une fois de plus les dissonances du moi.

Comment résoudre ce dilemme ? Nous devons comprendre intimement, en profondeur, que nous ne pouvons fuir nos dissonances personnelles pas plus qu'un piano ne peut échapper aux cordes qui le font vibrer. Nous devons aussi comprendre que *nous ne devons pas* résister aux notes discordantes du moi ni à celles d'un autre individu. Ces notes, quelle que soit leur tonalité, ne nous définissent pas à moins que nous ne commettions l'erreur de nous identifier à leurs « sonorités ». Le faux moi que produit en nous chacune de ces sonorités n'est que cela : un moi provisoire qui n'est rien de plus que la conséquence temporaire de ce mélange de sons.

Pour transformer notre rapport avec la vie, pour aller au bout de son chant infini, nous devons avoir le courage de découvrir ce que signifie entendre notre être *entier*. Voici la clé de ce nouveau rapport : lorsque nous sommes sereinement conscients de l'une de nos « sonorités », que celle-ci soit sombre ou claire, nous percevons *le champ entier de ce rapport* et non pas seulement son contenu. Qu'est-ce que cela signifie ? Lorsque nous admirons un pré fleuri au printemps, notre plaisir vient de ce que nous le voyons *en entier*: toutes ses couleurs, chacune de ses ondulations. Qu'en serait-il si nous étions contraints d'apprécier la vastitude d'un pré fleuri en y cueillant une seule mauvaise herbe ?

Quand nous apprenons à écouter les sonorités de la vie en nous, quand nous nous ouvrons aux rapports infinis que la vie nous offre en prenant conscience de leur présence en nous sans limiter leurs sonorités si celles-ci ne s'accordent pas à notre moi de cinq petites notes, *alors* nous commençons vraiment à entrer dans la vie réelle. Nous entendons enfin en nous ce mythique accord perdu qui a toujours représenté notre moi véritable.

◆ ◆ ◆

LES RÉVÉLATIONS QUE NOUS INSPIRENT NOS INTERACTIONS QUOTIDIENNES

Toutes mes relations sociales semblent dégénérer en bavardages et en négativisme. Je me souviens qu'au début de ma quête du vrai, il m'a semblé n'avoir besoin de personne. J'en ai d'abord ressenti un certain soulagement, mais je me suis vite fermé à tout contact humain. Puis, j'ai compris que je faisais erreur. Toutefois, je ne réagis pas souvent positivement aux êtres qui m'entourent, si bien que je me surprends à avoir des conversations désastreuses. Quelle est la prochaine étape ?

Avez-vous déjà lu l'histoire du « Vilain petit canard » ? Sinon, lisez-la. Cette parabole spirituelle raconte l'histoire d'une petite créature qui se prend pour une créature très différente de ce qu'elle est en réalité. Un jour, le petit canard aperçoit son reflet et se « reconnaît ». Il sait qu'il ne ressemble pas aux autres. Son besoin douloureux d'imiter les autres et le conflit intérieur qui en découle s'évanouissent. Cette histoire est véridique... découvrez sa signification.

Si notre vie nous vient du Créateur – qui l'a donnée à chacun de nous –, pourquoi sommes-nous portés à nous percevoir comme des individus autonomes en concurrence les uns avec les autres ?

Voilà l'essence de la pensée rationnelle : elle sépare celui qui regarde de ce qu'il regarde. Lorsque cette scission a pris racine, la peur et la concurrence s'ensuivent forcément. Voilà pourquoi il importe que nous nous efforcions de nous réveiller, car la concurrence véritable, celle qui oppose le « moi » au « moi », a lieu intérieurement. Cette concurrence en vient non seulement à tuer le corps physique, mais elle endommage aussi l'âme et son potentiel inhérent.

Voulez-vous dire que ces déchirements intérieurs finiront par nous entraîner dans la mort?

Notre quête n'est pas facile à comprendre pour notre être pensant. Voilà pourquoi la notion de « vision » est si importante. Ce n'est pas que l'idée de scission en soi nous est néfaste. La pensée, l'idée elle-même, son « processus », est ce qui nous déchire. On ne peut imaginer le « moi » sans que notre nature pensante ne se sépare de l'objet même qu'elle envisage. Ce n'est pas tant que notre nature pensante nous « tue » (bien que le stress qu'elle provoque nous soit très dommageable), mais que cet être pensant est dépourvu de vie dès le départ. Notre renaissance dépend de notre prise de conscience de cette non-vie où nous entraîne notre existence rationnelle inconsciente.

Il m'est souvent très difficile d'être moi-même en présence d'autrui, surtout lorsque j'éprouve un sentiment d'infériorité face à certaines personnes. Comment puis-je retrouver la maîtrise de moi-même?

Efforcez-vous de constater la différence entre la personne que vous êtes réellement en présence d'autrui et la personne que vos pensées et vos émotions vous disent d'être. Plus vous préférerez l'attention à l'autoprotection, plus vous comprendrez et plus vous saurez que la peur ressentie lorsque vous vous protégez est justement ce dont vous cherchez à vous protéger.

Lorsque je parle en public, j'ai souvent l'impression de jouer un rôle, et le ridicule de la situation me fait perdre le fil de mes idées. Qu'en pensez-vous?

Vous faites en ce moment l'expérience d'un certain degré d'éveil à soi. Une part de vous est suffisamment présente pour regarder avec recul le déploiement de votre personnalité. La personnalité est une actrice. En avançant dans votre quête, vous saurez l'observer comme si vous étiez son metteur en scène, et vous verrez qu'elle ne peut faire que ce que vous lui dictez. Ne laissez pas cette découverte vous bouleverser.

Souvent, je me « réveille » au beau milieu d'une phrase ou d'un geste. Par exemple, je me surprends en train de cancaner avec une collègue, ou de me plaindre d'une situation hors de mon contrôle ; pourtant, pendant que je me lamente, une autre partie de moi constate le ridicule de la situation. De telles occurrences peuvent-elles contribuer à ma croissance spirituelle ?

Ces moments sont des moments de croissance. Efforcez-vous de voir qu'il ne saurait exister de différence entre ce que la lumière baigne et la manière dont cette lumière agit sur ce qui entre dans son rayon. Évitez autant que possible de telles circonstances, mais soyez disposé à soumettre votre volonté à ce que la lumière vous révèle à leur sujet.

Lorsque je suis entouré de gens, j'entre dans une sorte de transe négative. Je deviens un amalgame tendu d'ego, de honte, de colère et de peur et j'oublie tout ce que j'ai appris. Que puis-je faire au travail ou au milieu des autres pour me venir en aide ?

On voit que vous commencez à vous éveiller à vous-même. Ne quittez pas le champ de bataille. Ce ne sont pas les gens qui nous entourent qui provoquent en nous des réactions négatives, mais nos attentes secrètes. Plus vous prendrez conscience de vos conflits intérieurs, plus vous devrez décider si, oui ou non, vous devez continuer à être « vous », ou si vous devez renoncer à vous-même afin d'apprendre les leçons que ces rapports intérieurs et extérieurs ont à vous apprendre. Persévérez.

Lorsque je parviens à me souvenir de mes objectifs supérieurs, je perds la maîtrise de ma vie et mon entourage s'empresse de profiter de mes faiblesses apparentes. Est-ce normal ou est-ce moi qui me suis trompé de route ?

Je sais ce que vous allez penser... mais laissez ceux qui cherchent à profiter de votre désir d'éveil prendre de vous ce qu'ils veulent.

Bien entendu, cela ne signifie pas donner tout votre argent ou distribuer vos biens à des requins. Mais cela veut dire ne pas craindre de montrer à tous que vous savez en quoi consistent vos faiblesses à leurs yeux. Cette question ne concerne en rien les autres ; elle concerne la perception que nous avons de nous-même. *Osez n'être personne.* Quand vous aurez enfin compris que vous n'êtes personne (et même plus que vous ne le pensiez), vous n'appréhenderez plus que l'on profite de vous. Après tout, que pourrait-on vous enlever ? Dieu a fait en sorte que chacun soit, à chaque instant, récompensé pour ce qu'il est. Autrement dit, quiconque souhaite vous faire du mal s'est d'abord fait du mal. Croyez-moi, vous ne pouvez punir cette personne mieux qu'elle ne se punit elle-même.

Comment admettre et assumer notre responsabilité envers autrui ? Devons-nous compromettre ou sacrifier notre moi lorsque nous assumons nos responsabilités envers les autres, et en particulier envers notre famille ?

Si vous avez des responsabilités, assumez-les. Vous devez vous occuper de vos enfants. Si l'un de vos parents est malade et que personne d'autre n'est là pour l'aider, vous devez lui être dévoué. Mais si votre enfant de vingt-cinq ans vit encore chez vous parce que vous êtes incapable de lui refuser quoi que ce soit, c'est une autre paire de manches. Nous devons connaître les limites de nos peurs, et savoir quand nous transformons ces peurs en compromis. Nous devons aussi savoir qu'il peut arriver que nous refusions tout compromis fondé sur une image de soi ou une appréhension. Que voulez-vous ? Le Vrai ne refuse à personne sa vie réelle en raison des responsabilités que cet individu doit assumer. En réalité, c'est le contraire qui est vrai : l'individu refuse les responsabilités que le Vrai ne voit pas.

COMMENT COMPOSER AVEC LES COMPORTEMENTS NÉGATIFS DES PERSONNES DE NOTRE ENTOURAGE

J'ai récemment été muté au bureau du personnel de l'entreprise qui m'emploie. Je dois maintenant affronter chaque jour

les aspects les plus désagréables de la nature humaine tels qu'ils se manifestent en milieu de travail. Cela m'est très pénible. Pouvez-vous me conseiller ?

Vous avez la chance d'étudier de très près notre misérable condition humaine et celle d'apprendre à vous en détacher totalement. L'un des aspects les plus importants (et les moins bien compris) de notre quête intérieure consiste à observer les autres et à travailler avec eux à tous les niveaux. Vous apprendrez beaucoup ! Restez éveillé.

Pourquoi suis-je si déçue lorsque je sollicite de l'aide et que je me rends compte que cela n'intéresse pas ma famille ? Si une personne de ma famille m'appelait au secours, la situation serait bien différente... elle m'en voudrait de ne pas lui venir en aide !

L'un des pires obstacles à notre quête spirituelle est la découverte graduelle de la nature sous-développée des êtres qui nous entourent. Nous commençons à percevoir l'étendue de leur égocentrisme et cette constatation fait naître en nous un sentiment de désespoir et une grande solitude. Mais ces impressions sont inévitables et indispensables à notre travail spirituel, car plus nous prenons conscience des intérêts personnels qui animent les personnes de notre entourage, plus nous voyons que les mêmes intérêts personnels nous animent aussi. Résultat : nous commençons à devenir réellement autonomes et, en même temps, tandis que nous apprenons à nous affranchir de notre égoïsme, nous comprenons que cet égoïsme est un processus mécanique et inconscient chez autrui. Cette constatation nous enseigne la compassion.

On dirait que ce sont toujours les personnes les plus honnêtes à qui l'on ment le plus. Est-ce là la victoire du mal ?

Voulez-vous que je vous dise quelque chose de beau ? L'honnêteté est sa propre récompense. Nous sommes à chaque instant récompensés pour ce que nous sommes. Laissez mentir les menteurs. Dites la vérité. Voilà tout ce que vous devez savoir et faire. Ne vous inquiétez pas du sort réservé aux menteurs. Chacun de leurs mensonges scelle leur destin.

Tous mes collègues, à tous les échelons de la hiérarchie, ont quelque chose à me reprocher. Est-ce là un reflet de mon degré de spiritualité?

La prochaine fois que vous verrez quelqu'un rouspéter, regardez cet individu par la lunette du Vrai. Vous constaterez que tout ce dont cet individu dispose en cet instant est le mépris de soi ou des autres. Fuyez ce niveau de vie hors de vous ou en vous-même. Apprenez à tirer parti du négativisme d'autrui pour vous éveiller à vous-même, et puis débarrassez-vous-en. Ce travail intérieur est très stimulant et extraordinairement enrichissant.

Au travail, je dois composer quotidiennement avec deux douzaines de collègues très agressifs. Je suis capable de tolérer un petit nombre d'individus agressifs au cours d'une journée, mais deux douzaines, c'est trop. Que faire pour remédier à cette situation sans être forcé de démissionner?

Je sais combien il peut être pénible d'être entouré d'individus «toxiques». Toutefois, efforcez-vous de comprendre que cette situation est très favorable à votre développement intérieur... si vous savez vous en servir. Je dis «si vous savez vous en servir», car si vous ne le faites pas, où que vous alliez et quoi que vous fassiez vous serez en présence de personnes «haïssables» et vos propres réactions négatives vous useront. Essayez ceci: décidez que, dès l'instant où vous entrerez au bureau, vous porterez attention non pas à l'attitude de ces personnes mais à la réaction qu'elles provoquent en vous. Vous comprendrez que vous avez besoin de vous libérer de «vous-même», et non pas d'elles! «Besoin» est ici le mot clé. Avec un peu de pratique, vous verrez que «vous» êtes votre propre assaillant. Quand vous aurez compris cela, vous vous dégagerez de «vous-même».

Il y a un employé au travail qui est en désaccord avec tout le monde. Toute collaboration avec lui est extrêmement difficile. Son attitude envers les gens et les circonstances est toujours négative. Comment puis-je me préserver des effets de ce négativisme?

Ne luttez pas contre son influence, quelle que soit la forme qu'elle prenne. Au contraire, prenez conscience du fait que vous hébergez en vous des aspects où son négativisme peut trouver un terreau et une nourriture. N'oubliez pas : songez avant tout au moi intérieur et non pas aux circonstances extérieures.

Comment peut-on empêcher les gens de proférer des remarques blessantes sans nous abaisser à leur niveau ?

Les gens qui nous attaquent et nous blessent le font surtout parce qu'ils se sustentent à nous, parce qu'ils nous sucent notre énergie négative. Tentez une expérience : un beau jour, refusez consciemment votre négativisme à la personne qui en a besoin. Taisez-vous, et observez la réaction de la personne qui vous attaque. Il est presque certain qu'elle fera volte-face. Et même si son attitude ne change pas, vous serez fier de votre nouveau comportement.

Le Vrai peut-il m'immuniser contre les individus exigeants et agressifs ? Comment composer avec les personnes anxieuses qui ont toujours besoin d'une situation de crise pour être heureuses ?

Notre libération de tous les esprits qui blessent notre âme est directement proportionnelle à notre affranchissement de ces mêmes esprits en nous-mêmes. Pour composer avec les individus anxieux qui s'immiscent dans notre vie, nous devons d'abord nous éloigner des pensées et des émotions qui engendrent en nous des états de crise. Nous ne pouvons pas être plus efficaces dans notre vie extérieure que nous ne sommes éveillés intérieurement. Pour nous libérer des pensées néfastes et des personnes anxieuses, nous devons d'abord être disposés à renoncer au moi que crée cette anxiété. Persévérez.

Dans notre société où l'impolitesse semble de plus en plus de mise, comment composer, agir ou réagir lorsque nous sommes entourés de gens apparemment indifférents et froids ?

L'un des aspects les plus importants de notre travail intérieur consiste à mettre ses principes en pratique dans notre vie quotidienne. Que cela signifie-t-il ? Toute circonstance non désirée (par exemple, l'impolitesse d'un individu) n'est pas la cause de notre stress. Chaque circonstance nous met en face d'un miroir provisoire où il nous est possible de voir ce que nous emportons avec nous, ce qui est en nous, à cet instant précis. Il ne sert à rien de vouloir changer les gens sans d'abord transformer cette partie de nous qui croit que notre identité, notre bien-être dépendent de la manière dont les autres nous traitent. Prenez du recul. Ne leur cédez pas votre vie et vous découvrirez qu'ils ont une vie qui leur est propre... dont vous n'avez que faire.

COMMENT TIRER PARTI DES SITUATIONS DE CRISE ET DES TRANSFORMATIONS QUI SURVIENNENT DANS NOS RELATIONS POUR PÉNÉTRER DANS UNE RÉALITÉ SUPÉRIEURE

La plupart de mes amis croient que j'ai perdu la boule. Plus j'aspire à ma liberté spirituelle, plus nous nous éloignons les uns des autres. Ce n'est pas que je ne les aime plus, mais je me détache de plus en plus de nos centres d'intérêts jusque-là communs. J'appréhende cependant de les perdre tout à fait. Est-il normal que l'amitié se défasse lorsque, en nous transformant, nous nous hissons sur un plan supérieur ? Est-ce là le sens de cette parole du Christ : « Laissez les morts enterrer leurs morts » ?

Oui, souvent les vieux amis s'éloignent les uns des autres lorsqu'un individu, aspirant à sa transformation intérieure, comprend mieux la vie et le but réel de celle-ci. Imaginez la vie sociale d'une chenille : quand elle se métamorphose, ses nouveaux amis ont des ailes et vivent dans les cieux. Le message du Christ que vous avez cité signifie, en partie du moins, que nous devons nous éloigner de ceux qui désirent continuer à s'ancrer dans la vie terrestre.

Un ami a fait une chose qu'il m'avait souvent promis de ne pas faire. Quand j'en ai eu connaissance, j'ai réagi très négativement devant deux autres personnes. Une fois seuls, il m'a dit : « Ne m'admoneste plus jamais devant les autres. » Cela m'a révoltée, mais je n'ai rien dit. Depuis, mes sentiments envers lui ont beaucoup changé, et je veux éviter que la même situation ne se répète.

Restez avec ce « moi » jusqu'à ce que vous ne ressentiez plus le besoin d'aller vers une direction en particulier. Par-dessus tout, n'évitez aucune des situations qu'une part de vous appréhende en raison d'un conflit potentiel que vous ne sauriez pas comment aborder. Jetez-vous dans la bataille. Ceci devrait vous aider : n'oubliez pas que nous ne sommes pas sur terre pour conquérir les autres, mais pour conquérir notre propre vie intérieure.

J'ai un ami très proche qui me crée des problèmes. Il est psychothérapeute. Depuis quelque temps, je ne lui fais plus part de mes états d'esprits négatifs, car cela me semble aller à l'encontre de mon travail spirituel. Lui semble trouver mon attitude menaçante, car, selon lui, le partage des émotions est la clé de l'intimité. Mais moi, je ne crois pas pouvoir revivre le genre de relation que nous avions auparavant. Que pensez-vous de cette situation ?

Félicitations ! Votre travail intérieur vous a permis de faire une grande découverte. Votre perception de la transformation que subit votre relation avec cette personne est tout à fait juste. Cette personne éprouve le besoin de « s'alimenter » à vos faiblesses afin d'y puiser de la force. En lui refusant sa « nourriture » (c'est-à-dire vos inquiétudes), vous révélez cette créature au grand jour. N'ayez pas peur : regardez cette situation en face, de même que toutes ses répercussions possibles.

Plus je travaille sur moi-même en mettant en pratique des principes de vérité, plus mes relations affectives se transforment. Je ne m'occupe plus activement de ces amitiés, et je constate que cela agace certaines personnes. Est-ce que mon nouveau savoir et ma volonté de m'en servir se traduiraient par de l'arrogance ?

Soyez aux aguets de vous-même le plus possible. Mais sachez ceci : errer est indispensable. L'erreur est ce qui nous permet de découvrir où nous faisons fausse route. Prenez conscience de tout ceci et persévérez.

Mon enfant a peur du noir ; sa terreur est incontrôlable. Je ne sais pas comment faire face à cette situation. Que faire ?

Les enfants se nourrissent, pour leur bonheur ou leur malheur, de nos états d'esprit. L'un des problèmes que vous affrontez ici (et auxquels nous faisons tous face), est que vous ne voulez pas commettre d'erreur. Réfléchissez : Comment pouvons-nous découvrir le Vrai si nous n'acceptons pas d'abord d'affronter certaines circonstances pour y apprendre, par nous-mêmes, ce qui est efficace et ce qui ne l'est pas ? Par exemple, tant vous que votre enfant tirerez un enseignement même de votre plus timide tentative à lui expliquer que la peur est néant. Mettez-vous au travail.

J'ai l'impression d'avoir de moins en moins d'amis. Je me sens très seul... mais je préfère encore cette solitude à ma vie d'avant.

Je ne dirai jamais assez combien cette solitude est indispensable à notre développement. D'une certaine façon, nous devons quitter ce monde avant d'entrer dans un univers plus enrichissant. Le beau de l'affaire est que, en prenant conscience de l'importance de la solitude, nous apprenons aussi à devenir des amis plus sincères, même envers ceux qui ne partagent pas notre nouvelle vision des choses et notre nouvelle vie.

Comment faire la connaissance d'autres individus à la recherche de leur vrai moi ? Parfois, cette recherche nous fait abandonner de vieux amis, non pas parce que nous leur sommes supérieurs, mais parce que nous sommes différents d'eux.

Voici une pensée très encourageante : l'étude du Vrai nous permet de faire des rencontres qui sont bénéfiques au Vrai que nous étudions. L'on pourrait dire que, à mesure que nous nous haussons dans notre Amour du Vrai/Dieu, notre être émergent prend force de loi ; il repousse ce qui lui est contraire et attire ce qui est obligeant, sain et aimant. Certes, il est bon de chercher délibérément à rencontrer des individus en quête du Vrai, mais, au bout du compte, c'est notre quête du Vrai qui nous permet de rencontrer des individus qui cherchent leur nature véritable.

Je ne parviens pas à comprendre comment ne pas me préoccuper de mes amis et de ma famille. Les changements dont je fais l'expérience semblent les affecter, mais ni eux ni moi ne savons en quoi consistent ces transformations. Nous traversons tous un moment de grande confusion. Pouvez-vous m'aider à en atténuer les effets ?

Le Vrai nous demande de lui laisser le champ libre. Les relations affectives que nous avions avant que se lève en nous cette nouvelle aurore devront forcément subir des changements dus à notre nouvelle compréhension des choses. Efforcez-vous de comprendre que nous ne percevons qu'une fraction infinitésimale du monde dans lequel nous vivons. Mais même ces aperçus de notre réalité physique recèlent des fragments de la réalité céleste. Qu'arrive-t-il aux créatures qui vivent dans un milieu donné lorsque ce milieu se transforme ? Certaines d'entre elles demeurent, d'autres s'en vont et, surtout – en particulier pour notre travail –, des créatures nouvelles y entrent. Persévérez. Laissez le hasard faire les choses en ce qui concerne vos relations affectives. Soyez généreux ; mais, par-dessus tout, soyez sincères. Tout ira bien.

◆ ◆ ◆

LES RELATIONS AFFECTIVES AU SERVICE DE LA VIE RÉELLE

La ressource la plus importante et la plus abondante de toute la terre est aussi la plus méconnue et la moins utilisée. Ses réserves sont inépuisables, on la trouve partout, en tout temps et en toute circonstance. Pourtant, rares sont ceux qui l'apprécient à sa juste valeur. En quoi consiste donc ce trésor collectif ? Il s'agit de nos *relations affectives*.

Méditez sur cette vérité : c'est grâce à nos relations que nous évoluons en tant qu'individus, car c'est grâce à nos relations que nous devenons plus forts et plus sages et que nous donnons vie à un Amour qui transcende les limites de l'égoïsme. Pourtant, même si nous admettons l'existence d'un tel chemin vers l'autoperfection, nous n'avons pas encore percé son mystère, nous ignorons toujours comment puiser à l'inestimable ressource que représentent nos relations.

Que devons-nous faire pour modifier le bilan de notre vie afin que chaque mesure d'impatience et d'intolérance trouve un équivalent dans la compassion et la considération ? Comment pouvons-nous apprendre à tirer parti de nos relations avec les autres de façon à développer une nouvelle forme de rapport à nous-même grâce auquel nous saurons qu'il ne nous est pas utile d'être autres que ce que nous sommes vraiment ?

Si vous êtes disposés à mettre en pratique les douze principes spirituels suivants, à y recourir dans vos relations avec les autres, la vie réelle à laquelle vous aspirez vous sera donnée. Ces principes ont pour but de vous enseigner à tirer parti à chaque instant de vos relations familiales, amicales et professionnelles pour *transformer en toute conscience votre rapport à vous-même*. Un simple moment de réflexion suffira à vous faire prendre conscience de la sagesse de ce travail intérieur peu habituel.

Sauf pour de rares exceptions, nos relations et nos interactions avec les autres se fondent sur notre moi et sur la réalisation de nos désirs égoïstes. « Qu'est-ce que *je* ressens envers toi ? » « Qu'est-ce que *j*'attends de lui ? » « Quand comprendra-t-elle que *je* sais ce qui est bon pour elle ? » En d'autres termes, la plupart du temps, le faux moi pense : « Je, me, moi. » En se donnant ainsi la priorité, il demeure le maître de son univers, même si le seul axe de cet univers est l'importance fictive qu'il se donne.

La grande leçon que nous avons à tirer de ces douze principes est que ce à quoi nous donnons la priorité *constitue l'objet de notre principal rapport avec la vie.* En outre, *cette* relation est celle qui régit en secret toutes les autres relations de notre existence. Si nous acceptons d'occuper le « second rang », nous acceptons non seulement notre façon d'envisager nos relations personnelles, mais encore *d'être nous-mêmes transformés par les vérités que nous apprendrons à notre sujet.*

1. Soyez tout aussi sensibles à ce que vous pourriez faire pour venir en aide aux autres que vous êtes conscients de l'indifférence d'autrui devant vos besoins immédiats.

2. Laissez vaincre quiconque cherche à triompher de vous, mais sans lui révéler que vous lui accordez le dernier mot.

3. En tout temps, sachez admettre que vous avez tort aussi facilement que vous vous persuadez d'avoir toujours raison.

4. Faites une bonne action sans attirer l'attention sur vos actes ou sur vous-mêmes.

5. Efforcez-vous de permettre à une autre personne que vous de profiter d'une situation donnée.

6. À l'occasion d'une réunion amicale ou familiale, ne cherchez pas à voler la vedette à quelqu'un d'autre. Au contraire, aidez cette personne à briller si son moment de gloire peut l'encourager ou lui remonter le moral.

7. Même lorsque vous êtes absolument certains d'avoir raison, cédez au lieu d'insister.

8. Si l'envie vous prend d'être sarcastiques pour le simple plaisir d'agacer, de tourmenter ou de « mépriser » une autre personne, réfléchissez à ce que vous vous apprêtez à dire avant d'ouvrir la bouche.

9. Au moment opportun, si vous en avez le choix, offrez à quelqu'un d'autre la meilleure portion.

10. Même lorsque vous comprenez le problème d'une autre personne mieux qu'elle ne le comprend elle-même, sachez parfois résister à l'envie de tout lui expliquer.

11. Si quelqu'un vous déçoit, n'étalez pas votre déception et reportez les remontrances à plus tard.

12. Accordez aux autres leurs faiblesses sans ajouter à leurs souffrances en leur faisant comprendre que vous êtes conscients de leurs lacunes.

Enfin, quelques pensées à méditer : ne perdez pas de vue que tout exercice spirituel ouvre sur la découverte de soi. Le découragement, la frustration nous montrent que quelque chose vient contrecarrer nos plans. N'oubliez pas que chaque vérité que nous découvrons à notre sujet rehausse notre rapport avec la vie et que ce rapport est tout aussi infini que la vie réelle.

CHAPITRE 10

Soutenez votre entourage dans sa croissance spirituelle

Si les souffrances humaines touchent toute la gamme de nos expériences, nul ne contestera le fait que les transformations non désirées que subissent nos relations affectives sont, de toutes nos épreuves, les plus difficiles. Nous connaissons bien ces épreuves. Que nous parvenions à un carrefour où l'être cher et nous empruntons des chemins opposés, que le conjoint qui ne nous aime plus nous abandonne, que nous ayons à vivre les aléas complexes d'une trahison amoureuse ou que notre tendre moitié n'en ait plus pour longtemps à vivre... il nous est très difficile de faire face à des circonstances bouleversantes que nous n'avons pas voulues.

Pourtant... qu'en serait-il si toutes nos relations difficiles partageaient un trait commun, une vérité capable de nous révéler leur secrète raison d'être ? Qu'en serait-il, en outre, si nous découvrions que cette raison d'être peut nous aider à concrétiser notre plus grande aspiration ? Une telle découverte ne transformerait-elle pas notre vision de la vie ? Bien sûr que si. Or, commençons par examiner le « dénouement » d'une de ces situations de crise, l'après-tempête, quand nous savons que notre esprit et notre cœur ont été renforcés comme une épée qu'on trempe. Nous avons dû nous débarrasser, parfois malgré nous, de certains aspects de l'être. Des fragments du vieux moi se sont fusionnés à une nature nouvelle, issue de nouveaux désirs. En ces lendemains étranges et multiples, nous voici au seuil d'une vision de la vie tout à fait inédite. Mais il y a plus.

Nous sentons que surgit en nous une forme originale et *supérieure* de connaissance de soi qui se fraye un chemin jusqu'à l'avant-plan de la conscience. En d'autres termes, l'être qui émerge de cette relation affective douloureuse est un être re-né. Cela ne fait aucun doute. Nous sortons de ces relations plus sages et plus forts que nous n'étions quand nous y sommes entrés.

La raison d'être de nos tribulations personnelles apparaît ici clairement : elles nous *forcent à grandir*. Il y a une double signification à cela. Premièrement, nous avons été créés pour nous développer et pour croître intérieurement grâce à nos relations personnelles. Deuxièmement, *il est indispensable* que nos relations *avec les autres* se transforment constamment pour que cette croissance spirituelle ait lieu. C'est la réalité. Mais il y a une ultime vérité à découvrir dans cette dépendance entre croissance individuelle et relations personnelles.

Un lien subtil et unique associe notre propre développement spirituel à l'aide que nous procurons aux autres dans leur quête de connaissance de soi indispensable à leur croissance intérieure. Cela étant, il ne faut surtout pas éviter de réfléchir à ce qui suit sous prétexte que c'est l'évidence même, car ces apparents lieux communs recèlent des indications sur les moyens à prendre pour accomplir notre céleste destinée.

Pour grandir suffisamment – comme l'enfant qui passe d'une pointure de chaussures à une autre, ou comme l'adulte qui substitue une connaissance de soi supérieure à son ancienne vision des choses – nous devons d'abord *trop grandir, dépasser ce qui nous limite.* Sur le plan physique, ce processus est facile à comprendre : nous avons grandi suffisamment pour porter de nouveaux vêtements quand nous sommes devenus trop grands pour nos vêtements actuels. On n'arrête pas la croissance.

En ce qui concerne notre croissance intérieure, c'est une autre histoire. Dans l'Ancien Testament, Dieu commande à Lot et à sa femme de se réfugier sur les hauteurs afin d'échapper à la destruction de leur ville décadente. De même, nous devons délaisser les niveaux inférieurs de l'être pour nous élever spirituellement. C'est l'évidence même en ce qui concerne notre croissance spirituelle ; mais quel rapport y a-t-il entre cette vérité et le soutien que nous prodiguons à notre entourage dans sa croissance spirituelle ?

L'un des meilleurs moyens à notre disposition pour aider les autres à croître spirituellement consiste *à nous dépasser.* Une deuxième révélation nous aidera à percer la sagesse de cette notion. Notre vision de nous-mêmes, celle qui nous dicte notre sentiment d'identité, est en grande partie le produit de nos relations sociales et familiales. Les qualités que nous percevons en nous sont intimement reliées aux qualités que nous percevons chez nos proches. Toutes nos relations personnelles peuvent nous fournir des exemples de cela, mais permettez que j'illustre ce point en m'inspirant de la relation que je partage avec ma femme.

Quelle que soit l'opinion que j'ai de moi-même (que je m'imagine être doux, fort ou que sais-je), cette opinion se fonde beaucoup sur le fait que je vois dans mon épouse une femme aimante et sage. Après tout, il m'importerait peu d'avoir une quelconque valeur à ses yeux (ou aux yeux de qui que ce soit) si j'estimais qu'elle n'en vaut pas la peine. Mais ces rapports inconscients et complexes qui affectent nos relations avec nos êtres chers comportent un « danger » dont nous prenons douloureusement conscience dès que le comportement d'une de ces personnes nous paraît « inconvenant », c'est-à-dire *contraire à l'opinion favorable que nous* avons d'elle. En effet, dès l'instant où il nous semble que cette personne dévie légèrement de l'axe que *nous* lui avons conféré, cet écart *nous* déstabilise, nous met en colère et nous rend étrangement appréhensifs.

Tôt ou tard, le comportement inattendu ou non désiré d'un de nos proches suscitera en nous une réaction désagréable. Bien entendu, quand cela se produit, nous n'hésitons pas à tenir l'autre responsable de notre inconfort. Mais la vérité est tout autre. Victimes de nos réflexes, nous nous surprenons à dicter sa conduite à la personne qui nous a « offensé », tout simplement parce que quelque chose en nous *se sent perdu*. Pour bien comprendre cela, réfléchissez le plus possible à la pensée qui suit ; elle comporte des indices favorables à notre dépassement et au soutien que nous prodiguons à notre entourage dans sa croissance spirituelle :

Dès l'instant où un individu semble s'échapper du « cadre » *de la personnalité que nous lui avons toujours connue*, nous appréhendons de perdre *la personne qu'il* doit être *pour nous*, car cette personne nous rassure sur notre identité. Ne nous leurrons pas : dans de tels cas, nous tentons d'une manière ou d'une autre, par des promesses ou des incitations, de lui faire réintégrer ce « cadre ».

En d'autres termes, quelque chose en nous refuse la transformation de cette personne (ne perdez pas de vue que ce despotisme est involontaire : nul n'accepterait *en toute conscience* d'inhiber le développement d'un autre être). Nous pressentons en payer chèrement et « personnellement » le prix, comme nous le verrons plus loin. Le moi inconscient qui dort en nous devine qu'une telle transformation, si elle a lieu, devra être suivie de notre propre transformation. Mais le faux moi refuse tout changement autre que la magnification de sa grandeur fictive et de sa prétendue tolérance (une absurdité !) de l'évolution de la vie et des êtres.

Une conclusion ressort de tout ce qui précède : il manque un ingrédient essentiel à la plupart de nos relations affectives, un ingrédient indispensable à notre développement et à celui des personnes de notre entourage. Quel est donc ce catalyseur que nous sommes seuls à pouvoir nous procurer les uns les autres ? Il consiste en *un espace suffisant où grandir*.

Nous pouvons soutenir les autres dans leur croissance tout simplement en leur fournissant délibérément l'espace dont ils ont besoin pour leur transformation, même lorsque ces changements risquent de remettre en question notre identité et notre bien-être. En guise d'exemple : nous devons apprendre *à ne rien dire* lorsque les comportements d'un être cher nous dérangent. Pourquoi ce silence intérieur est-il si indispensable à la croissance spirituelle des deux personnes concernées ?

En premier lieu, le bouleversement que *nous* ressentons en ces occasions est dû à un séisme *intérieur*. Autrement dit, notre identité chancelle parce que notre opinion de cette personne s'est fracassée. S'il est indispensable que nous éduquions nos enfants tout au long de leurs années de formation, laissons en revanche les adultes prendre leurs propres décisions et agir comme bon leur semble. Une sage révélation vient étayer cette mise en garde.

Nous savons déjà que *tous* nos actes sont rétribués à leur juste valeur. Ce principe éternel, c'est le *karma*, l'inéluctable enchaînement des causes et des effets. Cela signifie que *notre être même* guide nos pas et décide des expériences qui composent notre vie. Il en va de même pour les membres de notre famille et nos amis : chacun d'eux reçoit ce qu'il ou elle *est*, rien de plus, rien de moins. Voilà pourquoi nous devons permettre aux autres une entière liberté de choix afin qu'ils vivent leurs propres expériences. Sinon, comment apprendraient-ils ? Comment se surpasseraient-ils ?

Comprendre cela, c'est accepter de ne plus dicter la conduite de qui que ce soit, pour plutôt donner à chacun l'espace dont il a besoin pour grandir et se découvrir. Mais cela comporte une difficulté : pour laisser aux autres l'espace dont ils ont besoin, *il faut d'abord créer cet espace en nous-mêmes.* Autrement dit, nous devons délaisser les territoires intérieurs où prenaient forme nos jugements de valeur, nos opinions, notre sentiment de supériorité. Ces « territoires » auxquels il nous faut tourner le dos, c'est le « moi ».

Ce sacrifice conscient du moi – de la personne que nous croyons être – par amour pour la personne que notre être cher n'est pas encore devenu – renforce un vieux principe d'Amour qui nous commande de « donner notre vie pour celle de notre prochain ». Ainsi, c'est en se surpassant soi-même que l'on parvient à aider notre entourage dans sa croissance spirituelle.

◆ ◆ ◆

COMMENT ÉCHAPPER AU CHÂTIMENT DES JUGEMENTS DE VALEUR

J'ai tendance à juger les autres en m'attachant à des détails. Je sais que cela m'est néfaste et nuit à mes relations personnelles. Je veux cesser d'agir ainsi. Comment puis-je « étouffer » mon sens critique quand je « désapprouve » quelque chose ou quelqu'un ?

Il ne s'agit pas d' « étouffer » votre sens critique, mais de vous éveiller à ce que vous ressentez dans de telles circonstances. La résistance est futile. Mais si vous prenez le temps de réfléchir aux conséquences, pour vous, de ces jugements de valeur, vous vous détournerez de votre moi critique.

On dirait que nous cherchons toujours la bête noire chez les autres. Mais peut-être faisons-nous cela pour nous cacher nos sentiments d'infériorité ?

En général, les reproches que nous adressons aux autres nous servent à masquer ce que nous nous reprochons à nous-mêmes.

Lorsque je vois des individus qui ne semblent pas « tout à fait là » (du moins en apparence), j'ai peur, surtout s'il s'ensuit une interaction. Pourquoi ?

Vous devrez réfléchir un peu à cette question, elle en vaut la peine. Toutes nos réactions envers autrui découlent de notre conditionnement passé. Un être programmé appréhende tout ce qui ne lui renvoie pas son image. Par conséquent, il juge ou condamne ce qu'il voit, de près ou de loin. Cet être vit dans une terreur constante (ou dans le contraire de la terreur), car il est toujours à l'affût de son reflet. Lorsqu'il ne trouve pas ce moi qu'il cherche, il rejette ce qui le choque (et qui n'est qu'une de ses pensées) pour mieux se reconstituer et se reconnaître.

Depuis quelque temps, je ne vois que les côtés négatifs et la souffrance des autres. Je ne suis pas à l'aise avec cet aspect de mon évolution, car je suis d'habitude une personne très positive. Est-ce provisoire ? Est-ce moi qui fais fausse route ?

L'une des merveilles de la quête spirituelle est qu'elle nous permet de ressentir la nature profonde des êtres qui nous entourent. Ne l'évitez pas ; ne croyez pas que vous fassiez fausse route. Quand vous aurez développé votre sensibilité aux comportements des autres, la compassion s'ensuivra. Cette conscience supérieure vous gratifiera de patience et de considération ; vous percevrez l'ampleur de la souffrance humaine. Persévérez.

Plus je crois savoir ce qu'est la véritable spiritualité, plus m'agacent les comportements de mes semblables. Supposons que je participe à une conversation, ou que je capte celle de mes voisins de table, que quelqu'un profère une énormité

(spirituelle) ou adopte un comportement qui dément ses paroles... je me mets en colère, mais je sais que cette colère est en partie due au fait que je constate les mêmes faussetés en moi. Comment devrais-je agir dans de telles circonstances?

Restez éveillé à vous-même. Restez à l'écart de ce que vous observez. Ce que disent ou font les gens n'a rien à voir avec votre potentiel de croissance spirituelle. L'explosion d'énergie inconsciente que nous ressentons doit demeurer en nous, et sa cause n'est pas extérieure à nous. Lorsque nous réfléchissons à cette vérité et à son enseignement, nous commençons à mourir à notre moi critique.

Lorsque j'observe les autres, j'ai très vite tendance à les juger et à les condamner. Je ressens profondément l'isolement que suscitent cette séparation, cette élévation du « moi ». Pouvez-vous m'aider à voir clair?

Cet isolement provient du même moi qui s'affirme en portant des jugements. Nous voyons donc qu'en jugeant autrui, c'est nous que nous jugeons. Le verdict? Nous souffrons.

CORRIGER AUTRUI ET ÊTRE CORRIGÉ : UN ART SPIRITUEL

Il y a un homme qui m'exaspère. Je voudrais l'aider en lui faisant partager les vérités que j'apprends. Comment pouvons-nous aider les autres à s'éveiller à eux-mêmes sans leur dicter leur conduite?

Il peut s'avérer très difficile au cours de notre quête de tolérer les comportements détestables de notre entourage. Mais cet aspect peut également accélérer notre croissance. Si « dicter leur conduite » à ces personnes équivaut à les « éclairer », rassurez-vous : c'est impossible. Par contre, quand nous accomplissons correctement notre devoir, ce qui signifie souvent surmonter notre propre malveillance avant de parler, nous pouvons aider notre entourage par nos conseils ou nos actes. Les gens constatent alors que nos comportements se démarquent des leurs. Pour intéresser quelqu'un d'autre à notre travail, rien ne vaut l'acceptation de nos propres lacunes.

J'aurai bientôt l'occasion de dire toute la vérité, mais cette éventualité me terrifie. Où puis-je trouver le courage de foncer?

Vous puiserez un étonnant courage dans la révélation qui suit, si vous en saisissez la vérité : toutes les leçons de vie que nous nous refusons à apprendre se magnifient. Qui plus est, il nous est impossible d'échapper à ces enseignements. Ne vous inquiétez pas de ce qui adviendra si vous dites la vérité. Pensez plutôt aux conséquences d'une vie vécue dans le mensonge. Ensuite, réveillez-vous et foncez!

Dans votre livre intitulé *Pensées pour lâcher prise*, j'ai lu que: « La faiblesse spirituelle est tout aspect inconscient de votre nature qui vous fait souffrir ou fait souffrir les autres. » Si nous savons qu'une action juste fera souffrir quelqu'un parce que cette personne fait fausse route, cela ne signifie sûrement pas que nous devrions nous retenir d'agir, n'est-ce pas? Si c'est le cas, jusqu'où pouvons-nous faire souffrir les autres?

Chaque fois que vous avez l'occasion d'accomplir une action juste, ne la ratez pas. Mais réfléchissons une seconde à ce qu'est une « action juste ». Pour savoir si remettre quelqu'un dans le droit chemin est une action juste, pensez à ce que vous ressentiriez si vous n'en faisiez rien. Ce terrain est glissant. Soyez prudent. Parfois, une admonestation s'impose. Mais je crois qu'il est plus sage d'attendre un peu avant de parler. Cette pause permet de bien cerner intérieurement le moi qui envisage une telle réprimande. Si le moi insiste, cela signifie presque certainement que vous auriez tort d'agir, même si votre réprimande vous semble justifiée. En revanche, c'est parfois quand nous appréhendons de souligner les erreurs des autres que nous le faisons le plus efficacement. Dans de tels cas, non seulement s'agit-il vraisemblablement d'une action juste, mais encore cette action est-elle susceptible de vraiment venir en aide à la personne que l'on souhaite secourir.

Il y a environ deux mois, j'ai surpris deux personnes casser du sucre sur mon dos. Leurs propos m'ont profondément blessé. Par contre, j'ai senti que j'avais eu beaucoup de chance de surprendre ainsi leur conversation. Pouvez-vous m'aider à guérir ?

Un vieux dicton nous accompagne sur le chemin de l'éveil spirituel : aime tes ennemis. Ce dicton a plusieurs significations, dont l'une est que seuls nos ennemis nous disent nos quatre vérités. Si nous sommes disposés à les écouter, si nous en avons le courage, chacun de leurs propos devient pour nous un miroir auquel nous n'aurions pas accès sans eux.

J'éprouve beaucoup de difficulté à composer avec mes proches et mes amis quand ils me demandent où j'en suis avec « le Seigneur », et surtout lorsqu'ils s'efforcent de me prouver que j'ai tort ! Comment puis-je faire face à cette situation sans devenir fou ?

Il nous faut assimiler la signification de « donner sa vie pour son prochain ». Sur le plan spirituel, cela veut dire que tolérer les comportements détestables, voire arrogants, des personnes de notre entourage persuadées d'avoir raison exige une bonne dose de patience, de compréhension et de compassion. Faites de ces individus, de ces rencontres, votre tremplin spirituel. Servez-vous de votre agacement comme d'un réveille-matin spirituel. Pensez à la poutre que vous avez dans l'œil. Oubliez la paille dans les yeux des autres. Ce faisant, vous vous affranchirez des moi qui vous donnent bonne conscience quand vous portez des jugements de valeur. Bien entendu, on ignorera tout de votre sacrifice. Mais vous saurez ce que vous avez donné, et la délivrance suivra.

Il m'est difficile de tolérer qu'on me fasse la leçon. Comment peut-on apprécier la valeur d'un conseil ou d'une critique ? Quand je vois la pauvre vie de certaines personnes, je me demande si je dois tenir compte de leurs avis. Par ailleurs, si je ne les écoute pas, je risque de laisser filer un enseignement précieux. Que me conseillez-vous ?

Vous connaissez sûrement l'expression qui dit : « Si le chapeau te fait, mets-le » ? Eh bien, dans notre quête spirituelle, toutes nos réactions à un reproche, quelles qu'elles soient, prouvent que non seulement le chapeau nous fait, mais encore qu'il est trop étroit. Tout ce qu'on nous dit, que cela soit vrai ou faux, peut aider à nous débarrasser de notre boiterie intérieure. Bien entendu, dans cette voie, tout ce que l'on suppose être «faux» est vrai.

Lorsque j'accepte qu'on me fasse la leçon, j'ai parfois l'impression de dire avec complaisance «Oui, tu as raison; j'ai fait erreur.» Je sais bien que quelque chose ne va pas, mais j'ignore de quoi il s'agit.

Est-ce vraiment de la complaisance ou êtes-vous sincèrement conscient d'avoir besoin qu'on vous fasse la leçon? La différence est de taille. Une bonne part de notre quête intérieure consiste à accepter volontiers qu'on nous corrige, et aussi à comprendre que cette correction est un choc régénérateur. N'oubliez pas que nous aspirons à une vertu nouvelle et supérieure qui n'a aucun lien avec la louange ou la condamnation des autres.

COMMENT SOUTENIR VOS ÊTRES CHERS DANS LEUR CROISSANCE

Que puis-je faire pour orienter les jeunes de façon à ce qu'ils n'aient pas trop d'ennuis à affronter à l'âge adulte?

Les enfants sont des éponges. Ils boivent tout ce qu'ils voient et entendent. Lorsque nos paroles s'opposent à nos actes, les enfants absorbent ce conflit. Nous devons avant tout apprendre à apprendre. Quand nous avons commencé à apprendre, notre nature même se charge d'enseigner. Nous ne pourrons rien de mieux pour les enfants tant qu'ils n'auront pas l'âge d'associer leurs malheurs aux décisions prises par leur «intelligence».

Il m'est arrivé d'écouter des cassettes de spiritualité avec mon enfant de six ans. Son vocabulaire est encore très limité, mais je crois qu'il capte certains concepts plus vite que moi. Est-il possible qu'un enfant saisisse plus spontanément ces leçons?

Les enfants peuvent comprendre les vrais principes spirituels tout en étant encore trop jeunes pour en saisir intellectuellement les concepts, tout simplement parce que leur nature est réceptive à l'énergie supérieure. Celle-ci leur parvient directement, sans le filtre des conditionnements que nous avons développés en devenant adultes. Encouragez votre enfant à poursuivre sa quête si la question l'intéresse. C'est très sain.

Comment pouvons-nous, en tant que parents qui commençons à peine à comprendre le Vrai, transmettre à nos enfants le désir de chercher et de comprendre le Vrai à leur tour?

Il vaut mieux que vous permettiez à vos enfants d'être témoins de vos luttes et de vos échecs dans le Vrai que de les amener à feindre être dans le Vrai. Le monde où nous vivons est beaucoup plus prodigue d'influences invisibles que d'expériences visibles ou audibles. Cela signifie que, chaque fois que vous placerez le Vrai au-dessus de tout dans la vie de vos enfants, ceux-ci auront conscience de votre détermination et ils y puiseront un encouragement. Il importe de cesser de croire aux fausses images de soi que nous nous fabriquons et d'opter plutôt pour la réalité. Là est notre guérison... là est là guérison de tous.

Puis-je tirer parti de mon mariage pour progresser dans ma quête intérieure? Dans l'affirmative, comment?

La vie repose sur les relations humaines et notre quête intérieure se déroule au sein de ces relations. Quelle que soit la nature de nos relations (mariage, famille, profession), notre quête a lieu en elles. Rien ne favorise autant nos recherches spirituelles que le fait de s'y adonner en harmonie avec un être apte à nous faire prendre conscience de notre besoin de transformation. Plus la relation est intime, plus cette dynamique est vive. Par ailleurs, le travail spirituel ne dépend nullement de l'acquiescement d'autrui; nul ne saurait l'empêcher. En vous développant spirituellement, vous procurez aux personnes de votre entourage l'espace dont elles ont besoin pour constater l'existence d'une réalité supérieure. Si elles sont sensibles, elles voudront se rapprocher de vous et vous comprendre. Dans le cas contraire, le Vrai assumera et résoudra votre dilemme.

J'ai deux garçons qui se chamaillent sans arrêt. Traversent-ils simplement une étape ou devrais-je veiller à tuer ce comportement dans l'œuf ? Je ne sais trop quelle attitude prendre.

Nous appréhendons de discipliner nos enfants, car, quand cela s'avère nécessaire, nous savons (le plus souvent inconsciemment) que nous sommes en colère et agacés, et que nous avons peur de nous-mêmes. Mais il nous faut corriger nos enfants : cette discipline leur est indispensable autant qu'à notre travail intérieur. La violence physique est inacceptable, mais n'oubliez pas qu'en permettant à un enfant de donner libre cours à ses comportements négatifs vous pratiquez une forme de violence.

Je sais que je ne devrais pas m'inquiéter dans cette vie ; mais qu'en est-il lorsqu'un être cher fait des choix qui vont à l'encontre de ce tout qu'il a appris ? Que puis-je faire pour protéger cette personne et la remettre dans le droit chemin ?

Le travail intérieur ne consiste pas à empêcher l'inquiétude, mais plutôt à comprendre que l'inquiétude ne mène nulle part. Comment une personne qui cède à tous ses états d'esprit négatifs (quelle que soit leur « cause » apparente) peut-elle espérer guider son prochain ? Si vous voulez venir en aide à quelqu'un d'autre, libérez-vous, ou fixez-vous comme unique objectif de parvenir à la délivrance. Votre travail intérieur et la croissance qui en résulte susciteront les réponses dont vous avez besoin pour vous aider vous-même et pour aider vos proches.

J'aimerais pouvoir faire partager ce que j'apprends à mes amis et à mes proches et, surtout, à une parente en instance de divorce qui menace de se suicider. Si je lui confie ces vérités, est-ce contraire à mon développement ? Devrais-je plutôt me taire, écouter et tout garder pour moi ? Il me semble parfois repousser les gens de mon entourage.

Seule votre expérience personnelle peut vous apprendre une leçon comme celle-là. Vous connaissez le dicton : « Ne lancez pas des perles... » Pourtant, si vous pressentez qu'une personne de votre entourage est réceptive à la vérité ou, mieux encore, qu'elle a besoin de cette vérité, alors il est de votre devoir de lui transmettre le Vrai du mieux possible. Voici un truc : n'essayez pas d'enseigner ; laissez plutôt les leçons que vous appréciez s'exprimer à votre place.

S'ils ne « détenaient » pas déjà la vérité, les membres agités de ma vertueuse famille gagneraient à assimiler quelques principes supérieurs. En ma qualité de brebis galeuse, je n'ai guère envie de renoncer à observer cet opéra comique depuis mon fauteuil d'orchestre, mais quelle tristesse de voir ainsi ces exilés spirituels entonner leurs propres louanges. Devrais-je me mêler de mes oignons ?

Absolument... et ce n'est guère facile. Mais si vous changez (et cette transformation est indispensable pour que vous incorporiez le Vrai dans votre vie), les autres verront cette nouvelle vie prendre forme en vous et voudront en savoir davantage. Vous pourrez alors leur parler librement et avec assurance de la vie réelle qui leur ouvre ses portes.

COMMENT INONDER LE MONDE DE LA LUMIÈRE DU VRAI

Pouvons-nous savoir si nous sommes « prêts » à enseigner ? En voulant enseigner, je n'ai réussi qu'à empirer les choses. Comment puis-je à la fois aider les autres et avoir le tact de me taire ?

Ce sont nos vies – l'essence de nos vies – qui définissent nos relations avec autrui. Enseigner est beaucoup plus simple qu'on ne le croit. Par exemple, qu'enseignons-nous quand nous sommes en colère ou anxieux ? Qu'enseignons-nous quand les autres perçoivent notre peur ou notre appréhension ? Cela aussi est enseigner. Par ailleurs, il y a des circonstances (notez ceci, c'est important) où une personne de votre connaissance vous demandera conseil. Il est tout naturel, et même nécessaire, que vous lui tendiez « l'eau » qui la désaltérera. N'essayez jamais, sous aucune considération, d'enseigner à une personne qui ne vous a rien demandé. Un tel enseignement provient du faux moi ; c'est une agression secrète et une expression de notre arrogance. Sachez faire la différence. Le Vrai s'occupera du reste.

Devons-nous aider une autre personne dans sa quête intérieure, ou devons-nous attendre qu'elle soit « réceptive » ? Quel mal y a-t-il à exprimer un certain nombre de vérités en espérant que l'une d'elles touche une corde sensible ?

Il existe des lois qui gouvernent tout, y compris notre développement personnel et celui des autres. Le Christ a dit à ses disciples de ne pas jeter des perles aux pourceaux, car elles seraient piétinées ; cet avertissement a tout à voir avec les lois dont je parle. Parfois, nous nous efforçons « d'aider les autres » pour qu'ils correspondent à nos attentes. Bien entendu, ils résistent. Quant à nous, nous ne voyons plus nos fautives ambitions. En présence d'autrui, il nous faut rester éveillés pour savoir si leur aspiration est authentique. Lorsqu'une personne vous demande sincèrement de lui faire part de vos pensées, faites-le. Mais dans l'ensemble, si on ne sollicite pas vos conseils, abstenez-vous de les dispenser.

Quels conseils pratiques donneriez-vous à une personne qui vient tout juste de s'engager dans la voie supérieure ? Plusieurs de mes amis me posent des questions sincères.

Encouragez toujours une personne qui s'enquiert de la vie supérieure à obéir à la flamme qui brille au plus profond d'elle-même. Suggérez-lui un ouvrage de spiritualité ou, mieux, parlez-lui des bienfaits que vous retirez de votre propre quête intérieure. Au bout du compte, le meilleur cadeau que nous puissions offrir à quiconque est notre désir de placer le Vrai au-dessus de tout. N'oubliez pas : une action vaut mille mots.

Quelle serait la meilleure façon de réagir lorsqu'on s'enquiert des livres ésotériques que je lis (les vôtres, entre autres) ? Je dois dire que ma réaction n'est guère positive dans l'ensemble.

Nous avons tous été amenés à discuter de questions supérieures avec des individus que nos recherches intriguent. Efforcez-vous de rester éveillé lors de ces conversations. Fiez-vous à votre intuition ; elle vous dira si ces personnes s'intéressent sincèrement à l'ésotérisme ou si elles cherchent à se distraire en vous dérobant de précieuses minutes de votre temps. En fait, il peut être très bénéfique de refuser de discuter avec ceux qui vous cherchent querelle... ce faisant, ils vous révèlent à vous-même. C'est là une excellente leçon. En outre, votre refus d'entrer dans l'univers de ces individus leur en dira long sur vous s'ils ont des yeux pour voir. Sinon, rien de ce que vous diriez ne pourrait les aider. Ne vous occupez pas d'eux et poursuivez votre objectif, qui est de vous transformer.

J'aimerais enseigner le Vrai et aider les autres dans leur développement spirituel. Pouvez-vous me conseiller ?

Quand il s'agit de répandre le Vrai, nul ne peut rien de plus grand ou de plus vrai que ce qu'il porte en lui à ce moment précis. Faites votre travail intérieur. Libérez-le. Toute autre action est une action du moi et, en ce sens, elle est vouée à la défaite – la sienne et celle de tous ceux qui embrassent ses manifestations inconscientes.

Les exigences de la vie quotidienne font qu'il m'est impossible de faire plus que répondre aux besoins immédiats de ma famille. Est-il indispensable que je consacre du temps à répandre le Vrai autour de moi ? Comment puis-je y parvenir sans passer pour un « missionnaire » ?

Il importe de participer au déploiement de la lumière, mais avec discrétion. Tant que nous respectons notre prochain et sa volonté de ne pas être dérangé, nous pouvons nous contenter d'actions très simples, comme celles-ci : efforcez-vous de réorienter les conversations au repas du midi en relatant une vérité qui vous intéresse, ou encore, ne relevez pas les propos négatifs d'un de vos compagnons de table. Autrement dit, occupez-vous de donner la préséance au Vrai. Tout ce que vous ferez pour aider ou pour encourager autrui à s'engager dans la voie du Vrai vous renforcera et vous encouragera. Il n'y a aucun doute là-dessus. Le bien vient à ceux pour qui le bien est tout.

Je suis chrétien et je m'efforce d'imiter le Christ en aidant les personnes de mon entourage. Comment savoir quand j'ai raison de leur venir en aide (avec de l'argent, des conseils, etc.) et quand il conviendrait que je les laisse se débrouiller seules ? Je ne veux pas empiéter sur leur vie, mais ce n'est pas toujours facile.

Acceptez d'apprendre de vos erreurs. Le mieux est de se jeter dans la mêlée. Bien entendu, nous devons alors décider si cette ingérence dans la vie d'autrui est à conseiller ou non. Faites le pas et laissez le Vrai vous enseigner et vous purifier par l'entremise des conséquences de vos actes. Mais j'ajouterai ceci : votre devoir ne consiste nullement à assumer les responsabilités que les autres repoussent. Ce faisant, nous dérobons à autrui le potentiel spirituel qui lui permettrait de réaliser son autonomie. Qui plus est, nous nous privons de la force que nous aurions acquise si nous avions osé affronter notre peur de ne pas « aimer » notre prochain. Je répète : faites ce pas, mais demeurez éveillé à ce qui se produira.

Dans mes conversations avec les autres, je me surprends à toujours vouloir avoir raison. Pourquoi est-il si important pour moi qu'on comprenne mes idées ?

Comprenez l'instant qui passe au lieu de vouloir être compris. Ce faisant, vous vous perdrez et vous connaîtrez la joie suprême de disparaître de votre propre vie. Au début, quand on s'efforce de comprendre les autres au lieu d'être compris par eux, nous en éprouvons une certaine humiliation. Mais on en vient à surmonter cette négation de soi et à développer une identité qui englobe toute la vie. Nos relations avec les autres se transforment, car on cesse de se placer à l'avant-plan de toute nouvelle relation.

◆ ◆ ◆

COMMENT S'AIDER ET AIDER LES AUTRES À ROMPRE LE CERCLE VICIEUX DE LA SOUFFRANCE

À la base de toute relation affective, il y a une pierre angulaire, une loi incorruptible, une vérité valable pour chacun de nous. Il nous faut comprendre cela pour nous aider et aider les autres à croître dans le bien. Puisque cette loi correspond à un principe fondamental, nul ne saurait échapper à sa justice. Le sage en vient à estimer cette loi, car elle apaise son désir de vengeance et l'empêche de se laisser dominer à son insu par le négativisme. Quelle est donc cette loi libératrice et incorruptible ? *C'est à nous-mêmes que nous donnons d'abord tout ce que nous donnons à autrui.*

Cela vous dit quelque chose ? Qui n'a jamais entendu cette admonestation : « Aime ton prochain comme toi-même » ? Ou encore : « Ne fais pas aux autres ce que tu ne veux pas qu'on te fasse » ? Ces maximes, ou d'autres de la même eau, formulent une très ancienne vérité qui refait sans cesse surface sur terre comme les eaux d'une source éternelle. Il ne s'agit pas d'un simple aphorisme qui s'épanouit, puis fane et meurt. Cette loi (et toutes celles qui lui ressemblent) est le matériau céleste dont sont faites les « ailes » qui nous hissent au-dessus de nous-mêmes et nous permettent d'aider autrui à faire l'expérience de ce miracle. Mais avant de connaître ce bienfait supérieur et le bien qu'il répand, nous devons, chacun à notre tour, en pénétrer la vérité. Pénétrer la vérité de quoi que ce soit requiert une interaction directe, un engagement profond avec le contenu de cette leçon.

Par exemple, qui de nous n'a pas souhaité un jour que la personne qui nous a blessé par ses propos ou ses actions *sache* ce que nous avons ressenti ? Si cette personne pouvait pénétrer dans notre cœur, ne serait-elle pas beaucoup plus que « désolée » ? *Elle partagerait notre douleur* et, bien entendu, elle ne pourrait ni ne *voudrait* jamais plus se montrer aussi cruelle envers nous.

Nous avons beau vouloir que les autres développent une telle connaissance de soi, nous demeurons aveugles à notre propre pauvreté spirituelle : par exemple, quand nous sommes cruels envers une autre personne, nous oublions aussitôt combien il peut être douloureux d'être soi-même l'objet d'une telle cruauté. Où se cache donc notre compassion quand nous en avons le plus besoin ? Comment pouvons-nous oublier si vite que nous ressemblons à ceux qui sont cruels envers nous ? Un examen de conscience s'impose pour que nous décelions en nous cette soudaine amnésie spirituelle. Nous devons étudier (mentalement) nos propres mécanismes psychologiques et savoir ce que nous ressentons lorsque nous sommes blessés. Pour commencer, penchons-nous un peu sur celles de « nos » réactions qui caractérisent toute rencontre conflictuelle.

En premier lieu, admettons que tout acte malveillant suscite en retour une réaction malveillante. En d'autres termes, nos réactions hostiles ne tiennent compte que des raisons qui justifient leur existence, si bien que nous n'avons conscience que des motifs qui, selon nous, nous autorisent à contre-attaquer ! Et, le cœur battant et les pensées en bataille, nous fonçons ! Après tout, n'avons-nous pas le « droit » de remédier à la situation ?

Si nous étions capables de prendre du recul, de nous voir tels que nous sommes, c'est-à-dire une simple dent dans l'engrenage du cercle vicieux où nous blessons qui nous blesse, nous en tirerions une leçon extrêmement révélatrice. Nous verrions, très clairement, que *nous* sommes déjà victime du mal que nous voulons infliger à la personne qui nous a blessé. Si nous comprenions cette dynamique, soit qu'*un mal en entraîne toujours un autre*, nous comprendrions aussi que *chacun de nous est toujours la première victime de cette souffrance non désirée.*

Quand nous prenons conscience de ce processus inconscient, nous percevons la deuxième révélation qui nous fera échapper à ce cercle vicieux : *Le point de départ ou la cause de ce cercle vicieux n'ont aucune importance.* Rien de cela ne compte. Pourquoi ? Parce que dès que nous comprenons qu'en blessant autrui, ou en souhaitant blesser autrui, c'est à nous-même que nous faisons du tort, il ne sert à rien de savoir qui a fait quoi, à qui, et pourquoi. Quand nous savons enfin que la haine prend d'abord racine en nous, nous mettons fin à ces ténèbres intérieures. Tout est simple : c'est nous qui souffrons par la haine, non pas la personne qui nous inspire cette haine. Lorsque nous désirons nous venger de quelqu'un, il faut que la douleur que nous voulons lui infliger réside d'abord en nous.

Toutes ces découvertes peuvent se résumer comme suit : rien ne pousse sur un champ de bataille, sinon les cris de douleur. Rien ne croît en nous tant que le Vrai est enterré sous l'incompréhension. La souffrance qui va de l'un à l'autre *doit s'arrêter quelque part* pour que prenne fin ce tourbillon de conflits. Et il faut qu'il prenne fin, sans quoi les forces vitales dont nous avons besoin pour nous surpasser retourneront à la terre pour des raisons inconnues de nous, tandis que notre souffrance inconsciente nous forcera à obéir aux desseins cruels de ce conflit. Quel autre choix avons-nous ?

Pour la plupart, nous savons déjà comment agir pour surmonter les conflits qui minent tant de relations affectives. Je me permets néanmoins de vous rafraîchir la mémoire : *Nous ne devons pas transmettre à nos amis et à notre famille la souffrance que nous n'avons pas le courage de porter nous-mêmes.* Autrement dit, nous devons accepter de « goûter » au plat que nous servirions à notre « ennemi du jour » avant même de déposer devant lui son assiette. Voici un exemple de la manière d'entreprendre ce travail spirituel fondé sur une connaissance supérieure de soi.

Lorsqu'une personne est cruelle envers nous, en paroles ou en actes, notre opinion de cette cruauté est « incluse » dans la réaction qu'elle nous inspire : notre réaction nous décrit la nature de l'attaque que nous avons subie au moment même où cette réaction prend forme. Pourtant, notre réaction ne peut pas plus « lire » cette occurrence qu'un tracteur ne peut attraper au passage un exemplaire de *L'Almanach du peuple* pour y lire le cours du boisseau de blé. Nos réactions violentes ne peuvent lire que le motif de leur droit à l'existence. Ensuite, la violence de nos pensées et de nos émotions nous dit que nous n'avons d'autre choix que rendre la pareille à notre attaquant, à défaut de quoi nous périrons. Ces états inférieurs ne peuvent pas voir que la personne qu'ils nous poussent à attaquer *souffre déjà*, sans quoi elle ne nous aurait pas affligé de sa souffrance. Et voici sans doute le plus important : le moi réactionnaire ne comprendra jamais cet aspect inéluctable de sa fureur. Chaque fois qu'il se venge sur son adversaire, il se condamne au cercle vicieux de l'ignorance responsable de sa douleur. Si bien qu'à chacun des coups qu'il assène, il fait naître en lui le besoin de frapper davantage encore.

Mettez fin à ce cercle vicieux *maintenant*. Dorénavant, que cela s'arrête *avec vous*. Décidez de fuir à tout jamais l'invisible tourbillon de la souffrance. Chaque fois que nous refusons délibérément de rendre à quelqu'un la monnaie de sa pièce ou de nous venger de ceux qui nous ont fait du mal, nous semons le germe d'une vie plus consciente. Au lieu d'être en proie à des forces obscures qui se répandent au détriment de notre évolution spirituelle, *nous* tirons parti de nos conflits avec autrui pour grandir à l'infini. Et tout en apprenant à nous hisser au-dessus des souffrances issues de nos réactions négatives, nous créons, pour notre entourage, la possibilité et l'occasion de nous imiter.

Chaque fois que nous choisissons de ne pas nous venger de quelqu'un, cette personne constate inévitablement que sa douleur est son seul ennemi. En comprenant la cause de sa souffrance chronique, elle commence aussitôt à y mettre fin, et il en va de même pour nous. Nous savons que le meilleur sort que nous pourrions réserver à notre souffrance consiste à ne pas lui accorder d'importance. Chaque fois que nous quittons la ronde folle de la souffrance, nous attirons ceux qui nous suivent, car nous avons mis fin au cercle vicieux.

CHAPITRE 11

Les secrets de la véritable réussite

Contrairement à l'opinion populaire, la véritable réussite *ne se mesure pas* aux biens matériels. En vérité, la véritable réussite – la seule – dépend de notre degré d'assurance. À la lumière de cette grande vérité, nous pouvons voir que la personne qui *appréhende* la perte de ce qu'elle imagine être le symbole de sa réussite, n'a pas vraiment réussi. Pourquoi est-ce vrai ? L'homme ou la femme qui craint pour son identité n'a pas d'assurance : elle est la victime de ses peurs, et celles-ci la bousculent et la punissent.

Comprendre le Vrai de cela, c'est admettre la nécessité d'une autre forme de succès. Pour trouver ce succès, nous devons nous engager sur un sentier de vie inconnu, un sentier ascendant que nous ne saurions gravir sans d'abord maîtriser un ensemble inédit de comportements supérieurs. Notre ascension vers la véritable réussite commence avec la révélation qui suit et son appel à l'action.

Pour nous convaincre que nous n'avons rien à craindre, pour cesser de laisser nos peurs nous pousser à nous prouver à nous-mêmes que nous sommes quelqu'un (tâche impossible s'il en est, car on ne saurait contenter la peur), nous devons d'abord transformer radicalement notre vision de la réussite véritable. Voici le mandat qui sous-tend cette première étape.

Notre notion actuelle de la réussite englobe, sans que nous le sachions, notre peur de l'échec. Mais la peur *véritable* que dissimule cette peur de l'échec est la peur inconsciente de perdre notre moi familier et sûr de lui. Par conséquent, il s'avère indispensable de comprendre ce qui suit : Tant que figure, dans notre notion de « réussite », la peur d'être amputé en perdant cette source extérieure de réussite, nous ne sommes pas maîtres de notre identité. Nous sommes ballottés à notre insu par le moindre vent de changement qui souffle sur notre univers. Cela ne comporte rien de bien prometteur, n'est-ce pas ? Bien sûr que non. Mais rien de cela n'est inévitable. Nous pouvons apprendre le secret de la véritable réussite et suivre sa trace jusqu'à la vie réelle dont elle est issue. Entreprenons donc ce périple, grâce auquel nous dépasserons nos peurs et notre moi appréhensif.

Connaissez-vous cette vieille chanson du temps de la Seconde Guerre mondiale, « Off We Go Into the Wild Blue Yonder » ? Cette chanson est devenue un classique, car elle bouleversait profondément les cœurs.

Le seul vers dont je me souvienne est le suivant, et il suffit à illustrer mon propos : « Off we go, into the wild blue yonder, flying high into the sky[1]. » Sur une musique émouvante, la poésie de ce vers réveille et bouleverse notre soif de liberté, notre désir d'atteindre ces territoires harmonieux et infinis au plus profond de nous, où tout est promesse et liberté.

Nous sommes nés pour être libres, pour parcourir les grands espaces et en jouir sans craindre de tomber. Nous le savons. Mais même si nous n'avions pas vraiment conscience de ce désir, ou si nous le rejetions, nos joies et nos souffrances seraient néanmoins dues à l'absence d'entraves intérieures.

1. Partons là-bas, dans le bleu du vaste inconnu, et volons très haut dans le ciel. *N.d.t.*

Réfléchissez un instant. Pourquoi avons-nous si souvent l'impression d'être captifs de notre propre vie ? Comment pourrions-nous deviner ce qu'une chose n'est pas, ce que nous ne sommes pas, si la liberté qui nous fait défaut n'était pas présente en nous au même moment ?

La vraie liberté existe. Mais elle ne dépend ni des événements, ni de l'approbation d'autrui, ni des circonstances, car alors il ne s'agirait pas de liberté mais d'un plaisir momentané que nous confondons avec la liberté.

Qu'est-ce donc que la vraie liberté ? Où la trouve-t-on ? Disons tout d'abord que la liberté est une vertu du Vrai, l'une de ses branches maîtresses. Et ainsi qu'on le dit depuis toujours, c'est en prenant conscience de notre vérité intérieure que nous devenons libres. Voilà pourquoi on ne saurait trouver de substitut à la véritable connaissance de soi, ainsi que nous le verrons ci-dessous.

Notre moi actuel se sent souvent captif, car il lui est impossible de se « connaître » autrement que par la comparaison inconsciente de ses expériences passées et de ses expériences présentes. En d'autres termes, ce moi ne se connaît qu'en observant son reflet dans le miroir du passé. Toute son existence se limite à ce reflet.

Chaque fois que la vie nous impose des circonstances impossibles à intégrer à ce moi préconçu, celui-ci est déstabilisé. Tout à coup incapable de connaître avec certitude la signification d'une occurrence inattendue, le moi inférieur appréhende de perdre la maîtrise qu'il s'imagine posséder. Pour confronter sa peur et retrouver son « pouvoir » perdu, il doit reconfigurer mentalement sa réalité jusqu'à pouvoir de nouveau évoluer à l'aise dans un royaume bancal de sa fabrication. Pourquoi cette longue description ?

Tant que nous ne sommes pas conscients de ce territoire intérieur et des manœuvres de geôlier du moi inférieur, nous sommes ses prisonniers. Mais cette conscience préfabriquée n'est pas notre vraie conscience. Mieux dit, le domaine restreint où s'ancre notre réalité actuelle ne représente qu'une partie du grand royaume auquel nous pouvons accéder. Lorsque cette vérité nous devient claire, le sentier de la liberté nous est révélé. Et alors nous savons devoir absolument renoncer à ce moi inférieur. Pour ce faire, nous devons avoir le courage de prendre des risques spirituels délibérés. Qu'est-ce qu'un risque spirituel ?

Un risque spirituel se définit comme tout acte que l'on pose en sachant qu'il ébranle notre certitude que notre vie est enfermée dans les limites du niveau actuel de notre conscience. En voici un exemple simple. Lorsque nous croyons que personne ne nous comprend ou que notre stress laisse tout le monde indifférent, nous sommes portés à nous en plaindre, à faire part de notre désarroi à quelqu'un, à n'importe qui (voire à nous-même), à rechercher la sympathie d'autrui. Le risque, ici, consisterait à ne pas nous lamenter, ni extérieurement ni intérieurement.

Nous savons être captifs de quelque chose (peur de réaliser nos rêves, sentiment d'inaptitude, etc.), mais nous nous rappelons en même temps que cette réalité est fragmentaire. Contre toute attente, pourtant sûrs que la délivrance est hors de portée, nous faisons délibérément un saut dans le vaste Inconnu. Qu'est-ce que cela signifie ? Qu'est-ce que ce vaste Inconnu ?

Quand nous constatons enfin que notre vision de nous-mêmes (une vision qui nous définit) est le produit d'un niveau de conscience qui se persuade que son horizon limite ses possibilités, nous comprenons qu'il nous faut à tout prix fuir un univers aussi restrictif.

Sachant en quoi consiste cet univers, il ne nous reste plus qu'à renoncer à l'être que nous sommes sûrs d'être et plonger dans le vaste inconnu pour découvrir délibérément ce que renferme son infinie réalité au lieu de nous contenter d'une vision préconçue de nous-même et de ce que nous pourrions accomplir.

Rien ne saurait nous empêcher de plonger ainsi dans notre devenir, sinon la certitude erronée et inconsciente de qui nous sommes, c'est-à-dire l'état d'esprit que nous renforçons chaque fois que nous nous agrippons à ce que nous avons été pour y trouver un singulier réconfort.

Identifiez les domaines de votre vie où il vous est possible de prendre ces risques spirituels délibérés. Vous serez délivré, car vous n'aurez de cesse de découvrir que vous êtes votre propre geôlier. Assurez-vous que rien n'aura plus d'importance que votre travail intérieur pour préparer votre entrée dans le vaste inconnu.

◆ ◆ ◆

UN BONHEUR NEUF GRÂCE À DES OBJECTIFS SUPÉRIEURS

Devrions-nous nous fixer des objectifs et planifier notre avenir ou bien notre conscience en éveil suffira-t-elle à nous révéler ce que nous devons savoir au fur et à mesure ?

Nous devons tous reconnaître l'importance de la hiérarchie et des rapports. À certaines étapes de la vie, objectifs et planification pourraient se révéler nécessaires. Si nous avons des enfants, nous devons pouvoir subvenir à leurs besoins ; si nous voulons poursuivre nos études, nous devons en prévoir le processus. Mais, dans la plupart des cas, nous avons pour seule ambition de devenir quelqu'un ou d'accumuler des biens matériels. Quand nous concrétisons ces objectifs qui nous laissent sur notre faim, nous devons aussitôt nous en créer d'autres. Mais un jour vient peut-être où nous voyons bien que ce type d'ambition est notre châtiment secret. Nous dépassons enfin le moi qui croyait éprouver ces besoins et nous nous mettons à l'écoute des instructions de notre moi supérieur.

Ne pas penser au lendemain, vivre dans l'instant présent... tout cela est très tentant... mais comment mettre cela en pratique tout en nous fixant des objectifs à long terme ?

Se fixer des objectifs et planifier n'est pas incompatible avec l'éveil spirituel. Il faut simplement donner à chaque chose la place qui lui revient. L'éveil à soi, la conscience de soi doivent primer sur nos objectifs personnels, sans quoi le moi qui fixe ces objectifs pourrait avoir des ambitions contraires à la vie réelle. Tout dépend de ce que l'on veut.

Il me semble y avoir une contradiction entre le fait de se fixer des objectifs et le principe spirituel selon lequel nous devons transformer notre vie intérieure avant d'être en mesure de transformer notre vie quotidienne. Pouvons-nous à la fois avoir une vie productive et nourrir une saine relation spirituelle avec le Vrai ?

Nos objectifs peuvent être productifs ou destructeurs ; tout dépend du moi qui les fixe. Les objectifs pratiques sont nécessaires.

Mais ceux que nous nous fixons dans l'espoir d'être plus heureux, plus courageux, plus sûrs de nous-mêmes, et ainsi de suite, sont voués à l'échec dès l'abord. Voici pourquoi : les contraires ne s'annulent pas ; quand une peur essaie d'échapper à elle-même en misant sur l'avenir, il est certain qu'elle nous attendra à la ligne d'« arrivée. »

Pouvez-vous m'indiquer des façons de réussir en affaires dans la vraie vie ? Il y a tant d'options... je ne sais plus quelle est la route à suivre.

Voici un secret que bien peu de gens connaissent : tout dépend de votre découverte de la nature réelle de votre « vraie » vie. Sans connaissance supérieure, la réussite terrestre ne nous libère pas : elle nous enferme. Mais lorsque nous possédons la connaissance supérieure, l'objet de notre réussite nous est dicté par une intelligence que rien ne peut retenir captive. C'est à vous de décider quelle est la route à suivre.

Mes études spirituelles m'incitent à penser qu'il est futile de se fixer des objectifs, tandis que, dans l'entraînement que je reçois au travail, on m'affirme que ceux-ci sont indispensables à mon épanouissement personnel. Ces deux philosophies s'opposent-elles, ou est-ce moi qui ne sais plus que penser ?

Ces deux philosophies s'opposent (inévitablement) lorsque nos objectifs servent à définir notre identité. Ils deviennent alors notre châtiment même si nous parvenons à les réaliser, car à mesure qu'ils évoluent (comme la vie évolue), nous éprouvons un sentiment de perte. Nos objectifs pratiques n'empêchent pas notre réussite spirituelle ; vouloir « être quelqu'un », si.

LA LIBERTÉ AU-DELÀ DE LA RÉUSSITE OU DE L'ÉCHEC

Lorsque je lis la Bible, certains passages me réconfortent, puis me font aussitôt me sentir coupable. C'est le cas de celui-ci : « Il est plus facile à un chameau de passer par le chas d'une aiguille qu'à un riche d'entrer dans le royaume des cieux. » « Réussir », avoir de grandes ambitions, subvenir aux besoins

de ma famille, tout cela me confond. J'ai souvent l'impression que je n'y parviendrai pas faute de temps. Ai-je tort de vouloir des résultats dans l'immédiat? Est-ce une grave erreur?

Pour réussir en tant qu'êtres humains, nous devons connaître les «résultats» auxquels nous aspirons. Lorsqu'une pensée traverse l'esprit des êtres spirituellement endormis que nous sommes et qu'elle transporte avec elle des images et des émotions, nous sommes persuadés que cette image mentale correspond à nos désirs. Mais nous avons beau accumuler les succès et les récompenses, nous en voulons toujours davantage. Si nous parvenions à comprendre que notre nature est un panier sans fond (cela est facile à constater dans le monde qui nous entoure), nous contesterions les «résultats» auxquels cette nature aspire. Nous verrions alors qu'ils sont à la fois inaccessibles et fugaces. Quand nous nous détournons de l'ambition qui anime notre nature hautement conditionnée, nous comprenons peu à peu que la réussite à laquelle nous aspirions est présente en nous depuis toujours: être en pleine possession de soi-même, maîtriser sa propre vie, s'affranchir des ambitions et de la concurrence, et ainsi de suite. Alors seulement connaissons-nous la véritable réussite. Par-dessus tout, le Vrai – qui aura favorisé cette réussite – fera en sorte de nous donner tout ce qui nous est indispensable. Mettez-vous au travail!

Les échecs sont-ils inévitables? Croyez-vous que la puissance supérieure, quand nous l'atteignons, n'autorise que la réussite?

Efforcez-vous de comprendre ce qui distingue vivre en fonction d'une nature dont l'essence même est le bonheur, de vivre en fonction de ces moi qui cherchent le bonheur inlassablement. Pour l'homme ou pour la femme qui met sans cesse le Vrai/Dieu au-dessus de tout, il n'y a pas d'échec possible. Pourquoi? Parce que chaque acte posé sous les auspices de ce désir intérieur purifie celui qui le formule et lui apprend à distinguer avec certitude ce qui favorise l'action du Vrai de ce qui l'entrave. Bref, cette personne acquiert la véritable sagesse et l'infaillible intelligence de celle-ci.

Comment pouvons-nous exceller dans certains domaines (par exemple, en art, en philosophie ou même en politique) sans que des forces inconscientes nous y poussent?

Votre question soulève un problème très profond. Lorsque des forces inconscientes nous «poussent», c'est toujours dans l'espoir d'éprouver à l'arrivée un sentiment de plénitude. Mais ces élans sont voués à l'échec. Voici pourquoi: ces compulsions du moi sont l'expression involontaire des contraires qui s'opposent en nous, quand le moi inachevé que nous croyons être rêve du lieu et du moment où il sera tout à fait autre. Cette division du moi est cause de conflits, de frustrations et, au bout du compte, de déception, car les contraires sont irréconciliables. Par ailleurs, lorsque l'Amour nous motive et nous pousse, cet Amour, quel que soit son objet, est sa propre récompense dans l'instant présent. Voilà la véritable définition de la réussite. Il n'y a ni passé ni futur qui puisse nous retenir prisonnier. Par-dessus tout, l'Amour est le meilleur agent purificateur qui soit, c'est-à-dire que nos actes, s'ils sont dictés par l'Amour, nous élèvent.

Quand savons nous qu'il est temps de renoncer à un rêve? Comment savoir quand nous en avons assez, qu'il est temps de lâcher prise, de capituler et de poursuivre d'autres rêves?

Vous êtes-vous déjà brûlé en vous emparant d'un poêlon chaud? Avez-vous alors été obligé de songer «Assez!» ou un réflexe d'autoprotection n'a-t-il pas veillé à vous faire lâcher le poêlon? Demandez-vous maintenant si l'intelligence spirituelle n'est pas plus vaste que la sagesse du corps. Si vous vous efforcez de demeurer aussi éveillé et conscient de vous-même que possible, vous saurez, sans risque d'erreur, quand il convient de lâcher prise.

LA CARRIÈRE ET LA DÉLIVRANCE DE SOI

Comment sait-on que nous respectons notre vocation? Mes intérêts sont parfois si variés... Mais une chose est sûre: je ne ressens pas la satisfaction et la paix auxquelles j'aspire.

Ma réponse sera différente de celle que vous attendiez. La qualité de notre vie est avant tout l'expression de notre aptitude à comprendre. Sans connaissance de soi, vous auriez beau être le roi de la planète, vous éprouveriez toujours une impression de vide et d'insatisfaction. Si vous vous connaissez en profondeur, tout ce que vous entreprendrez sera doté de vie. Cette vie, issue de la connaissance de soi, est, en soi, du bonheur. « Connais-toi toi-même » signifie que le bien vient à ceux pour qui le bien est tout.

Comment savoir qu'il est temps de poursuivre notre route... de faire le saut, si j'ose dire ? J'aspire à certains changements dans ma vie ; je voudrais surtout consacrer davantage de temps à ma quête spirituelle, mais je me surprends à attendre que les circonstances soient plus favorables. Est-ce que je fais fausse route ?

Ce ne sont pas les circonstances extérieures qui doivent nous dicter l'étendue de notre quête intérieure ; c'est notre travail spirituel qui transformera ces circonstances extérieures. Si vous aspirez à une vie spirituelle profonde, tout ce que vous entreprendrez pour resserrer vos liens avec le Vrai vous conduira infailliblement à la prochaine étape. Sautez !

Je suis sur le point de prendre le plus grand « risque » de toute ma vie : je m'apprête à démissionner d'un poste que j'occupe depuis très longtemps pour lancer ma propre entreprise. Même si la peur m'a longtemps motivé à conserver cet emploi, j'ai aussi très peur de renoncer à ce que je connais et à ma « sécurité » pour plonger dans l'inconnu. Pouvez-vous me donner un truc qui m'aiderait dans cette transition et qui apaiserait mes inquiétudes ?

Voici un petit conseil qui vaut pour chaque pas que nous faisons dans l'inconnu : efforcez-vous de réaliser votre potentiel tout en étant très conscient de ce qui est hors de votre portée. L'avenir échappe à votre contrôle, mais vous pouvez être à l'écoute des voix apeurées qui vous le décrivent. N'oubliez pas que ces états d'esprit tentent en secret de vous garder prisonnier. Leur seule arme est la peur de « vous » qu'elles parviennent à vous inspirer. Bref : faites ce qui est en votre pouvoir et n'essayez pas de faire ce qui échappe à votre contrôle.

Mon travail et la vie en général m'ennuient. Dans le passé, j'aurais cherché un nouveau travail ou je me serais jeté dans

une activité de loisir. L'ennui est-il un sentiment qu'éprouve le faux moi ou une impression authentique ? La connaissance de soi peut-elle mettre fin à l'ennui ou dois-je m'y efforcer délibérément ?

L'ennui est une conséquence « naturelle » lorsque la nature pensante en vient à épuiser ses possibilités. Autrement dit, lorsque la vie nous ennuie, c'est parce que nous avons commencé à surpasser ce que cette vie rationnelle peut nous offrir. Vous avez raison de ne pas agir. Restez au cœur de cet ennui. Il se pourrait que vous deviez effectuer quelques changements, mais attendez d'être bien certain que ce que vous comptez faire n'est pas la répétition d'un ancien scénario.

J'ai obtenu mon diplôme en sciences de l'éducation, mais j'ai raté une partie de l'examen pour l'obtention du certificat d'enseignement. Je suis découragé, j'ai envie de tout lâcher, même si j'ai toujours rêvé d'enseigner. Que faire pour me préparer mentalement à reprendre cet examen ?

Prenez la décision de subir cet examen dix mille fois si cette carrière vous passionne, et si c'est là le chemin qui vous y conduira. Ne laissez jamais rien ni personne tracer votre chemin pour vous. Préparez-vous du mieux possible et jetez-vous dans la mêlée. Une chose est sûre : vous vaincrez un jour, car votre appréhension devra céder la place à votre passion pour l'enseignement.

Je ne parviens pas à me décider à changer de carrière. Comment faire ? Est-ce important ?

Si vous n'êtes pas heureux dans ce que vous faites, il vaut mieux comprendre (plus tôt que tard) que le fait de persister dans ce qui ne vous satisfait pas ne saurait que saper vos forces vitales et vous empêcher de vraiment transformer votre vie. Mais la vraie question est la suivante : quelle est la raison qui se cache derrière ce désir de changement ? Si tout ce que vous souhaitez est d'échapper à un état d'esprit négatif en espérant améliorer votre sort ailleurs, il se pourrait bien que vous perdiez votre temps, car vous vous transporterez partout avec vous. Mais si vous envisagez une nouvelle vie où la quête d'un savoir supérieur sera au cœur de vos priorités, allez-y ! Le moment est toujours bon de vous laisser derrière vous.

Je viens de recevoir mon diplôme universitaire. Étrangement, la carrière pour laquelle j'ai été formé ne m'intéresse plus autant. Comment puis-je trouver une carrière que j'aime vraiment, et comment savoir que je ne fais pas fausse route?

Ne placez pas la charrue avant les bœufs. Soyez patient. Restez ouvert le plus possible aux impressions qui vous frappent quand vous envisagez une carrière. Il est presque certain que vous savez déjà ce que vous aimeriez faire, mais que vous écoutez ces moi qui affirment que vous ne gagnerez pas assez bien votre vie pour être aussi heureux que vous le souhaitez. C'est là que tout bascule. Dans cette vie, le bonheur véritable et la satisfaction durable sont impossibles à atteindre sans Amour. Si ce que vous aimez vous appelle, soyez sûr que tout y est prêt pour que vous deveniez un être humain confiant, satisfait et spirituellement entier. Les détails concrets se régleront d'eux-mêmes.

J'ai très souvent entendu dire que si l'on fait ce que l'on aime, le reste suivra. Cela vaut-il uniquement pour nos recherches spirituelles ou peut-on appliquer ce principe dans notre vie professionnelle?

L'Amour sincère, quel que soit son objet, est sa propre récompense. Qui plus est, cet Amour n'a ni commencement ni fin et ne dépend pas de son dénouement. Un tel Amour veille sur nous et sait mieux que nous ce qui nous convient en toutes circonstances. Nous devrions avoir pour but de toujours être éveillé à nous-mêmes, où que nous nous trouvions, afin de nous rendre disponibles en tout temps à cet Amour. Ainsi, quelle que soit notre profession ou notre travail, l'Amour redressera le chemin devant nous et nous conduira là où nous pourrons le mieux jouir de la vie.

Je connais et m'intéresse à des tas de choses, mais aucune n'éveille ma passion professionnelle. Comment faire pour savoir quel est mon véritable talent?

Soyez patient. Reconnaissez que vos incertitudes quant à ce que vous aimeriez faire sont des vignes psychiques qui étoufferont tout et en empêcheront la floraison. Si vous persévérez dans votre quête intérieure et que vous demandez au Vrai/Dieu de vous aider à vous comprendre et à mieux comprendre cette vie, les leçons que vous en tirerez vous ouvriront une porte et vous donneront la possibilité d'embrasser votre vocation de tout cœur.

Parlant de vocation... certaines personnes semblent se passionner pour ce qu'elles font, mais je ne crois pas que cela signifie qu'elles se connaissent mieux que quiconque.

C'est exact. Certaines personnes se passionnent pour ce qu'elles font, mais cela ne signifie pas qu'elles se connaissent plus à fond que nous nous connaissons nous-mêmes. Nous devons tous être disposés à soumettre nos passions à l'examen interne de notre conscience en éveil. Un grand nombre de personnes se passionnent pour ce qu'elles font parce qu'elles sont en proie à des peurs inconscientes qui leur répètent que, si elles ne font pas ceci ou cela, elles perdront quelque chose d'important. Lorsque nous aimons vraiment quelque chose – je veux dire, vraiment – cet amour même est sa propre récompense. Incidemment, c'est pour cette raison que l'Amour de Dieu est l'Amour absolu.

Comment puis-je découvrir ma « mission » dans la vie ?

Lassez-vous de vous heurter aux murs inévitables que toutes les missions autocréées érigent ; détournez-vous du moi qui invente ces tâches futiles. Si vous avez le courage de perdre cette identité et ses missions complaisantes, l'être que vous êtes réellement vous sera peu à peu révélé. C'est seulement dans cet éveil de votre être véritable que vous saurez ce que vous devez « accomplir » dans cette vie.

L'ESSENCE DE LA VRAIE RICHESSE ET DE LA VRAIE PAUVRETÉ

Mère Teresa a dit un jour que « plus on possède, moins on donne ». La pauvreté est-elle préférable ? Pourquoi les biens matériels nous corrompent-ils ?

Tout tient à ce mot : identité. Et à ceci : l'attachement aux biens matériels. Nous ne nous attachons jamais aux objets eux-mêmes, mais à ce qu'ils « font de nous ». La bonté ne dépend pas de la pauvreté ou de la richesse matérielles. Il est une pauvreté que découvrent ceux qui se livrent à une quête authentique de spiritualité, mais elle n'a rien à voir avec l'abondance ou la pénurie. Cette pauvreté consiste à découvrir que nous avons cru être ce que nous n'étions pas. Comprendre cela, c'est avoir accès la véritable richesse.

Pourquoi est-ce si difficile pour moi de comprendre que je puis être heureux avec le peu d'argent que je gagne et avec la vie que je mène? Je me dis toujours que, pour être vraiment heureux, je dois gagner plus d'argent.

Votre question montre que vous êtes au seuil d'une importante découverte. Réalisez-vous que ce que vous êtes en train d'apprendre démontre la présence en vous d'un moi qui ignore ce que vous faites et qui, « si les circonstances s'y prêtent », prend possession de votre vie et vous pousse à rencontrer ses objectifs ? Une grande partie de notre travail consiste à apprendre à vivre en fonction du Vrai sans permettre à notre moi inférieur de nous convaincre d'obéir aux fausses vérités qu'il nous présente. Persévérez.

Il me semble parfois que le simple fait d'aspirer à la richesse éloigne de moi cette richesse, si bien que je finis par obtenir précisément le contraire de ce que je veux.

L'objet de notre résistance attire précisément l'objet de notre résistance. Lorsque nous visualisons ou désirons la « richesse », nous renforçons secrètement ce (faux) moi qui se sent « pauvre ». Tout ce que cette nature parvient à attirer à elle n'apaise en rien son inachèvement, mais au contraire le nourrit.

Je repense souvent à cette admonestation: « Vends tout ce que tu possèdes et suis moi. » Mais je me dis aussitôt qu'agir ainsi équivaut à un suicide financier. Comment savoir quelle voix intérieure me dit la vérité?

« Vends tout ce que tu possèdes » concerne la spiritualité bien plus que les biens matériels. Simplifiez votre vie. Continuez à demander que Dieu vive votre vie. Le Tout-Puissant sait mieux que vous ce qui vous convient et ce qui est inutile. Apprenez à écouter votre cœur. Tout ce que vous devez accomplir vous paraîtra nécessaire quand le Vrai vous poussera à agir.

Comment notre travail intérieur peut-il nous aider à payer nos dettes ?

Les dettes ne constituent pas le problème, mais une conséquence désastreuse de notre inaptitude à comprendre notre nature réelle. Au fur et à mesure de votre développement, vous percerez à jour ces actes autodestructeurs du faux moi (par exemple, dépenser de l'argent que vous ne possédez pas encore) qui cherche à se perpétuer dans les biens matériels. Le faux moi aime à la fois dominer votre vie et savoir qu'il vous domine par l'entremise de ses ambitions.

Peut-on rechercher la richesse si nous savons que celle-ci n'enrichit en rien le véritable moi ?

On recherche la richesse lorsqu'un conflit invisible fait rage en nous. Efforcez-vous de comprendre que nous vivons dans un univers en grande partie invisible dont les forces occultes précèdent les forces visibles, concrètes dont nous faisons l'expérience. Dans ce royaume de l'invisible, nous sommes soumis à des forces d'attraction. Cela signifie que nous recherchons souvent quelque chose (par exemple, la richesse), car nous sommes persuadés que c'est là ce que nous voulons. Mais, la plupart du temps, ce désir n'est qu'une compulsion secrète, un élan qui nous pousse à faire ce qui contribuera à la combler. Pour bien prendre conscience de cela, demandez-vous si vous êtes capable de renoncer à quelque chose (y compris à certaines pensées). Si vous en êtes incapable, cela signifie que cette chose vous possède.

VIVRE DANS LE MONDE, ET NON PAS DU MONDE

J'ai beau m'efforcer de voir le côté pratique de la spiritualité, il m'est très difficile de conjuguer ce qui relève du concret et ce qui relève de la spiritualité. Je crains qu'en tentant de concilier ces deux concepts, je ne fais que m'accrocher au plan inférieur où je me trouve actuellement. En d'autres termes, je voudrais que ma vie spirituelle soit la plus entière possible. Elle ne doit pas être pour moi une simple technique de relaxation ou un moyen de mieux m'entendre avec mon entourage.

Notre connaissance de la spiritualité est limitée par notre connaissance de nous-mêmes. Plus nous évoluons, plus l'apparente dichotomie entre la vie de tous les jours et la vie spirituelle s'estompe. La vie spirituelle n'est pas un « médicament » destiné à apaiser nos maux physiques, mais tant que nous n'avons pas compris cela, nous continuons de nous soigner avec des placebos. Lorsque nous comprenons que ces deux univers ne sauraient se fondre ainsi, il nous devient possible de donner à l'un d'eux la première place. C'est alors que commence vraiment notre travail intérieur.

J'éprouve depuis quelque temps la « futilité » de certains actes qui, auparavant, m'apparaissaient sensés. Pourtant, cela ne m'inquiète pas. Au contraire, j'éprouve un certain soulagement, ou, du moins, une sorte d'expectative, comme si ce qui doit se produire se produira sans que je le veuille. Il me semble aller dans la bonne direction. Qu'en dites-vous ?

Vous décrivez un phénomène normal de la quête spirituelle. Lorsque nous « tombons en amour avec le Vrai », nous tombons « hors d'amour » avec ces parts de nous qui s'attachent au « monde » que nous aimions naguère. Ces étapes comportent beaucoup de difficultés, mais persévérez. N'oubliez pas ce que dit le Nouveau Testament : « On ne met pas du vin nouveau dans des outres vieilles. »

J'ai pour but de m'éveiller tout à fait. Je me consacre à la connaissance de ma véritable nature et à l'expression entière de cette nature, me refusant à toute concession. J'ai vécu des moments extraordinairement limpides et éclairés tout au long de mon périple, mais dans ce « rêve », gagner ma vie représente un effort. Lorsque je travaille, mon esprit ne parvient pas à demeurer dans le moment présent. Que dois-je apprendre, maintenant que me voici parvenu à ce carrefour ?

À mesure que se déploie notre travail intérieur, quelque chose s'insinue entre la pensée pratique et la conscience de soi, et les fragilise. À ce point de notre vie intérieure, nous oscillons sans le vouloir entre nos pensées diffuses et nos émotions négatives. Plus vous demeurerez conscient de vous-même, plus cet éveil vous visitera avec régularité. La conscience et l'éveil vous seront plus faciles (même au travail, et même au cœur de vos pensées rationnelles), car vous êtes animé d'une énergie supérieure. Bref, notre désir d'éveil n'entre pas en conflit avec les tâches qu'il nous faut assumer. Même, plus nous demeurons conscients, plus nous excellons dans tous les domaines de notre profession.

Comment peut-on faire face aux aléas de la vie quotidienne tout en nous efforçant de pénétrer profondément en nous pour y trouver la paix?

Plonger dans les aléas de la vie quotidienne n'empêche pas que l'on plonge aussi en soi. Notre esprit y voit une contradiction, mais lorsque nous étudions les vrais principes, nous voyons bien que c'est au beau milieu de la tourmente que nous trouvons un refuge, que ce refuge a toujours été là, qu'il nous attendait, et que tous les orages sont des créations du moi.

J'ai entendu dire que nous sommes des créatures spirituelles qui vivent une vie humaine; si c'était le cas, ne le saurions-nous pas?

Réfléchissez un peu à votre question. *Bien sûr* que nous le savons. Nous nous en rendons compte presque chaque jour, chaque fois que cette vie humaine nous déçoit. Nous n'aspirons qu'à ce qui est éternel. La vie humaine est un exercice de détachement.

Je pénètre de plus en plus dans la conscience du moi et je me détache des conséquences (bonnes ou mauvaises). Les activités qui visent à améliorer le quartier, la ville ou le monde ne m'intéressent pas. Mettre un pied devant l'autre et faire mon possible en tout me suffit amplement. Mais j'appréhende de «fuir» ainsi mes responsabilités. Et en réaction à cette peur, je me dis que ceux qui ont pour destin d'«aider» leur prochain ne peuvent pas plus s'en empêcher que je ne peux m'empêcher de servir l'humanité à ma façon. Suis-je dans la bonne voie?

Le chemin de la spiritualité est aussi étroit que le fil du rasoir. Je crois que vous êtes dans la bonne voie, mais permettez-moi de dire ceci: nous ne devons jamais perdre de vue que, tout comme certaines parties de nous représentent une libération, d'autres parties de nous qui nous promettent la délivrance nous gardent prisonniers. Restez conscient et persévérez.

Pourquoi la foi est-elle si importante pour le développement personnel ? Pourquoi faut-il renoncer au terrestre en faveur d'un « état » ou d'un « ordre » spirituel qui, si l'on si attache, nous donnera les résultats escomptés ?

La foi n'est pas un élément important de la croissance spirituelle ; elle en est le fruit. Ce n'est pas de foi, mais de vérité sur nous et sur notre vie dont nous avons besoin. Cette vérité agit doublement : elle déconstruit le faux tout en nourrissant le Vrai. Et le Vrai croît, de même que tous les aspects de notre rapport au Vrai. C'est *ce* rapport qui est la foi. Il est vivant. Ses proportions sont justes. Il est infiniment vrai.

Tant de religions nous demandent tout simplement d'avoir la « foi », ou quelque chose comme ça, afin d'être « sauvés ». Je ne ressens pas cela, et pourtant, j'ai l'impression d'avoir la foi. Suis-je damné ?

Bien au contraire. Vous êtes dans la bonne, la juste voie. Il existe un autre type de foi : elle n'est pas le produit de l'intellect ou des émotions et de toutes les images que celles-ci engendrent, mais bien de la faculté de voir les rapports infinis qui relient toutes choses, et les justes proportions de toutes choses. Par exemple (et pour recourir à une métaphore chrétienne), si une vigne nourrit la branche qui produit le fruit, il en va ainsi de tous les échelons de la vie (« Ce qui est en haut est comme ce qui est en bas »). Cette connaissance supérieure et inébranlable est la source de la vraie foi. C'est de cela dont parlait le Christ lorsqu'il demanda au centurion (dont il avait guéri l'enfant de loin) pourquoi sa foi était telle qu'il croyait cette guérison possible. Le centurion répondit que, en tant qu'officier, il dépendait de son supérieur, et qu'il devait en être de même du Christ, mais que le commandant en chef du Christ ne saurait qu'être Dieu par qui tout est possible. Ainsi, même si le centurion n'était pas « chrétien », sa foi l'avait transformé. Sa foi ne se fondait ni sur la doctrine ni sur l'émotion, mais prenait racine dans la sagesse que seule permet la vision authentique.

Je dirige une entreprise et je m'efforce de subvenir aux besoins de ma famille, et tout cela semble entraver ma vie spirituelle. J'appréhende toujours de manquer d'argent. Je ne sais plus quelle est ma véritable raison de vivre, et j'aimerais parvenir à un équilibre entre mes préoccupations matérielles et mon développement spirituel.

Ce problème d'équilibre entre vos préoccupations matérielles et votre désir de développement spirituel en est un qui confond beaucoup d'individus en quête de spiritualité. Mais sachez que la seule chose qui puisse nous confondre est de ne pas connaître notre raison de vivre. Croyez-moi, je ne minimise rien. Lorsque nous ne savons plus le pourquoi de notre présence sur terre, nous nous inventons des raisons, des images qui pallient cette incertitude. L'une d'elles, très fréquente de nos jours, nous représente en hommes d'affaires « prospères » qui tiennent les rênes du pouvoir, que l'on admire et estime. Lorsque cet objectif domine notre vie, nous sommes tout entiers occupés à *faire en sorte* que notre entreprise réussisse, car nous croyons que notre sécurité, notre « vie » même, en dépendent. Si bien que cette image créée de toutes pièces en vient à absorber notre temps et notre énergie physique et mentale. Notre entreprise nous dirige. Malheureusement, *un tel* objectif de victoire est impuissant à remplir ses promesses ; au contraire, il ne parvient qu'à nous diviser, ce qui freine tout progrès spirituel. Nous sommes en conflit avec nos propres inventions. Je comprends que cette illustration puisse vous paraître exagérée, car vous désirez parvenir à un « équilibre » entre vos préoccupations matérielles et votre croissance spirituelle ; néanmoins, le principe qui gouverne notre réussite spirituelle est tout aussi vrai. Imaginez un homme en train de cueillir des pommes dans un verger situé au beau milieu de nulle part. Sa survie dépend des fruits qu'il cueille ; pourtant, chaque fois qu'il se risque à entrer dans son verger, il met sa vie en danger, car des couguars hantent la région. Dites-moi : que guette cet homme pendant qu'il effectue son travail ? En effet, chaque fois qu'il se rend dans son verger, il sait que son attention sera sollicitée par deux choses : *premièrement, il doit rester aux aguets*... être attentif à tout signe de danger. Ensuite, jouir des fruits de son labeur. Bref, c'est la conscience de sa condition qui définit son objectif, et c'est cet objectif qui définit ses *priorités réelles.* Les efforts que nous déployons pour faire prospérer notre entreprise n'entrent pas en conflit, comme voudrait nous le faire croire notre faux moi, avec une conscience en éveil et la jouissance des fruits de notre épanouissement spirituel. Prenons aussi souvent que nécessaire la décision de définir ce que nous voulons vraiment puiser à cette vie et, à la lumière de cet objectif supérieur, accorder toute notre attention aux domaines de notre vie intérieure que ce nouvel objectif domine. Lorsque nous vivons ainsi, lorsque le Vrai nous motive et que la sincérité nous guide, tout conflit s'annule. En ce qui concerne votre peur de manquer du nécessaire pour vivre selon vos aspirations, posez-vous la question suivante : ce que j'appréhende de perdre pourra-t-il jamais me libérer de ma peur ? La réponse est, de toute évidence, non ! Mais quelle leçon pouvons-nous tirer de tout cela ? À quoi cela sert-il de posséder quelque chose si tout ce que nous en retirons est la peur de « le » perdre (qu'il s'agisse d'argent, d'approbation, de notre famille, de nos amis, etc.) ? Il faut que nous nous lassions d'avoir peur de manquer de tout ce qui, dans notre vie, est impuissant à nous débarrasser de nos peurs. Quand nous aurons compris que *la source du problème, c'est la peur*, et non pas l'objet que cette peur grave dans notre esprit, nous saurons comment agir. Car nous nous libérerons *volontairement de notre peur*: autrement dit, nous reconnaîtrons son existence, mais nous ne céderons pas à ses caprices. Et nous entrerons sans peur dans la vie.

◆ ◆ ◆

TROIS ÉTAPES POUR RÉUSSIR SANS STRESS

Voici un bref exercice conçu pour vous aider à prendre les risques spirituels qui vous libéreront et qui assureront votre réussite véritable. À vous de choisir le moment opportun pour effectuer chacun de ces « sauts ». Votre volonté de gravir les échelons de la réussite spirituelle n'a pas de prix.

Lorsque vous faites face à une situation qui vous fait éprouver un sentiment d'enfermement (peur ou perte de temps), remémorez-vous les trois étapes décrites ci-dessous. Observez-les du mieux possible, mais assurez-vous de rester conscient des réflexes qui vous pousseront à agir mécaniquement au lieu de participer pleinement à votre dynamique intérieure.

Première étape : levez les yeux

Qu'est-ce que cela veut dire ? Regardez au-delà de vous, vers cette nouvelle connaissance qui vous affirme qu'existe en vous un vaste inconnu. Vous y parviendrez si vous vous rappelez qu'existe toujours un plan supérieur à ce que votre moi actuel croit être sa réalité. Souvenez-vous de Dieu, si nécessaire, ou de sa lumière, ou du fait que le Vrai l'emporte toujours. La clé consiste à ne pas perdre de vue qu'il y a devant vous un monde infini et rempli d'opportunités même si vous êtes en ce moment enfermé dans la cellule étroite de votre moi.

Deuxième étape : lâchez prise

Renoncez à croire que vous n'avez pas accès au vaste inconnu ; comprenez que le moi qui s'agite en vous, la personne provisoirement en charge, n'a pas intérêt à se libérer d'elle-même. Ce qui fut (le passé) n'a aucun pouvoir sur ce qui est (le présent) dès lors que l'on choisit de s'enraciner dans le terreau régénérateur de la renaissance. Renoncez à ce que vous savez ne pas pouvoir faire, et acceptez de plonger à la découverte de votre vérité. De toute façon, cette vérité devrait déjà être évidente. Tant que nous n'avons pas renoncé à ce qui cause notre défaite, comment pouvons-nous parvenir à la réussite à laquelle nous aspirons ?

Troisième étape : sautez !

Sautez. C'est tout. Faites ce que vous pensiez ne pas être capable de faire. Sortez de vous-même et plongez dans le vaste inconnu. Lorsque nous constatons que le seul risque que nous prenons en osant défier tout ce qui nous enferme n'est rien de plus qu'une vision factice de nous-mêmes, rien ne saurait plus nous retenir. Rien du tout. Cette révélation est le germe de notre réussite.

Juste au-delà de la personne que vous croyez être, il y a un tout autre moi que ne retient aucune des chaînes qui vous gardent maintenant prisonnier. Mais vous devez accepter de sauter ! La véritable réussite, c'est découvrir que la liberté est en vous. C'est en forgeant qu'on devient forgeron... alors, au travail ! Mettez en pratique ces principes de réussite jusqu'à ce que leur but caché se révèle à vous dans toute leur puissance occulte.

CHAPITRE 12

Principes et pratiques conduisant à l'éveil de soi

Depuis les premiers temps du monde, un principe fondamental, une pratique révélatrice résident au cœur de toute religion authentique. Ce principe, cette pratique sont à la vie religieuse sincère qu'ils reflètent ce qu'est l'océan aux rivières qui viennent s'y jeter pour retourner ensuite à leur source dans le cycle infini de la nature.

Ce principe et cette pratique portent plusieurs noms, tout comme l'intelligence suprême dont elle sert les desseins; pourtant, ils sont aussi innommables que l'Un, l'être sans nom que nous aspirons à rejoindre dans notre quête spirituelle.

Le court récit que vous allez lire révèle l'essence de ce principe et de cette pratique. Lisez-le dans l'intention sincère d'en capter la vérité et vous aurez ainsi un aperçu de la nature secrète et enrichissante de ce principe et de cette pratique.

Il était une fois un roi sage qui régnait sur un pays prospère. Son dessein singulier était de distribuer les richesses de son royaume à tous les citoyens qui s'en montraient dignes. Ainsi, afin de réaliser son souhait, le bon roi instaura un Festival annuel de la Fidélité – une semaine entière de réjouissances et de banquets que clôturait un concours très particulier échelonné sur trois jours.

Lors de ce concours, chaque sujet du royaume pouvait monter sur les tréteaux dressés au centre de la cour du palais et déclarer sa fidélité au roi devant le peuple et les ministres rassemblés. Quand tous ceux qui en avaient manifesté le désir s'étaient ainsi exprimés, le roi choisissait un gagnant selon un processus de sélection connu de lui seul. Le lendemain soir, le grand prix lui était décerné au cours d'une magnifique cérémonie. Ce prix très convoité consistait en un titre permanent de courtisan, avec tous les avantages afférents à un rôle aussi noble. Vous imaginez bien que la concurrence était féroce.

Or, un beau jour, la veille du grand Festival de la Fidélité, la plus jeune des filles du roi vint trouver son père et sollicita la permission de lui poser une question.

« Qu'y a-t-il, princesse ? » fit le roi.

— Père, dit-elle, pensive, j'ai assisté, ainsi que tu me l'as demandé, à la plupart des concours comme celui qui doit commencer demain. Chaque année, plusieurs des concurrents m'émeuvent au point où il me serait impossible de choisir un gagnant. Je sais que tu es sage et juste en toute chose, ainsi que nous l'ont démontré tous les gagnants précédents, car ils ont prouvé leur loyauté et leur fidélité à leur roi et au royaume. Mais j'ignore comment tu prends ta décision. »

Elle leva les yeux sur son père qui, tout le temps qu'elle parlait, n'avait eu de cesse de la regarder avec intensité. Après une brève hésitation, elle poursuivit : « Dis-moi, je t'en prie, comment tu choisis le gagnant. »

Le roi continua de regarder sa fille dans les yeux puis, ayant bien réfléchi, dit ces mots :

« Ceux qui arrivent tard au concours et qui repartent tôt, montent sur les tréteaux et prononcent leur discours non par loyauté, mais par égoïsme, afin que les spectateurs voient en eux les sujets les plus fidèles au roi et au pays. Secrètement, ce sont eux-mêmes qu'ils aiment, et leur loyauté n'a qu'eux-mêmes pour objet, quels que soient les mots émouvants qu'ils utilisent pour *dire* le contraire. »

Devinant que son père lui enseignait là plus qu'elle ne lui avait demandé, mais reconnaissante envers lui pour cette leçon royale, la princesse fut d'avis que le mieux était encore de poursuivre son questionnement.

« Si cela est vrai pour la majorité des concurrents qui aspirent à un tel honneur, *comment* choisis-tu le sujet le plus méritant du royaume ? Je t'en prie, confie-moi ton secret. »

Le roi se sourit à lui-même et, après avoir regardé tout autour pour s'assurer qu'ils étaient seuls, il dit tout bas : « Le matin de chaque journée du concours, en m'assurant de ne réveiller personne, je me lève très tôt et je me déguise de façon à ce que l'on ne puisse pas me reconnaître. »

Les yeux de sa fille pétillaient de plaisir à entendre le petit amusement secret du roi. Il lui sourit ouvertement pour confirmer ses dires et poursuivit : « Je me déguise et je me mêle à la foule à son insu de façon à identifier le gagnant du concours. »

— Attends... » interrompit la princesse. « Veux-tu dire que tu choisis le gagnant *avant* même d'avoir entendu ce que les concurrents ont à dire ? » Le roi continua à parler, non parce qu'il ne tenait pas compte de la question de sa fille, mais parce qu'il savait que sa réponse originale était la seule qui rendrait clairement sa pensée.

« À chacun de ces trois jours, j'attends ce rarissime citoyen, celui qui arrive très tôt et qui ne repart que très tard *pendant toute la durée du concours*, cet homme ou cette femme qui, comme moi, reste dans la cour du palais avec une seule idée en tête, cet homme ou cette femme dont la présence a un *tout autre motif* que sa participation au concours d'éloquence. »

La fille du roi se pencha un peu en avant sur les coussins de son fauteuil et ouvrit les yeux aussi grands que possible afin de demander à son père, sans vraiment le lui demander, quel était donc *ce véritable motif*. Quelle qualité particulière pouvait donc isoler de la foule la personne digne de porter à jamais le titre de courtisan ? Et le roi répondit :

« Ce sujet exceptionnel qui attend et guette toute la journée dans la cour intérieure du palais ne souhaite qu'une chose, et une seule : *apercevoir son roi*. Et, Dieu aidant, l'approcher un court moment. *Celui-là* est le citoyen que je choisis, car la constance de ses actes *montre quel est l'objet de son amour.* » Le roi se tut un instant avant de poursuivre, lentement, délibérément, doucement, mais avec fermeté :

« Apprends, ma petite princesse, apprends avant tout *à voir* la vérité. Ainsi, rien de ce que tu entendras ne t'induira en erreur ni ne te décevra. »

Puis, comme seul sait le faire un père aimant, le roi prit dans les siennes les mains de sa fille et dit : « Comprends-tu ? »

— Oui, père. Je comprends. »

Résumons le principe décrit dans cette brève histoire : le pouvoir d'une pratique spirituelle ne réside pas dans *ce que nous faisons*, ou dans le fait d'être vu en train de le faire, mais dans *les motifs de nos actes.* C'est *l'intention* qui détermine le cours de notre destinée spirituelle et de notre aptitude à réaliser un dessein supérieur.

◆ ◆ ◆

LES MAÎTRES, LES LEÇONS ET LES OUTILS DE NOTRE QUÊTE SPIRITUELLE

La présence physique d'un maître est-elle indispensable ?

Il n'y a pas de doute que la proximité d'un maître du Vrai peut accélérer notre développement spirituel. Toutefois – et il importe aussi de comprendre cela –, un maître spirituel n'est que la représentation physique de ce qui existe déjà à l'état invisible dans la vie intérieure du chercheur. Notre travail consiste à entrer en contact avec le Vrai/Christ/Dieu. Cette entité réside à l'endroit précis où vous vous trouvez en ce moment. Réveillez-vous. Demandez l'accès à la connaissance supérieure, puis mettez-vous à l'écoute de ce que la vie vous dira. Sa réponse ne vous sera jamais refusée.

Comment savoir si notre guide dans la voie de Dieu est compétent ?

Un vieux dicton dit : « Seule une flamme peut allumer la bougie. » Rien de plus vrai. Quiconque cherche doit comprendre cela. Malheureusement, les guides authentiques sont aussi rares que les moutons à cinq pattes, mais cela ne doit pas nous empêcher d'aspirer à une relation avec le Suprême. Ce qui importe autant, ce qui est même indispensable quand il s'agit de discerner les maîtres authentiques des faux gourous – et il y en a légion –, c'est le désir sincère de devenir une femme ou un homme nouveau. Le Vrai est le grand purificateur. Ceux qui persistent à placer le Vrai au-dessus de tout atteindront non seulement la vie nouvelle à laquelle ils aspirent, mais le Vrai les précédera et leur indiquera l'emplacement de la lumière et des ténèbres.

J'ai noté une prolifération d'individus « éclairés ». Ma brève expérience dans le domaine de l'ésotérisme me rend très méfiant à l'égard de l'éclairement. Je sais que je ne suis pas encore en mesure de reconnaître le Vrai avec certitude. Qu'est-ce qui m'empêcherait de faire fausse route, de suivre un faux gourou qui camouflerait son enseignement sous une apparence de vérité ?

Ce problème est de plus en plus important de nos jours, quand tout un chacun tente de se faire passer pour une incarnation divine. Nous ne pouvons reconnaître le faux en autrui que dans la mesure où nous l'avons identifié en nous-mêmes. À mesure que nous excellons à déraciner le faux, il nous devient de plus en plus facile de ressentir l'authenticité de ce que (ou de qui) nous rencontrons. Faites votre travail. Retirez-vous en vous-même. Restez seul. Demandez à Dieu de vous guider avec toute la sincérité et toute la ferveur dont vous êtes capable. Si vous vous appliquez ainsi, vous développerez votre discernement. Ainsi il vous sera tout aussi impossible de vous laisser leurrer par une fausse lumière qu'à un papillon de nuit de s'enfoncer dans un puits obscur. Je vous en donne ma parole. Restez éveillé en tout temps.

Qu'est-ce que l' « éclairement » ?

La flamme de la bougie se croyait lumineuse jusqu'à ce qu'on la dépose devant la flamme du foyer. Le feu du foyer était sûr que rien ne brillait plus que lui jusqu'à ce que la pleine lune entre par la fenêtre, et la lune crut être la lumière incarnée jusqu'à ce qu'elle assiste au lever du soleil.

Lorsque j'écoute un maître spirituel éclairé, je suis transportée de joie et je ressens l'impression de toucher le Vrai comme jamais auparavant. Dans de tels moments, je me demande si je me suis vraiment jamais réveillée.

Ce phénomène est fréquent. Longtemps, le « secours » d'une personne dont les vibrations sous « élèvent » vers cette partie de nous que nous sommes incapables d' « atteindre » par nous-mêmes nous est nécessaire. L'important pour vous est de comprendre que ce que vous ressentez lorsqu'on vous aide à toucher le Vrai existe en vous ; ce contact a lieu en vous. Le guide est accessoire, ou devrait l'être ; il n'est pour vous qu'un tremplin provisoire. Le problème se pose lorsque l'on croit que le guide est lui-même la vérité que l'on cherche, au lieu de nous appuyer sur le Vrai qui est déjà en nous. Persévérez. Le moi qui désire savoir s'il est éveillé ne le sera jamais ; tandis qu'il ne manque rien au moi en état d'éveil.

Croyez-vous que les groupes d'études soient utiles, ou devrions-nous travailler seuls ?

Vous avez beaucoup à gagner à travailler avec des gens qui cherchent sérieusement à enrichir leur spiritualité. Il n'importe donc pas de savoir si étudier en groupe est valable, mais si ce groupe est valeureux.

Quel est le rôle de la religion institutionnelle dans le Vrai ?

Au lieu de travailler à découvrir le faux de leur vie présente, la plupart des gens sont satisfaits d'adhérer à une doctrine traditionnelle, car ils n'ont alors qu'à prendre ce qu'on leur dit pour une parole d'Évangile. Lorsqu'on permet à une personne ou à un organisme d'agir comme intermédiaire entre nous et Dieu, nous signons notre arrêt de mort spirituel. Accepter aveuglément toute vérité que l'on n'a pas soi-même découverte dans sa vie est une forme de vertu hypocrite. Le Christ a voulu donner à chacun le droit d'être libre ; il n'a pas voulu créer des groupes d'esclaves qui se prétendent affranchis.

Je ne retiens pas grand-chose des livres que je lis ou des cassettes que j'écoute en matière de spiritualité. Que puis-je faire pour remédier à cette situation ?

C'est là un problème fréquent, car les pensées supérieures doivent trouver un domicile, un terrain commun situé dans la conscience, où elles peuvent s'installer. Notre travail consiste en partie (surtout au début) à créer en soi un tout autre être. Soyez patient. Persévérez, persévérez, persévérez. Bientôt, vous « comprendrez » de plus en plus en vous y efforçant de moins en moins. Essayez de voir ce qui distingue le fait de retenir des vérités de celui de les découvrir dans votre vie quotidienne. La connaissance isolée est vide et futile. Mettez en pratique chaque jour les leçons que vous apprenez ; à mesure que ces principes vous révéleront à vous-même, vous découvrirez leur raison d'être.

Depuis quelque temps, je lis beaucoup d'auteurs différents. Parfois, ce que je lis n'a aucun sens, ou semble contredire ce que je crois être le Vrai. Quelle est la meilleure façon de procéder lorsqu'on ignore la véritable essence de ce que l'on lit ou entend ?

L'information disponible de nos jours est une lame à deux tranchants. Elle enrichit quiconque aspire avant tout à l'éveil, car ce souhait finira par l'emporter sur tout le reste. Le danger réside dans le fait qu'il est beaucoup plus facile aujourd'hui pour un individu de devenir une encyclopédie ambulante et de confondre cette abondance de savoir avec le bien qu'elle représente. Nous devons travailler sincèrement dans le monde réel. L'expérience est notre maître, et non pas ce qu'on écrit sur l'expérience. Mettez-vous au travail.

Est-il possible de dépendre, à tort, d'un maître ou de son enseignement ?

Nul ne peut dépendre de qui que ce soit s'il est conscient de son mimétisme. L'on peut dire que la dépendance et le mimétisme sont les deux ailes d'un même oiseau. Le refuge que l'on cherche auprès d'une personne ou d'une philosophie est démantelé dès l'instant où l'on s'éveille et que l'on comprend qu'il est impossible de protéger une appréhension.

Quelles techniques ou pratiques favorisent le développement spirituel tout en freinant les influences du faux moi?

Notre nature présente est très fragmentée; plusieurs de nos moi s'arrachent le pouvoir et veulent nous dominer, si bien qu'il importe d'apprendre à faire taire notre esprit et d'acquérir une excellente discipline corporelle afin de contrer ces influences négatives. Mais avant de parvenir à un état supérieur, nous devons prendre conscience de ces moi conflictuels et nous en détacher. La méditation, la prière, les promenades dans la nature, l'équilibre physique... toutes ces choses contribuent à l'épanouissement personnel. Les pratiques physiques/spirituelles nous sont d'un grand secours, tant que nous ne commettons pas l'erreur de confondre la fin et les moyens.

J'ai découvert que la tenue d'un journal favorise mon évolution spirituelle plus que la discussion, car j'y suis moins vulnérable aux distractions. Quels conseils pourriez-vous me donner en ce qui concerne l'écrit?

Je conseille fortement l'écriture; c'est un excellent outil de développement spirituel. D'une part, cet exercice nous aide à prendre conscience de l'écart entre ce que nous croyons savoir et ce que nous sommes en mesure de formuler, et nous aide à clarifier notre pensée. À long terme, la lucidité se traduit par un meilleur équilibre spirituel. En outre, lucidité et simplicité vont de pair. Persévérez.

Que pensez-vous de l'usage des drogues et du recours à l'hypnose pour notre édification? Par exemple, la marijuana me propulse dans un état intuitif très puissant que j'aimerais ne jamais quitter. Qu'en dites-vous?

Évitez les drogues. Nous vivons dans deux univers: le premier est physique et visible, le second est invisible et spirituel. Non seulement ne sommes-nous pas suffisamment conscients dans notre monde physique, mais, pour la plupart, nous sommes profondément endormis face aux puissances et aux esprits qui nous entourent, qui pénètrent en nous et influencent notre comportement. Ajoutez à cela le fait que notre vie personnelle et spirituelle est en évolution constante, qu'à chaque instant elle attire de nombreuses forces invisibles qui nous nourrissent et à la fois contribuent à la formation de notre être subtil. Il importe de savoir que ce qui tire de nous sa subsistance nous entoure également en tout temps, dans l'invisible. Les drogues produisent des états de conscience exacerbés, c'est vrai, mais elles rendent également l'âme d'un individu vulnérable à la pénétration et à l'incarnation de forces dont il repousserait la présence s'il était pleinement conscient. Vous devez par vous-même comprendre la réalité de tout ceci, puis prendre votre décision. Quant à l'hypnose, c'est un moyen secondaire, voire erroné, de dominer ce qui nous domine. Notre quête n'a pas pour but d'approfondir nos conflits avec ces aspects de notre moi qui ont subi un conditionnement, mais bien celui de d'acquérir un perception de plus en plus grande de nos conflits intérieurs inconscients afin de nous débarrasser du moi qui leur donne naissance.

Que pensez-vous de l'affirmation ?

Quel élan vous pousse à affirmer quoi que ce soit ? Quelle est la raison profonde de l'affirmation ? Ne s'agit-il pas d'une opposition ? Comprenez-vous ? J'affirme un avenir lumineux parce que j'appréhende un avenir sombre. J'affirme ma bonté parce que je sais, inconsciemment, que je suis capable de cruauté. Ce qui est lumineux et bon n'éprouve nul besoin de s'affirmer. Cela est. En revanche, nous devrions toujours affirmer notre Amour de Dieu et la lumière qu'il engendre.

LES PRATIQUES SPIRITUELLES ET LA PRÉSENCE DE DIEU

Le silence intérieur est-il indispensable au développement spirituel ? Que retirons-nous exactement de la pratique du silence ?

Le silence authentique n'est pas seulement une absence de bruit. Il s'agit plutôt d'un état spirituel qui non seulement nous permet de discerner le faux mais à travers lequel le Vrai peut nous atteindre et nous enseigner. La pratique du silence intérieur est extrêmement bénéfique. Plus vous apprécierez cette quiétude intérieure, plus vous rechercherez cette « muette amitié » et plus vous saurez l'emporter avec vous partout où vous irez. L'objectif premier de la quiétude et du silence intérieurs est de nous faire prendre conscience des nombreux rapports que nous entretenons à notre insu avec nous-mêmes, par la pensée et par l'émotion. Par la pratique du silence et du recul, nous en venons à comprendre qu'un « moi » vit à l'écart de notre brouhaha intérieur. Peu à peu, nous nous retrouvons sans effort au cœur même de ce moi silencieux. Lorsque cela se produit, au moment même où cela se produit, la conscience de nous être détachés des intrus que nous croyions être nous renforce et nous réconforte. Persévérez.

Qu'est-ce que la méditation ? Y a-t-il une forme de méditation qui « surpasse » les autres ?

Méditer, c'est être disposé à travailler pour prendre conscience des rapports que nous entretenons avec nous-mêmes vingt-quatre heures sur vingt-quatre. Pour savoir quelle est la meilleure forme de méditation, il nous faut d'abord comprendre le but même de la méditation. La méditation ou la prière nous donne l'occasion d'entrer en contact avec ces aspects de nous-mêmes qui sont situés au-dessus de nous. Sachant cela, la méditation la meilleure est celle qui favorise cette communion. Persévérez. Les parts de vous qui sont au-dessus de vous sauront vous guider.

Devons-nous prier uniquement pour atteindre Dieu ou pouvons-nous aussi demander autre chose, par exemple, la guérison d'un ami ou une vie plus heureuse ?

La prière est un véhicule. Envisagez-la ainsi. Il est certain que nos prières peuvent aider les autres, mais seulement si elles s'enracinent dans la sincérité. D'autre part, prier pour améliorer notre sort relève d'une nature inconsciente et fragmentée qui croit pouvoir échapper à son univers étroit ou restrictif en grimpant à une corde lisse dont elle tient l'autre extrémité. Chacun de nos problèmes, chacune de nos limites trouvent une réponse dans la découverte de notre véritable essence. Si nous acceptons de « chercher le Royaume », tout le reste suit. Un univers immensurable se déploie en chacun de nous. La découverte de ce Royaume plus vaste nous permet d'envisager nos problèmes sous leur vrai jour, c'est-à-dire que nous nous rendons compte qu'ils sont négligeables ou sans importance.

De temps à autre, ma prière et celle de mon entourage proviennent d'un sentiment de contrainte (d'un besoin de secours, par exemple) plutôt que du désir de toucher le « Royaume intérieur ». Est-il possible qu'à notre insu nous ignorions le sens réel de la prière et que nous causions les problèmes mêmes auxquels nous voulons échapper en priant ?

Tout à fait. Qui plus est, lorsque nous prions pour apaiser notre sentiment d'incomplétude (pour des raisons matérielles), nous renforçons cette incomplétude inconsciente. Chaque fois que nous l'alimentons à notre insu, elle prend de l'ampleur.

Le recours aux mantras est-il bénéfique, voire indispensable à notre évolution spirituelle ?

Tout accessoire est inutile en soi. Ce n'est pas *ce* que nous faisons qui importe, mais *pourquoi* nous le faisons. Notre intention véritable, le souhait qu'exprime notre cœur nous apprennent à discerner ce qui « fonctionne » et ce qui ne sert à rien.

Je m'applique à la « prière répétitive », mais j'ai parfois l'impression de n'être qu'un perroquet. Comment peut-on concilier la prière répétitive avec la leçon du Christ qui nous commande d'éviter les répétitions inutiles ? Il me semble parfois que cette forme de prière ne sert qu'à me distraire.

Ne soyez pas un perroquet. Voilà ce que signifie cette leçon du Christ. Elle nous enjoint de ne pas remplacer un réflexe par un autre. La pratique de la prière répétitive est un instrument ; elle n'a pas pour but de nous définir. Enfin, si vous êtes en état d'éveil, si vous êtes attentif à votre vie extérieure et intérieure (ce qui est le but réel de cette forme de prière), la prière répétitive devrait vous aider à concentrer votre attention au lieu de l'éparpiller.

J'appréhende beaucoup, ces temps-ci, de ne jamais parvenir à la véritable spiritualité. Cette crainte a deux sources : d'une part, je sais qu'il me faudrait être capable de longues méditations s'échelonnant même sur plusieurs heures. D'autre part, je n'ai ni le temps ni la patience qui me permettraient d'entrer dans un état méditatif suffisamment constant pour apprendre ce que je sais devoir apprendre. Que devrais-je faire ?

La voie supérieure commence là où la voie inférieure nous devient intolérable. En d'autres termes, nous entreprenons notre quête intérieure lorsque nous prenons conscience de la futilité de nos actes passés. Mais nous devons aussi songer à ce qui suit : il nous est impossible de déceler la futilité d'une action sans d'abord prendre conscience du moi qui en est responsable. Lorsque nous nous voyons enfin tels que nous sommes, nous ressentons spontanément le besoin de cette sagesse nécessaire à notre transformation. Cette faim est notre guide infaillible. Ne vous inquiétez pas de savoir si oui ou non vous réussirez. Soyez plutôt attentif aux moments où vous vous engagez dans une impasse.

Comment pourrai-je jamais développer ma spiritualité si je suis incapable de la quiétude essentielle à la méditation ? Lorsque je m'efforce de méditer, je me surprends à planifier ma journée ou alors je m'endors. De temps à autre je me reprends, mais j'éprouve alors un profond sentiment d'échec. Que dois-je faire pour avoir envie de m'adonner à la méditation ?

L'une des premières et des plus importantes étapes de notre développement spirituel est la prise de conscience que nous ne nous possédons pas, mais bien que nous sommes possédés par des formes inférieures d'énergie (notamment, nos pensées et nos émotions). Il nous est impossible de connaître l'éveil intérieur, ou même d'en éprouver le désir sincère, tant que nous n'avons pas mesuré la profondeur de notre sommeil spirituel. C'est à ce moment seulement que nous commençons à souhaiter nous réaliser et à manifester une volonté sincère d'y parvenir.

La répétition continuelle d'une prière ou d'un mantra correspond-elle à l'état d'éveil qui accompagne cet exercice ?

La prière répétitive nous aide à rester éveillé ; elle n'est pas l'état d'éveil lui-même. Je veux dire que toute forme de discipline mentale, qu'il s'agisse de la prière ou de la respiration consciente, nous aide à prendre conscience du courant ininterrompu et automatique de nos pensées et de nos émotions. À chaque fois qu'il vous est possible de surprendre une pensée ou une émotion au moment où elle tente de s'imposer à vous, et de vous en débarrasser, vous êtes « en état d'éveil. » La persistance dans la détection et le rejet des actes mécaniques du mental favorise et renforce à long terme notre relation avec l'esprit céleste.

L'état méditatif requiert-il une respiration contrôlée ?

Entre autres raisons, nos états négatifs maintiennent leur emprise sur nous parce qu'en nous identifiant au faux moi qu'ils engendrent, nous leur résistons. Cette résistance s'extériorise par une constriction involontaire. Notre poitrine se resserre, provoquant une respiration superficielle. Prenez conscience de votre respiration détendue lorsque vous êtes confortablement assis ou que vous méditez. Respirez ainsi en tout temps. Vous gagneriez également à lire certains ouvrages de qualité consacrés à la prière et à la respiration.

J'ai de plus en plus l'impression de m' « agiter » au lieu de simplement « être ». N'est-ce pas lorsque je me prends sur le fait que je devrais entrer dans le silence ?

Nous aspirons au silence intérieur au beau milieu de nos activités. Voyez-vous l'importance de cela ? En perfectionnant une quiétude indépendante de notre agitation (intérieure ou extérieure), nous entrons dans un rapport nouveau avec ces énergies. Ce rapport nous procure l'avantage d'être conscient de ces tendances au lieu de leur être soumis.

Je crois que je pourrais plus facilement observer le silence ou tolérer la solitude si je m'intéressais davantage au silence. Comment puis-je devenir amoureux du silence ?

Que s'est-il passé quand vous êtes tombé amoureux pour la première fois ? Un aspect de l'objet de votre amour vous intriguait. Elle possédait un je-ne-sais-quoi, une vertu, qui vous nourrissait. L'amour du silence naît spontanément en nous si nous nous efforçons d'enrichir notre rapport avec lui. Le silence héberge un tout autre univers, de nouvelles vertus et un nouvel Amour. Recherchez-le.

LE CHRISTIANISME ET LA CONSCIENCE SUPÉRIEURE

Je n'ai jamais ressenti le besoin de faire partie d'une religion institutionnelle, car j'ai été témoin de trop de violence et d'hypocrisie perpétrées au nom de Dieu. J'appréhende aussi de développer une dépendance à Dieu. Croyez-vous qu'une transformation spirituelle sincère requiert l'acceptation du christianisme traditionnel ?

Vos inquiétudes au sujet de Dieu, de la religion et des institutions est importante. Nul n'est vraiment requis de croire en quoi que ce soit. La réalité (ou Dieu) ne dépend pas de la foi. L'important est notre quête du Vrai. La signification réelle de la vie du Christ (et non pas le cauchemar tordu qu'on en a fait) n'a rien à voir avec notre foi en lui, et tout à voir avec notre relation avec lui. Ses enseignements, comme ceux de tout autre maître authentique, tentent depuis toujours de nous faire voir la vie sous son vrai jour et de trouver en elle notre destinée. L'aspect le plus fascinant de la « quête » du Vrai est que chaque pas que nous faisons dans le désir sincère de découvrir la vérité de la vie nous révèle cette seule et même vérité. Quand vous dites ne pas vouloir dépendre de Dieu, cela revient à dire que vous ne voulez pas dépendre de l'air que vous respirez ! Le danger réside dans la dépendance au concept de Dieu. Mais lorsque nous perçons à jour la nature même de tout concept (c'est là le cœur de notre travail spirituel), nous perçons le moi à jour, ce faux moi qui est aux antipodes des concepts auxquels il s'accroche pour sa sécurité spirituelle.

Diriez-vous que vos enseignements se fondent sur des principes chrétiens ?

Le rétablissement de notre rapport au Suprême sous-tend tous mes écrits et tous mes enseignements. Pour moi, le Seigneur Dieu est notre Maître. J'ai découvert que les êtres humains ont été créés pour être à la fois gouvernants et gouvernés, mais si nous ne comprenons pas la nature de notre relation avec notre Maître, nous ne gouvernons rien du tout et nous ne nous gouvernons même pas nous-mêmes. J'insiste beaucoup, dans mes conférences et mes écrits, sur cette compréhension supérieure, mais je ne fais pas forcément appel à une tradition religieuse particulière ou à un précepte donné pour illustrer mon propos. Je crois que nous devons trouver la vie du Christ dans notre propre vie plutôt que d'essayer de nous trouver dans notre conception du Christ. Nous savons alors ce que signifie mourir, car nous comprenons que cette mort est *indispensable*. Pour moi, la vie et l'œuvre du Christ n'ont pas de prix.

De nos jours, on étiquette tout. Selon vous, qu'est-ce qu'être chrétien ? Qui peut le décider ?

Chacun de nous reçoit de cette vie « ce qu'il est ». Et ce que « nous sommes » dépend entièrement de ce que nous aimons. Être chrétien, c'est sans doute préférer à soi-même la bonté du Vrai... Mais nul ne peut en décider et nul ne devrait être contraint d'en décider.

Christ, Bouddha, Moïse, Mahomet... tous ces prophètes nous ont démontré qu'une volonté supérieure régissait nos vies. Ces traditions n'ont-elles donc pas leur place dans notre quête spirituelle ?

Les grandes traditions religieuses peuvent être pour nous une source d'encouragement et même de connaissance dans notre éveil spirituel. Mais la tradition religieuse, quelles que soient sa profondeur et son ampleur, ne représente et ne doit représenter qu'un aspect de notre travail. Notre tâche est d'entrer en contact avec la même conscience céleste qui a animé ces grands hommes et ces grandes femmes. Ils ont ouvert la voie aux traditions religieuses. Attachons-nous à cette voie, et non pas aux traditions elles-mêmes.

Que faut-il faire pour aller au ciel ?

Sachez avant tout que le ciel n'est ni un royaume à venir, ni un lieu à « atteindre », mais bien un domaine céleste, éthéré, où nous pouvons connaître des niveaux de conscience toujours plus élevés. « Comment » gagner ce paradis ne relève que de vous ; mais voici un indice : « Connais-toi toi-même. » Pourquoi ? Car le Vrai que vous découvrirez ainsi vous libérera de vous-même. La délivrance de soi est synonyme de vivre au sein du moi véritable, et le moi véritable est ce paradis auquel vous aspirez.

Depuis que je parviens à la quiétude, que j'observe mes pensées et que je les vois sous leur vrai jour, je me suis affranchi de plusieurs vices que j'avais cru auparavant devoir emporter avec moi dans la tombe. Tout cela m'est venu sans effort, et je sais au plus profond de moi que j'ai trouvé le Vrai. Lorsque j'ai voulu faire part à un ami chrétien de la liberté que j'ai trouvée en lâchant prise, il s'est beaucoup préoccupé de mon salut éternel. Il relie tout à la mort du Christ et à sa résurrection et, plus précisément, à cette phrase : « Je suis la voie, la vérité et la vie. Nul ne vient au Père que par moi. » Comment réconcilier ces choses ? Comment puis-je discuter de cela avec mon ami ?

Le Christ, mise à part son incarnation en la personne de Jésus, n'est pas une personne mais une puissance céleste. Sa vie est la liberté. Et cette liberté est donnée à quiconque appréhende d'être captif de lui-même. Le paradis n'est pas un temps à venir, tout comme le Christ n'est pas un moi futur. Le Royaume est en nous. Il n'est ni une pensée, ni un credo, ni une croyance, ni même une expression de la foi. Il appartient à l'homme ou à la femme qui aspire à la vie réelle. Le Christ lui-même disait à ses disciples : « Observe. » Ce mot araméen signifie « Sois vigilant ! » Ne tentez pas de convaincre qui que ce soit de quoi que ce soit et méfiez-vous de ceux qui cherchent à vous convaincre par la « terreur ». Si vous examinez de près la personne qui vous met en garde contre la damnation de l'enfer, vous verrez qu'elle se trouve elle-même dans l'enfer de sa peur. Soyez fidèle à votre désir de liberté, non pas à la personne qui prétend savoir où se trouve cette liberté tout en étant elle-même prisonnière de son mimétisme. Votre Amour de la lumière s'épanouira, et cet épanouissement vous fera présent de la vie du Christ telle qu'elle devait vous être donnée.

Que voulait dire le Christ quand il disait que nous devons porter notre croix et le suivre ? Je ne sais trop en quoi consiste le « suivre ».

Pour qui cherche la vie, la transformation de l'être au cœur froid et amer en homme nouveau ou en femme nouvelle exige un acquiescement. Le moi doit se soumettre et être disposé à tolérer sa nature présente tandis qu'il passe de sa forme actuelle à ce qu'il n'est pas encore. Cette transformation consciente, c'est notre «crucifixion», car la douceur de la vie divine ne nous est donnée qu'après le sacrifice, c'est-à-dire après que la vie que nous vivons soit devenue la Vie que nous ne sommes pas encore en mesure de connaître. Les fibres de notre être profond se déchirent; elles ne mûrissent pas mais elles sont remplacées une à une, elles renaissent dans l'éclat de la naissance de Dieu au plus profond de nous, tandis que nous mourons à tout ce que nous avons déjà été et à tout ce que nous espérions devenir. Le fait de savoir que notre volonté ne se transforme pas mais qu'elle s'abandonne ne nous rend pas ce passage moins douloureux. Néanmoins, l'attente – et la maturation – nous sont plus tolérables.

UN ÉCLAIRAGE NOUVEAU SUR LES ENSEIGNEMENTS DE LA BIBLE

Les commandements de la Bible viennent-ils vraiment de Dieu, ou ont-ils été interprétés par l'homme? On dirait que l'homme détruit tout.

Oui, le monde est à l'envers, mais c'est uniquement parce que notre rapport à la vie est faussé, de même que notre rapport au Vrai, car notre vie spirituelle occupe le second rang après nos aspirations et nos ambitions humaines. Lorsque nous faisons volte-face (c'est là le sens étymologique du verbe «repentir»), le Vrai nous est révélé sans intermédiaire. Toute vérité qui n'est pas née en nous et pour nous devient alors notre geôlière. Soyez vigilant. Demandez à Dieu de vous aider à voir le Vrai en toute chose. Ainsi, lorsque vous lirez la Bible ou tout autre grand texte sacré, vous saurez par vous-même si ces mots ont été révélés ou s'il sont sortis de la bouche de menteurs assoiffés de pouvoir.

Lorsque Jésus dit à ses disciples qu'ils doivent se perdre pour se trouver, veut-il dire que c'est ainsi que nous trouvons notre vrai moi? La Bible peut-elle nous révéler le Vrai?

Oui, nous découvrons qui nous sommes en réalité, notre véritable nature, si vous préférez, en étant toujours conscient de qui et de ce que nous ne sommes pas. Ce processus est évident pour celui qui se penche sur lui-même. À mesure que nous comprenons ce que nous ne pouvons plus continuer à être, nous mourons en quelque sorte à nous-mêmes, et cette mort volontaire du moi donne lieu à un sentiment de renaissance par – et en rapport avec – le Christ/Dieu. La Bible est une excellente source de sagesse et d'encouragement, du moment que l'on accepte que ses enseignements sont, en fait, les découvertes que nous faisons dans notre vie de tous les jours.

Les enseignements profonds et ésotériques de la Bible m'échappent totalement si je ne dispose pas de commentaires éclairés. Pouvez-vous me conseiller un ouvrage qui puisse me guider ?

Voici quelques mots d'encouragement : les principes de la Bible, ou ceux de tout autre texte sacré, sont des principes vivants en chacun de nous. Cela signifie qu'un travail patient et une réceptivité constante vous aideront à percer les desseins secrets de l'univers que Dieu a conçu. C'est là le seul enseignement authentique, et voilà pourquoi nous devons persévérer sur le chemin de la spiritualité. Cela dit, permettez-moi une mise en garde. Vous n'imaginez pas le tort dont sont responsables certains soi-disant chefs religieux qui publient leurs pensées et leurs idées personnelles sur la vie spirituelle en se persuadant que celles-ci sont synonymes de Sagesse divine. Tout est sens dessus dessous, de nos jours. Des individus assoiffés de pouvoir ont tordu et pollué des enseignements jadis exemplaires dans le but de les rendre acceptables à une masse décadente.

Que pensez-vous de ce commandement du Christ : « Aime ton prochain comme toi-même » ?

« Aime ton prochain comme toi-même » est l'un des plus grands commandements. C'est un principe éternel qui remonte aux premiers temps du monde. Mais permettez-moi de vous suggérer de ne pas vous contenter d'aimer votre prochain : découvrez surtout l'essence de cet Amour que vous portez en vous. Ainsi, à mesure que vous vous connaîtrez, que vous saurez qui vous êtes et ce que vous possédez, vous deviendrez capable d'un véritable Amour. Cet Amour nouveau rendra possible l'Amour sincère du prochain.

Laisser la vigilance, l'éveil prendre possession de nous... est-ce là ce que voulait dire le Christ quand il disait: «Celui qui perd sa vie la trouve»?

Oui. «On ne met pas du vin nouveau dans des outres vieilles.» Cela suppose un certain ordre des choses. Notre devoir consiste à découvrir cet ordre des choses – et il devient notre vie.

Lorsque Jésus dit à Thomas: «Heureux ceux qui n'ont pas vu et qui ont cru», veut-il dire que l'espoir que l'on voit n'est pas un espoir authentique?

À mesure que nous étudions et que nous nous éveillons, nous constatons que nous faisons déjà partie d'une nature éternelle au sein de laquelle tout a lieu et tout nous est donné. Ce ne sont pas là de vains mots. Tandis que cette présence se renforce en nous, nous ne percevons pas ce à quoi nous aspirons, mais nous devenons cette nature. Nous nous unifions au Vrai qui sait déjà que «tout est parfait». D'une certaine façon, nous entreprenons notre périple dans l'espoir qu'une telle vie existe, et, en route, cet espoir se renforce en même temps que le moi, qui ne se connaissait qu'à travers cet espoir, et en vient à disparaître. L'espérance authentique existe, mais nous devons être vigilant et ne pas la confondre avec le faux espoir. Avec le faux espoir, vous vous dites qu'un jour vous échapperez à vous-même grâce à vos idées et à vos aspirations de liberté. Avec l'espoir authentique, vous comprenez que l'être que vous êtes en réalité est déjà en rapport avec Dieu, et qu'il ne s'agit pas d'espérer qu'il entre dans votre vie mais bien de découvrir lesquels de vos faux moi vous masquent sa présence.

Lorsque Jésus s'est rendu jusqu'au sommet du mont Tabor où il s'est entretenu avec Moïse et Élie, a-t-il ouvert une porte sur le monde spirituel? Pouvons-nous faire de même, et devons-nous voir dans ces enseignements des paraboles ou des événements historiques réels?

Il importe de comprendre qu'un grand nombre, sinon tous les récits du Nouveau Testament sont des paraboles et qu'on ne doit pas forcément les prendre au pied de la lettre. Je n'insisterai jamais assez sur le fait que nous ne saurions trouver leur sens qu'en nous-mêmes. Nous ne devons pas commettre l'erreur de lire une interprétation rationnelle de nous-mêmes dans ces récits spirituels, mais bien y puiser l'inspiration dont nous avons besoin pour vivre l'expérience intérieure que ces récits décrivent. Je vous assure que ces grands textes sacrés comportent des découvertes qui attendent chacun de nous dès lors que nous osons franchir les frontières de notre intériorité.

J'ai toujours pensé que, lorsque Jésus a affronté Satan dans le désert, c'est à lui-même qu'il a livré bataille. « Satan » n'est-il pas notre faux moi ?

En nous résident toutes formes créées. La conscience qui nous vient de Dieu nous permet de découvrir ces puissances éternelles qui agissent sur nous et de choisir de vivre *selon nos volontés*. Le Christ, la lumière, les ténèbres... tout vit en nous. Il nous appartient de choisir.

Chaque génération croit que l'Apocalypse a été écrite pour elle et que, par conséquent, toute catastrophe qui y est décrite marque la fin des temps pour cette génération. Quel est la signification réelle de l'Apocalypse ?

En un certain sens, nous sommes toujours parvenus à « la fin des temps ». Nous ne percevons la vie terrestre qu'à travers un moi qui est une création du temps et qui situe l'histoire dans la linéarité temporelle. En réalité, tout a déjà eu lieu et tout est en train d'avoir lieu. Le Christ a lieu maintenant. Notre choix a lieu maintenant. L'Apocalypse a lieu maintenant. La fin des temps a lieu maintenant. Notre devoir consiste à nous réveiller et à choisir la lumière, c'est-à-dire le bon côté de la vie.

◆ ◆ ◆

Libérez-vous en instaurant en vous-mêmes un nouvel ordre des choses

Ainsi que nous l'avons appris tout au long de nos travaux sur le Vrai, notre entrée dans la vie réelle est directement proportionnelle à l'éveil de notre nature endormie. Cette réalité nous met en face de certains des mystères spirituels les plus importants et les plus anciens de l'histoire de l'humanité.

Le mythe du Phœnix, l'énigme du Sphinx, même la légende la naissance du Christ dans une étable... tout cela nous démontre qu'une nature vit au cœur d'une autre nature, que deux ordres distincts se fondent en un seul rapport, soit un ordre inférieur et un ordre supérieur. Le premier dort, et le second, qui lui est supérieur et responsable de ses aspects inférieurs, est en état d'éveil. Nous devons parvenir à cet état intérieur avant d'être en mesure de renverser ce rapport pour que le moi endormi prenne conscience de l'esprit qui l'habite. À cette fin, nous devons profiter de chaque instant pour nous *éveiller* à nous-mêmes au lieu de nous soumettre au cercle vicieux habituel des rêves où nous assumons tour à tour le rôle du héros et celui du vaurien.

Pourtant, c'est souvent au moment où se manifeste notre volonté d'éveil que nous sommes confrontés à un vieil ennemi : l'obstacle du « comment », cette ancienne barrière dressée par ce même moi endormi dont nous désirons nous affranchir. À cette étape de notre épanouissement surgit une autre fascinante réalité. Le chemin où nous nous sommes engagés est rempli d'embûches pour l'imprudent : tout ce que l'on cherche à nous faire croire, tout ce que l'on nous conseille de faire pour nous éveiller devient un obstacle supplémentaire et s'ajoute aux restrictions intérieures que nous aspirons à transcender. Sachez donc que notre réussite spirituelle dépend beaucoup moins de ces « méthodes », ou de ceux qui tentent de nous les inculquer, que de *notre prise de conscience naissante de la nécessité pour nous d'être vigilants.* Car bien que nous puissions souvent succomber aux illusions, *ce* besoin divin que nous portons en nous-mêmes ne saurait être trompé. *Cette* conscience est notre *seule* amie et notre unique alliée sur le chemin de l'éveil spirituel. Voici pourquoi.

Tant que nous nous laisserons volontiers envelopper par le rayonnement de notre conscience en éveil, la lumière qui perce nos ténèbres intérieures ne nous permettra pas de retomber dans notre ancien sommeil spirituel. Cette conscience de soi supérieure est précisément la force lumineuse qui favorise le renversement indispensable des deux natures distinctes qui vivent au plus profond de nous. En sa présence, les aspects jusque-là actifs de notre moi inférieur deviennent passifs tandis que notre moi supérieure se révèle et agit. Si nous gardons bien vivant à l'esprit ce principe inhérent au chemin du Vrai, nous ne pouvons pas nous tromper. Dans sa douce lumière réformatrice, même nos « erreurs » spirituelles joueront en notre faveur. Tout cela nous met en face d'une vérité simple et absolue... si simple, en fait, que rares sont ceux qui la perçoivent, et si absolue que sa justice est universelle. Permettez que je la formule de plus d'une façon.

Nous devenons ce que nous aimons. Ce qui occupe le premier rang dans notre vie est ce que nous recevons de la vie. Le trésor que renferme notre cœur évalue et détermine notre richesse ou notre pauvreté intérieures. Mais ce que nous aimons ne nous rend pas forcément cet amour. Ce que nous appuyons ne nous rend pas forcément service. Seul Dieu, seul le Vrai ne nous font jamais défaut... jamais. Ce qui nous amène à l'exercice suivant qui, tout comme le Vrai qu'il nous révèle, est la simplicité même.

Lorsque nous sommes confus, déprimés, en colère contre quelqu'un ou contre nous-mêmes pour quelque raison que ce soit, nous devons nous réveiller et comprendre intérieurement que cette souffrance est due au fait *qu'en de tels moments, nos pensées et nos émotions nous dominent*. Il nous faut admettre que *ce moi* dominant fait tout en son pouvoir pour « redresser un arbre tordu », mais que, *tel qu'il est*, il ne suffit pas à la tâche. Nous avons besoin, en réalité, qu'agisse sur notre vie une force beaucoup plus grande que toutes celles que nous sommes en mesure de créer par nous-mêmes. Il est indispensable de bien assimiler cette réalité.

Plus notre situation nous devient claire – soit que ce dont nous faisons l'expérience correspond à *ce que nous sommes*, ni plus, ni moins – nous pouvons nous affranchir, renoncer à nos désirs et à notre vision des choses. Et c'est dans ce bouleversement intérieur que nous trouvons la voix silencieuse qui présente sa demande au Tout-Puissant : *Intervenez et exercez votre empire sur cet instant.*

Lorsque nous faisons ainsi appel à une puissance supérieure, nous développons avec nous-mêmes un rapport entièrement nouveau. Lorsque nous nous efforçons de nous souvenir de nous-mêmes de la sorte, et de nous souvenir de Dieu, nous acceptons d'oublier notre rapport à notre ancien moi et à ses exigences nombreuses et irréalisables. Nous accueillons en nous un nouvel ordre des choses qui nous est favorable ; nous lui donnons la préséance. Grâce à cette nouvelle alliance et à notre désir de placer le Dieu vivant au-dessus de toutes nos autres considérations, nous découvrons que Dieu, en retour, nous met à l'abri de toutes les afflictions.

CHAPITRE 13

Quelques données réconfortantes concernant notre cheminement spirituel

Il est dans la nature humaine de chercher... et comme des enfants qui participent à une magnifique chasse aux œufs de Pâques, tout homme et toute femme découvre *quelque chose*. Le simple fait d'exister nous le *garantit*. Mais pour certains d'entre nous, la cueillette d'objets brillants et colorés ne suffit pas. Peu importe le nombre de friandises qui remplissent nos paniers bordés de rêve, quelque chose... quelque part... demeure insatisfait. Cette histoire vous dit-elle quelque chose ?

Les deux personnages dont vous ferez la rencontre ci-dessous vous sembleront sans doute familiers, peut-être même les connaissez-vous déjà très bien. Si ce n'est pas le cas, leur histoire est de celles qui contribuent à mettre en lumière ces aspects de nous-mêmes que nous ont toujours caché les « moi » dont la floraison ne saurait avoir lieu que dans l'obscurité. Faisons de la lumière ! Observons ! Voici le premier de ces deux récits.

Charles savait au fond de lui-même que ce qui venait de se produire était surtout dû à la chance. Il venait de signer le plus important contrat de sa carrière ! Néanmoins, quelques secondes avant d'appeler ses collègues pour leur annoncer la « bonne nouvelle », il avait déjà inventé un scénario fabuleux qui lui permettait de dire, sans le dire, que ses efforts personnels avaient été déterminants dans sa bonne fortune.

En raccrochant le combiné quelques minutes plus tard, après avoir entendu toutes les louanges qu'il espérait, il se sentit envahi par un étrange sentiment d'anxiété.

N'avait-il pas perçu du scepticisme dans la voix de William ? Denise n'a-t-elle pas semblé agacée comme si elle remettait en question sa version des faits ? Tant pis... il y verrait plus tard. L'heure était enfin venue pour lui de s'acheter la voiture de ses rêves. Rien ne pourrait empêcher cela de se produire.

Deux heures plus tard, tandis qu'il rentre chez lui au volant de sa voiture flambant neuve, Charles se dit que, même s'il est très heureux de sa nouvelle acquisition, il aurait dû choisir un modèle avec des sièges en cuir plutôt qu'en tissu. Et pourquoi n'a-t-il pas acheté le modèle plus puissant en dépit de la cherté de l'essence ? Est-il possible de faire teinter le pare-brise *après* que le véhicule soit sorti de l'usine ? Oups... ! à force de se laisser distraire, voilà qu'il a raté sa sortie !

Au moment où, parvenu chez lui, Charles gare sa voiture dans l'entrée de garage et entre dans la maison, la liste des changements qu'il désire effectuer à sa voiture neuve est trop longue pour qu'il s'en souvienne. Évidemment, quand sa femme lui demande en souriant s'il a passé une bonne journée, il se fâche parce qu'elle interrompt le fil de ses pensées, *d'autant plus* que le témoin du succès de sa journée est là, garé tout à côté de la maison. Si seulement elle faisait un peu plus attention !

Quelques heures plus tard, au dîner, alors que le couple devrait célébrer dans la détente la bonne fortune de Charles, ce dernier est si obsédé par ses préoccupations qu'il doit à plusieurs reprises demander à sa femme de répéter ce qu'elle vient de lui dire. Ce soir-là, alors que, confortablement installé dans un fauteuil, Charles passe en revue les événements de la journée, il se surprend à envisager le lendemain avec anxiété. Il ne sait pas ce que cette journée lui réserve et il s'épuise déjà à imaginer tous les problèmes qu'il devra régler ou tenter de régler s'il veut dominer la situation.

Enfin, juste avant de sombrer dans un sommeil réparateur, il entend une petite voix familière lui répéter, comme elle le fait toujours dans de telles circonstances : «*Ça va durer longtemps ? N'en as-tu pas assez...?* »

Et voici la deuxième histoire.

« Cette soirée est *parfaite* », ne cesse-t-elle de se répéter. « Après tout, pourquoi en serais-je déçue ? C'est *moi* qu'on fête ! » Néanmoins, Solange a l'impression qu'elle n'est pas la seule des personnes présentes à avoir envie d'être ailleurs. Elle sent d'instinct que plusieurs des invités (sinon tous) croient que l'on devrait fêter une personne beaucoup plus méritante qu'elle... eux, par exemple !

« Non », se dit Solange d'un air de reproche. « Je ne dois pas m'abaisser à *leur* niveau. » Elle procède à une sorte d'examen de conscience, cherche en elle une pensée qui soit moins critique d'autrui, plus conforme à la vérité. Un sourire amer se dessine sur ses lèvres. « Voilà. Ça y est. » Son sourire s'élargit. La vérité est que *cela lui est parfaitement égal* d'avoir été promue au conseil d'administration du plus prestigieux organisme caritatif de la région.

Imaginez... Depuis des années, Solange rêvait du moment où l'on reconnaîtrait enfin ses efforts. Mais maintenant, elle souhaite plus que tout que la fête se termine, et, tout en feignant de s'amuser, elle ne cesse de se demander avec un brin d'agacement : «*Est-ce qu'on va bientôt commencer à s'amuser ?*» Un part d'elle-même se délecte toutefois de son sarcasme muet. Il lui procure un vague sentiment de supériorité sur les autres.

L'enfant qu'elle porte depuis sept mois lui donne un violent coup de pied au côté, interrompant ainsi sa rêverie et la replongeant brutalement dans la réalité.

C'est son deuxième enfant, si bien que Solange ne s'inquiète pas de cette agitation. Elle murmure, mi-badine : « Merci bien ! », car son imagination l'avait entraînée au profond d'elle-même en un lieu où elle ne tenait pas à aller.

À ce moment, elle lève les yeux et aperçoit son mari qui vient vers elle. Elle est fière de lui, de son apparence, de sa démarche. Même les plus cyniques de ses amies l'envie d'avoir trouvé un aussi bon mari. Non seulement ne l'a-t-il jamais fait souffrir, mais il fait tout ce qu'il peut pour la rendre heureuse. Ils ont une belle maison, de beaux meubles, et même des économies. « Que pourrais-tu demander de plus ? » se dit-elle tandis qu'elle dresse le bilan de sa vie pendant les dix secondes que met son mari à la rejoindre.

« Es-tu heureuse, ma chérie ? » fait-il, rayonnant de fierté et persuadé qu'il connaît la réponse de sa femme.

« Oui, bien sûr », dit-elle avec le sourire. « Qui ne le serait pas ? » Puis elle détourne son visage. Elle ne veut pas qu'il voie ses yeux et y décèle le mensonge qui s'y cache, car, s'il le voyait, il comprendrait ce que son cœur lui dit à chacun de ses battements malheureux : «*Est-ce là tout ce que la vie a de bon à m'offrir ?*»

L'histoire de Charles et celle de Solange sont différentes et pourtant étrangement identiques.

Voici deux individus qui aspirent à la réussite et au bonheur, chacun à sa manière. Leurs chemins ne risquent pas de se croiser ; pourtant, tous deux sont parvenus intérieurement à une étape similaire : à ce point de leur vie, tout en étant aux antipodes l'un de l'autre, ils occupent le même espace. *Chacun d'eux sait qu'il a épuisé toutes les réserves de son existence et que, malgré tout, il éprouve un bizarre sentiment d'inachèvement.* Ces récits nous mettent en face d'un grand mystère qui entoure la découverte du chemin de la véritable spiritualité.

Charles et Solange l'ignorent sans doute encore, mais la vie elle-même a pavé la voie qui mène au carrefour intérieur où ils se tiennent maintenant. Car au moment précis où ils constatent une fois de plus, chacun de leur côté, que la satisfaction qu'ils recherchent est *encore* hors de leur portée, *une autre révélation,* tout à fait inattendue, leur est donnée, une révélation qu'ils n'ont encore jamais ressentie au cours de leur vie.

Une autre route s'ouvre à leur regard intérieur. Un croisement apparaît là où, auparavant, il n'y avait qu'un seul chemin. Juste au-delà de sa grille ouverte et invitante, ils peuvent apercevoir la promesse d'une toute nouvelle vie.

Oui, ce premier mystère en dissimule un second. Car c'est *en ce moment* que la souffrance inapaisée que tous deux ressentent face à *tout ce qui a été* montre qu'elle porte aussi en elle le germe de *tout ce qui pourrait être.* Ils sont au seuil de *la cinquième saison de la vie*... qui les invite à parcourir le chemin spirituel conduisant à la vie éternelle. Ceux d'entre nous qui désirent comprendre l'essence de cette cinquième saison, y pénétrer et concrétiser la vie qu'elle promet, doivent avant tout connaître les saisons secrètes qui ont élu domicile dans les quatre saisons terrestres.

Au cœur des quatre saisons – hiver, printemps, été et automne – repose le germe d'un très ancien et très important mystère, un mystère inhérent à la beauté particulière de chaque saison et en même temps la manifestation extérieure de celle-ci.

Par exemple, l'hiver... sa vie toute blanche et dépourvue de feuilles. Mais même dans cette tristesse, quelque chose de plus que l'immobilité nous atteint. L'essentiel de ce que nous entendons, si nous avons des oreilles pour entendre, gît dans *ce qui n'est pas dit*, car le masque mortuaire de l'hiver annonce la saison vivante qui suivra. Ce printemps *non dit* constitue le mystère de l'hiver, tout comme un rayon de soleil qui perce les nuages nous dévoile ce qui vit sous l'orage imminent.

Les signes annonciateurs du printemps sont eux aussi porteurs de mystère. Chaque bourgeon, chaque brin d'herbe qui pousse dans la terre noire, bref, toute la nature en éveil suscite notre émerveillement. Partout où cet éveil a lieu, il enferme un rayon d'espoir, une promesse encore en devenir. Tel est le mystère du printemps. Quelque chose en nous renaît à l'accueil de la vie qui se renouvelle autour de nous. Il doit en être ainsi. La manifestation du visible nous dévoile l'invisible. Et l'invisible nous promet un avenir encore meilleur. Les vers de William Blake expriment la profondeur de ce mystère :

Voir l'univers dans un grain de sable
le paradis dans une fleur des champs
Tenir l'infini dans la paume d'une main
et l'éternité dans une heure

Nous avons raison d'être émus par ce que cette vision supérieure de la vie nous dit de l'essence cachée de la réalité : quel que soit le monde sous nos yeux, il abrite un autre monde encore, et celui-ci un autre, et un autre encore. C'est la vérité. Tout ce que nous voyons nous assure que nous n'avons pas tout vu, que le Tout est juste sous nos yeux.

Ce qu'il faut surtout comprendre ici est que *tout* ce qui nous entoure et toute la vie qui est *en nous* est *concomitant*. Dit autrement : le « céleste » est caché dans le « commun » – comme le plus petit atome est un modèle réduit du système solaire. C'est là le sens de la phrase : « Ce qui est en haut est comme ce qui est en bas. » Ainsi, nous allons bientôt découvrir que même les saisons fondamentales de l'âge humain, soit notre printemps, notre été, notre automne et notre hiver, se composent elles aussi de royaumes gigognes.

Notre enquête commence avec les années plus ou moins innocentes de la jeunesse, mieux connues sous le nom de « printemps de la vie ». Cette phase désinvolte est bientôt suivie par la chaleur de l'été et sa moisson d'Amour douce-amère. Peu après vient l'automne, qui marque le début de nos rêveries amères et le regret d'un passé plus doux, car nous voyons l'hiver poindre à l'horizon, un hiver que nous ne pourrons pas éviter. Dans le froid de plus en plus mordant de cette dernière saison, nous refermons enfin le livre de la vie sur notre espoir déçu d'un impossible renouveau printanier.

Mais si nous examinons de plus près ces quatre chapitres apparemment inéluctables de la vie, nous découvrons qu'un autre livre se cache *dans* le livre de notre existence. *Son* récit invisible comporte un tout autre chapitre et les indications qui nous conduisent à un carrefour. Le chemin devant nous *ne conduit pas* à l'hiver définitif, mais bien à un éternel printemps.

Voici la première partie de ce récit secret écrit au plus profond de *nous*. Il s'ouvre sur la découverte suivante : *chaque saison de notre vie recèle toutes les autres saisons.* Par exemple, au cours de nos douze premières années environ, dans ce fameux printemps de la vie, nous faisons l'expérience, à l'échelle réduite, d'un été, d'un automne et d'un hiver. Mais ces étapes condensées traversent *à notre insu* notre système psychique.

Pour illustrer l'importance de ces saisons invisibles en nous, observons nos âges, en commençant par celui de l'enfance. Ainsi, nous pourrons faire appel à nos propres expériences pour confirmer nos découvertes. Mais ne perdez pas de vue un aspect important de la question : quelle que soit la saison que nous étudiions, *ce que nous espérons y trouver* est ce qui définit le mieux chaque phase de la vie. Par exemple, les enfants ont des intérêts d'enfants, et il en va de même pour chaque groupe d'âge. Le résumé qui suit n'est qu'un exemple du cycle des saisons qui se déploient au sein du printemps de la vie.

Printemps : Nous rêvons de héros, de poupées et de maisons de poupées, de planches à roulettes, de tricycles, de voitures miniatures.

Été : Ces jouets qui n'étaient naguère que des rêves sont enfin entre nos mains.

Automne : Nos trésors s'abîment, de même que leur magie et leurs promesses.

Hiver : Un ennui nous gagne, qui serait insupportable sans l'espoir de joujoux neufs et plus beaux... et nous les recevons. Au printemps de notre enfance, il est normal que le printemps revienne encore et encore, avec chacun des rêves que nous osons rêver.

Mais, ainsi que la vie nous l'apprendra bientôt, ce printemps apparemment inépuisable vient à passer. Nous constatons son départ lorsque nous comprenons que, pour être heureux, *des jouets ne nous suffiront pas*, car nous entrons dans l'été de la vie. Les jeunes adultes ne veulent plus de « joujoux ». L'amour, les voitures sophistiquées et l'argent occupent le premier rang de notre liste de souhaits estivale.

Avec un peu d'imagination, il est facile de voir que toutes les saisons se déploient dans notre deuxième saison de vie, tout comme elles l'ont fait au printemps de l'âge. En premier lieu, nous rêvons de réussite, puis nous comblons ce rêve. Mais trop tôt ces victoires s'estompent et sont suivies de nouvelles batailles que nous devons livrer dans l'espoir de gagner. Les quatre saisons se répètent au cœur de l'été jusqu'à ce que pointe la fraîcheur de l'automne.

Mais, cette fois, quand vient inévitablement l'hiver de notre été, il apporte non seulement la fraîcheur qui a marqué la fin du printemps de la vie, mais un autre froid et, *dans ce froid*, une autre insatisfaction pénètre notre cœur. Nous avons l'impression que quelque chose qui vient *de* nous cherche à nous rejoindre. C'est effectivement le cas.

Car, entre l'hiver de notre été et le printemps imminent de notre automne, il y a une cinquième saison, un temps nouveau intégré au cycle de la vie mais venu de très loin. Quel que soit le nom que nous donnions à cette phase extraordinaire, il ne faut en aucun cas confondre sa présence provisoire avec les malheurs habituels qui se fraient un chemin au cœur des saisons régulières de la vie humaine.

Cette *saison du mécontentement spirituel* n'a rien de commun avec nos tristesses et nos déceptions quotidiennes. La cinquième saison de la vie est unique en raison de qui prend forme en elle : le désir englobant d'une relation avec ce qui ne meurt jamais.

C'est là, dans cette première saison spirituelle authentique, que nous recevons des yeux pour voir *que tout ce que nous avons cherché au long des saisons précédentes de notre vie est impuissant à nous rendre heureux*. Cette révélation est le premier fruit de la saison. Le deuxième, c'est la prise de conscience que nous n'avons aucune raison de nous méfier de cette découverte.

En cette phase d'éveil intérieur, nous constatons que la satisfaction que nous éprouvions au cours des saisons précédentes de notre vie *devait être aussi provisoire que les bonheurs provisoires que nous étions en mesure d'y rechercher*. Et bien que déçus de constater que nous ne pouvons pas tout nous donner nous-mêmes, nous comprenons enfin clairement que *nous avons besoin de plus que ce que nous sommes capables de nous donner*. Nous savons que les œufs de Pâques brillants et colorés qui nous ont un jour tant séduits et dont nous avons cherché à remplir notre panier de rêves disparaissent aussi vite que nous pouvons les ramasser. Ce que nous attendons maintenant de la vie, ce n'est pas le moyen *de posséder davantage*, mais celui de nous *renouveler*, d'être vrais et de perdurer. Tout est prêt. Notre récent mécontentement spirituel est notre meilleure garantie contre l'endormissement et les rêves doux-amers d'une plus belle saison. Dans sa lumière, nous voyons que notre univers passé contient un univers nouveau dont la grille s'ouvre sur le chemin de la spiritualité authentique.

◆ ◆ ◆

LE VÉRITABLE DÉSIR ET LA VÉRITABLE QUÊTE D'ÉVEIL

J'ai l'impression de chercher depuis toujours, mais je n'ai pas encore trouvé l'éclairement que je cherche. L'éclairement est-il un événement, ou s'agit-il simplement de la faculté de comprendre ?

Ne faites pas trop de cas de l'éclairement. L'éveil est concomitant et, pour répondre à votre question, c'est la compréhension spontanée. Par exemple, chaque fois que vous « vous » surprenez à avoir le dessus sur vous-même, vous percevez vos processus intérieurs : c'est là une forme d'éclairement. Pourquoi ? Parce que ce qui était obscur est maintenant lumineux. Votre souffrance s'apaise aussitôt. Lorsqu'on préfère cette lumière spirituelle au faux moi que produisent nos ténèbres intérieures, il s'ensuit (dans le sillage de cette nouvelle perception) que tout le faux est destiné à périr. Ainsi, nous commençons à mourir à nous-mêmes. En d'autres termes, nous nous éveillons pour mieux mourir, et en mourant à nous-mêmes, nous renaissons. L'on peut donc dire que cette renaissance, cette lumière éclatante au cœur d'un homme ou d'une femme, est l' « éclairement ».

Si nous demandons de connaître le Vrai avec sincérité, nous sera-t-il donné ? Tous ceux qui le souhaitent vraiment le reçoivent, n'est-ce pas ?

Dans le Coran, Mahomet aborde cette question ainsi : « Mets ta foi en Allah, mais attache bien ton chameau. » Dans notre culture, nous disons : « Aide-toi et le Ciel t'aidera. » Ce désir du Vrai/Dieu n'est que le début ; nous devons ensuite faire notre voyage intérieur. Si, mû par votre désir du Vrai, vous posez un pied devant l'autre sans jamais perdre de vue votre objectif, tout ce qui est essentiel à votre réussite vous sera donné.

On parle beaucoup de nos jours d'épanouissement personnel. Que signifie « s'épanouir ? » Est-ce possible ?

S'épanouir spirituellement ne signifie pas lutter pour améliorer le « moi », mais bien le transcender par le biais de l'auto-examen. Il ne s'agit pas de se transformer, mais bien de percer à jour ces aspects de nous-mêmes qui nous empêchent de parvenir à une vie nouvelle déjà existante. Il vaudrait mieux dire que « l'épanouissement personnel » est ce champ que nous traversons et qui sépare « ce que nous avons été » du monde nouveau où nous pénétrons lorsque nous prenons conscience du moi secret que nous hébergeons en nous-mêmes.

Un ami m'a dit récemment que cette vie est davantage un « périple » qu'une série d' « arrivées ». Cela m'a beaucoup frappé.

L'auteur Vincent Howard avait l'habitude de dire à ses étudiants que « la vie n'est pas une course, mais une école supérieure ». Réfléchissez : là où il y a une école, il y a un programme d'études, et là où il y a un programme d'études, ce programme doit rencontrer un objectif. À mesure que nous prenons conscience de la vie et de l'objectif qui y est tracé pour chacun de nous, nous découvrons que la vie est, en effet, un périple. Nous sommes tous « invités » à voyager au-dedans de nous-mêmes. À l'arrivée, nous rencontrons le moi réel.

J'ai beau m'efforcer de devenir une personne plus aimante, quelques jours plus tard j'oublie cette personne chaleureuse et compatissante et je redeviens mon vieux moi ennuyeux. Qu'est-ce que je ne parviens pas à comprendre ?

Ne vous efforcez pas d'être une personne aimante. D'une part, ce n'est pas le but de notre travail et, d'autre part, le moi qui recherche cet état ne le trouvera pas. Une rose ne s'efforce jamais d'embaumer. Le parfum est inhérent à la rose et il ne requiert que certaines conditions favorables pour se répandre. Lorsqu'on tente d'atteindre une cible sans la voir, on la rate. Ce qu'il convient de faire, c'est vous éveiller à ce qui (dans votre inconscient) se dresse entre vous et la compassion, l'humilité et la bonté naturelle que nous sommes nés pour exprimer. L'important n'est pas d'essayer d'être, mais d'essayer de voir. Cette vision nouvelle vous révélera l'être et l'Amour auxquels vous aspirez.

Je crois de plus en plus que la liberté véritable consisterait à me débarrasser des idées fausses et des circonstances auxquelles j'accorde foi sans m'en rendre compte. Que pensez-vous de cette conception de la liberté ?

Dans notre travail, nous aspirons à devenir des êtres que rien n'oblige à agir en deçà des limites que nous impose notre conditionnement. Autrement dit, nous voulons vivre au cœur d'une intelligence authentique qui réagit de façon appropriée à chacun des défis que la vie lui présente. Un telle liberté est impossible à trouver hors de cette intelligence supérieure, ce qui signifie que notre devoir, en tant qu'étudiants de la spiritualité, consiste à développer le plus possible notre rapport à cette intelligence supérieure. Elle existe. Elle est libre, car elle n'a d'autre préoccupation que ce qui concerne le moment présent. Dit autrement, là où dominent nos intérêts égoïstes, nous devenons leurs prisonniers. Nous devons donc nous éveiller à nous-mêmes tandis que notre nature égoïste poursuit ses propres objectifs ; en prenant conscience des limites inhérentes à cette nature (et des déceptions qu'elle crée), nous apprenons à lâcher prise et à nous laisser guider par une tout autre compréhension.

Parfois, quand j'ai réussi à « lâcher prise », ma vie me semble ennuyeuse. Comment faire pour trouver ce que je cherche vraiment ?

Les Orientaux ont une expression pour décrire le moyen de trouver la voie spirituelle et celui de rester sur ce chemin invisible : « Ni ceci, ni cela. » En d'autres termes, nous trouvons le Vrai, soit ce qui seul peut combler les vides de notre cœur, en prenant conscience de ce qui ne fonctionne pas, puis en nous en éloignant – quelle que soit sa nature. C'est la voie de la négation. Lorsque nous pouvons reconnaître le faux (pour nous), nous sommes d'autant plus près du Vrai.

LAISSEZ ENTRER LA LUMIÈRE QUI CONDUIT À UN MONDE NOUVEAU

Je travaille à m'éveiller, mais je me demande sans cesse si je parviendrai jamais à la voie supérieure. Par certains côtés, je suis victime de mes appréhensions ; elles me répètent que je ne saurais pas distinguer la « bonne » voie de la « fausse », même si un panneau me les indiquait ! Pouvez-vous m'aider à surmonter ma confusion et mes peurs ?

Voici une révélation qui sera sans doute difficile à comprendre d'emblée : la bonne voie, c'est votre désir d'éveil. Si vous persistez, l'esprit qui vous a inspiré des doutes quant au sens de votre vie vous indiquera la prochaine étape. Ce que nous voulons, c'est vivre dans la sincérité en tant que représentant de la pureté. Quand nous nous libérons du faux, le Vrai fait son entrée.

Des maîtres précédents m'ont dit que cette vie est à la fois une salle de cours et un terrain de jeux. Mais je crois que cette notion de « terrain de jeux » est fausse. Devrais-je renoncer au « terrain de jeux » et me contenter de la « salle de cours » ?

Pourquoi nous faut-il absolument un concept pour aborder la vie et les expériences dont elle est prodigue ? Le plaisir de la rencontre du Vrai qui nous affranchit du train-train est agréable, qu'il porte ou non le nom de plaisir ! Oubliez toute cette histoire de salle de cours et de terrain de jeu. Apprenez à vous voir là où vous êtes, tel que vous êtes. Soyez vrai. Vous verrez ensuite que la quête intérieure et le plaisir sont aussi intimement liés que le rire et le bonheur.

Le mal est très futé et persistant. Dans notre quête spirituelle du Vrai, est-il possible d'atteindre un « point de non-retour », et, dans l'affirmative, nous en rendrions-nous compte ? Je me demande toujours si je suis « dans la bonne voie ». Il m'est difficile de le savoir, surtout lorsque je me surprends à être extrêmement négatif ou stupide. Comment puis-je savoir si je vais dans la bonne direction ?

La seule et unique arme du mal dans la guerre spirituelle est son aptitude à tromper celui qui cherche. Autrement dit, même lorsque nous constatons avoir été trompés, dans l'instant de cette prise de conscience, un chemin nouveau – et sûr – s'ouvre devant nous. Sachez respecter votre quête et prenez des risques intelligents. Demandez à Dieu, le Tout-Puissant – tel que vous le concevez – de vous venir en aide. Rien de mal ne peut en découler. En ce qui concerne le « point de non-retour » : les influences malveillantes du doute et de la peur sont infinies tant que nous accompagnons involontairement ces créatures des ténèbres. En vérité, toutes les forces du mal doivent marcher un pas *derrière* la personne qui aspire à la spiritualité. La seule fois où nous pouvons être précipités dans le doute ou le désespoir, c'est quand nous nous retournons et que nous permettons à ces natures malveillantes de nous définir. Ceci vous aidera peut-être : ne quittez pas des yeux le sommet de la montagne et ne vous occupez pas de ce qui se passe derrière vous, dans la vallée.

LA QUÊTE DE L'ÉVEIL AUQUEL VOUS ASPIREZ

Les quelques moments de sérénité que j'ai connus grâce à ma relation avec Dieu ont été pour moi de grandes sources de joie... mais ils sont si fragiles... Comment puis-je maintenir ce contact plus que quelques jours à la fois ?

Notre travail n'a pas pour but de créer la lumière, mais de nous faire entrer dans la conscience de soi supérieure et compatissante qui lui est spontanément associée. La lumière s'occupera du reste. N'essayez pas d'intensifier quoi que ce soit, sinon votre désir d'inviter le Vrai dans votre vie.

J'ai appris deux choses : être fidèle à moi-même et vivre dans l'instant présent. Est-ce suffisant ?

La fidélité à soi et la conscience de soi dans l'instant présent représentent en quelque sorte l'alpha et l'oméga de toute quête spirituelle. Ces deux vertus donnent naissance à l'intégrité, à l'humilité et à la compassion. Le Bouddha a donné le nom de *dharma* à cette voie. Persévérez dans ce périple céleste et laissez le Vrai vous réorienter comme il l'entend.

J'entreprends à peine ma quête spirituelle et la recherche intérieure qu'elle sous-tend, et je suis déjà abasourdi par tout ce que j'ai appris. Mais il m'arrive parfois de retomber sans même m'en rendre compte dans un sommeil psychique qui n'en finit plus. Ce sommeil spirituel n'est-il qu'un réflexe qui nous incite à porter attention au faux moi ?

Oui, c'est un réflexe, mais ce « réflexe » n'est pas ce que l'on pense ; voilà pourquoi l'important est de comprendre à quel point nous avons développé une dépendance au sentiment d'identité provisoire que la pensée engendre quand elle s'arrête à son propre contenu. Je suis persuadé que c'est là la raison pour laquelle toutes les philosophies authentiques insistent sur l'importance de l'éveil et de la vigilance. Cet état est le fondement même de notre travail intérieur ; il nous ouvre ensuite à une prise de conscience toujours plus étendue de notre véritable nature.

J'ai connu quelques « moments » d'éveil spirituel. Mais ils s'estompent trop vite à mon goût. Lorsqu'ils se produisent, la profondeur de ma compréhension et de mon silence intérieur s'intensifie. Que puis-je faire, dans ces moments-là, pour m'y ancrer davantage ?

Rien n'est plus précieux que ces moments où nous comprenons soudain que le monde qui nous semblait jusque-là tout englober n'est qu'une infime partie d'un plus grand Tout. Nous nous rendons compte, tout à coup, qu'existe en nous-mêmes un univers beaucoup plus grand que nous n'aurions osé l'espérer. Lorsque ces « éveils » se produisent, il est naturel de vouloir les perpétuer, mais réfléchissez : en un certain sens, cet instant d'éclairement vous a été donné à l'improviste. Par sa présence, il s'est dévoilé à vous et vous a révélé ses secrets. Maintenant, « vous » voulez posséder cette lumière et y puiser à volonté. Ce « vous » est l'obstacle qui se dresse entre « vous » et la lumière. Si difficile que cela soit, il vous faut lâcher prise, renoncer à votre espoir de revivre ces instants d'éclairement.

Je comprends que je ne dois pas me contenter d'attendre que ma vie s'améliore, mais quand je me penche sur moi-même, cela me déprime. Quel «coup de pouce» pourriez-vous me donner?

N'oubliez jamais ceci – j'y puise un réconfort depuis de très nombreuses années: en dépit des apparences, *il y a toujours quelque chose de plus haut.* Je veux dire par là que, si vous persistez dans votre volonté d'atteindre la vie supérieure, rien de ce qui est derrière vous (votre passé ou vos doutes) ne peut vous empêcher de vous hisser au sommet.

Comment faire pour être humble sans sombrer dans l'apitoiement sur soi (ce qui m'arrive presque invariablement)?

Devons-nous nous entraîner à avoir faim? Devons-nous «faire un effort» pour nous reposer quand nous sommes exténués? Certes, il convient de ne pas faire preuve d'arrogance, mais il y a une certaine arrogance (inconsciente) à tenter d'être humble. Le beau de notre quête, de notre apprentissage de la conscience de soi, est que l'humilité en est une conséquence naturelle. Aucun de nous ne correspond à l'image que nous avons de nous-mêmes, si bien que, à mesure que nous apprenons à percer à jour cette perception enjolivée de soi, nous prenons conscience du faux moi qui projette ces images et y puise une identité. Nous ne sommes ni ces images ni le moi qui les engendre, Mais auparavant, nous devons nous éveiller à cette réalité et accepter l'humiliation que produit en nous le choc de la découverte. Ainsi, et seulement ainsi, pouvons-nous consciemment mourir à nous-mêmes. Le moi qui «meurt» à la suite de cette prise de conscience de soi n'est pas le moi véritable. Mais ces étapes sont indispensables au rapport que nous créons avec le Vrai et la conscience supérieure. Quand nous les avons franchies, la vie lumineuse que nous cherchions perce les ténèbres, comme le soleil perce les nuages.

J'aimerais «approfondir» mon travail spirituel et ce que je découvre en moi-même. Pouvez-vous me prodiguer quelques conseils?

En premier lieu, ne dialoguez pas avec vous-même sur ce que vous découvrez en vous. Ensuite, ne justifiez pas ces découvertes et, enfin, ne blâmez personne pour ce que vous voyez en vous.

Selon votre expérience, quelles sont les erreurs les plus courantes que nous commettons au cours de notre quête spirituelle ?

L'une des erreurs les plus fréquentes consiste à ne pas comprendre à quel point la constance est indispensable à notre recherche. Nous ne devrions jamais laisser passer un délai de plus de huit heures (c'est là un grand maximum) sans travailler sur soi d'une manière ou d'une autre. Notre travail est souvent le plus révélateur quand il nous répugne le plus. C'est lorsque nous n'avons pas du tout envie de « mettre le cap sur le large » que nous naviguons le plus loin. N'importe qui peut travailler quand il en a envie.

Que pouvons-nous faire, dans notre quête sincère du Vrai, pour amasser le plus grand trésor spirituel possible ?

Allez vers ce que vous appréhendez le plus de perdre. Placez l'Amour du Vrai au-dessus de votre peur d'être seul et dépourvu de tout. Faites ceci, et vous accumulerez de grandes richesses spirituelles.

Peut-on connaître un bonheur authentique sans effort ? Le travail intérieur que je sais devoir faire représente pour moi une lutte sans fin.

Ne confondez pas les labours et la récolte. Le bonheur réel n'exige en effet aucun effort particulier dès lors que l'on a su arracher les mauvaises herbes qui étouffaient sa croissance. Vous en avez fait l'expérience dans ces moments où votre joie ne dépendait pas du « moi » qui prenait soudainement conscience de son bonheur. Cela vaut aussi pour notre vie spirituelle, quand nous éprouvons la joie de découvrir que notre mécontentement passé était fondé sur un mensonge. Ne luttez pas pour devenir heureux. Efforcez-vous plutôt de cesser de croire que vous devez vous battre contre vos pensées et vos émotions malheureuses. Imaginez plutôt que ces pensées et ces émotions ne sont que des nuages. Quand vous y parviendrez, vous saurez aussi que le soleil est caché derrière.

J'ai appris que je dois me jeter dans la lutte spirituelle en faisant face aux circonstances sans savoir comment je parviendrai à m'en libérer. En même temps, j'ai appris que je ne

devrais pas m'efforcer de parvenir à la complétude en obéissant aux admonestations de ma pensée rationnelle. Je n'y comprends plus rien... et je ne sais pas si je dois rester assis ou sauter !

La sagesse est le fruit du savoir, mais sa semence est l'action. Ne vous inquiétez pas de la « direction » à prendre. Aspirez à vous comprendre mieux et, mû par ce souhait, sautez dans la mêlée. Les résultats que notre moi présent recherchent ne correspondent pas à nos besoins. Ce moi veut triompher. Pourtant, il ne s'agit pas de triompher, mais de voir. Tous nos actes, du moment qu'ils nous sont inspirés par le désir de découvrir le Vrai, sont des actes purificateurs. Tout tient à ce nouvel éclairement intérieur : il débouche sur la force et la sécurité ; il est la clé de l'Amour et de la compassion. Voici pourquoi ceci est la vérité : plus nous sommes disposés à voir clair en nous-mêmes et dans le monde qui nous entoure, plus il nous est donné de comprendre. Mieux nous comprenons, plus s'approfondit notre connaissance de ce qui est. Plus nous avons une idée nette de ce qui est authentique et vrai, moins nous nous laissons tromper par ces aspects de nous qu'enveloppent encore les ténèbres de l'ignorance.

Dans tout ce que j'ai entrepris qui requiert de la persistance (par exemple, apprendre à jouer d'un instrument de musique), c'est le plaisir que j'y ai puisé qui a nourri ma fascination en dépit des obstacles. Où puis-je trouver une telle stimulation dans une quête spirituelle qui est tout sauf agréable, quand il me semble que ma recherche ne donne lieu à aucune « découverte » ?

J'ai lu un jour l'histoire d'un jeune homme qui, ému par la performance d'un très grand violoniste, dit à ce dernier qu'il donnerait volontiers sa vie pour pouvoir jouer aussi bien que lui. Le violoniste lui répondit aussitôt : « C'est ce que j'ai fait. » La maîtrise de la vie nous rend celle-ci agréable. Aucun esclave ne peut s'amuser, car il sait que sa captivité l'attend. Réfléchissez à ce dilemme. Persévérez. Le plaisir vient de ce que l'on se distancie de ce qui est désagréable en soi. Quoi qu'il en soit, lorsque nous plaçons notre désir du Vrai au-dessus de tout (avec la grâce de Dieu), tout ce que nous pouvons perdre est notre connaissance lacunaire de nous-mêmes et du monde qui nous entoure. Plus la lumière se lèvera en vous, plus vous verrez. Plus vous verrez, plus vous serez. Que pourrait-il y avoir de plus agréable ?

◆ ◆ ◆

COMMENT METTRE LE CHAMP DE LA DÉCOUVERTE AU SERVICE DE LA RÉALISATION DE SOI

Pour atteindre la vie réelle que seule peut nous donner une vie centrée sur la vérité, nous devons non seulement accepter de placer le Vrai au-dessus de tout, mais encore nourrir chaque jour, de toutes nos forces, cette aspiration supérieure. Il n'y a pas de raccourci. Puisons toutefois du courage dans cette certitude : rien ne saurait équivaloir le sentiment de paix et d'harmonie qui règne sur cet univers intérieur, un peu comme le soleil répand sur nous sa lumière et sa chaleur.

Le courage nécessaire à notre quête est à portée de la main... tout à la fois caché, et pourtant visible pour ceux dont les yeux se dessillent. Imaginez ce que nous ressentons intérieurement quand, au tournant d'une route, nous découvrons une prairie ensoleillée et couverte de fleurs. L'éventail des couleurs délicates qui se déploient sous nos yeux comble nos sens et suscite notre communion.

Lorsque nous nous rapprochons du but, notre conscience accueille de plus en plus cette beauté champêtre : plus elle pénètre en nous, et plus nous pénétrons en elle. Mais songez à cette vérité : nous ne sommes pas les créateurs de la beauté de cet instant ni de la conscience qui s'y fusionne. L'entièreté de ce rapport existe *déjà*, sans quoi nous ne pourrions en faire l'expérience. Ainsi, nos expériences nous procurent un miroir qui nous renvoie notre reflet et nous permet aussi d'entrer volontairement dans les royaumes cachés du moi véritable.

Il est impossible de pénétrer dans ce qui n'existe pas encore, de même que ce qui n'existe pas ne saurait pénétrer en nous sans déjà faire partie de notre conscience. Sachant cela, substituez à la prairie fleurie le principe de la connaissance supérieure du Vrai. Que voyez-vous ? Qu'avons-nous découvert ?

Nous ne « grandissons » pas en compréhension et en éclairement, pas plus que la prairie fleurie ne s'agrandit à mesure que nous nous approchons d'elle. Elle est déjà là, dans toute sa dimension, ses formes et ses couleurs, et elle attend que nous la découvrions. Il en va de même de la connaissance supérieure et des vérités qui nous permettent de nous en approcher. La sagesse est déjà en floraison ; elle attend que le voyageur entre dans son domaine. Ce champ intérieur où croit tout ce qui attend d'être découvert appartient à tout ceux qui travailleront à le découvrir. Il n'appartient en propre à personne, mais tous peuvent s'en approprier une partie égale à la portion de vie qu'ils lui concèdent. Chacun a accès aux mêmes richesses intérieures. Toute semence spirituelle portera fruit pour quiconque accepte de se pencher pour la mettre en terre.

Le grand soleil n'a de cesse de luire sur ce champ, si bien que la lumière l'embrasse en tout temps dans sa totalité et favorise sa floraison. Ce que je vous dis exprime cette unique vérité : il est impossible de dissocier la vie spirituelle authentique du champ de découverte qui lui donne vie et subsistance. Pour nous, en ce moment, ils sont une seule et même chose. Cette révélation nous met en face d'une réalité inéluctable : ce champ de découverte, ce champ de la vie de Dieu, n'est rien d'autre qu'une étendue de terre stérile si nous refusons de nous y « salir » les mains. C'est en travaillant ce champ de nos mains que nous sommes « purifiés ». Notre franche sueur spirituelle nous lave des confusions et des doutes inhérents à la simple spéculation.

Mais il y a plus. La réussite spirituelle, la découverte de l'homme nouveau ou de la femme nouvelle qui nous attendent au plus profond de nous exigent que nous nous élevions au-dessus des créatures rationnelles et auto-créées que nous sommes actuellement. Nous devons travailler sur nous-mêmes. Seul un travail honnête parviendra à gommer les failles inconscientes qui nous divisent intérieurement.

Imaginez deux travailleurs de la terre. Côte à côte, ils labourent le sol. Tous deux connaissent la nature de ce sol, ses mauvaises herbes, ses pierres, et ils sentent sur eux la chaleur du soleil. Ils sont entièrement d'accord quant à la nature de la terre qu'ils cultivent.

Aucun des deux n'estime nécessaire de spéculer sur la nature du sol sous leurs pieds, de discuter de ce que celui-ci peut faire ou ne pas faire pour eux. Pourquoi ? Parce qu'ils *s'y tiennent debout*.

Ils ont les pieds *dedans*. Ce sol est dans l'air même qu'ils respirent. Chacun fait son travail et chacun récolte le fruit de ses efforts.

Cultivons le champ de la découverte en cessant de spéculer sur la nature du Vrai. Osons comprendre que nos certitudes (concernant ce que nous supposons être la vérité) valent moins que rien si, à cause d'elles, nous parvenons à justifier nos vertus supposées, notre indolence, notre cruauté ou tout autre état psychique destructeur.

L'individu strictement rationnel ignore qu'il n'y a pas de solution possible à son interminable confusion dans les questions qu'il n'a de cesse de formuler pour y échapper, et il ignore aussi que ses questions ne sont que le prolongement des doutes qui le font souffrir. Où donc est la solution ? Il nous faut découvrir le Vrai par nous-mêmes, car ce Vrai recèle toutes les autres vérités.

« Mais, comment ? » demandez-vous.

Il n'y a qu'une réponse à cette question. *Soyez vrai*. Faites *maintenant* – et en tout temps – l'expérience de ce que vous êtes. Observez la vie qui a lieu en vous sans vous débattre contre ce que vous voyez. Être vrai, c'est assumer notre réalité, quelle qu'elle soit.

« Mais, comment ? » demandez-vous encore.

Chaque fois que la vie vous confond, cessez de vous donner des réponses que vous croyez connaître. Tenez-vous plutôt debout dans le champ de l'instant. Creusez. Pénétrez le champ de découvertes qui gît sous vos pieds. Labourez en toute conscience ce sol vierge et regardez la vie prendre racine et croître.

Lorsque nous commençons à comprendre que le champ de la découverte (de même que le travail qu'il exige et les précieux fruits qu'il donne) se trouve toujours sous nos pieds où que nous soyons et quoi que nous soyons en train de faire, nous constatons qu'il nous est possible à tout instant de cultiver notre rapport au Vrai.

Si l'on ajoute à cela le fait que la seule transformation véritable qui puisse se produire dans notre vie doit commencer par une transformation de la conscience, il ne nous reste plus qu'une chose à faire : entrer dans le champ de la découverte, accepter ce que nous y trouvons et y réfléchir. Si nous faisons notre travail, le Vrai s'occupera du reste. Ce qui naît de nos efforts ne saurait ni faillir ni nous faire défaut.

CHAPITRE 14

Comment atteindre le terme de ce voyage intérieur

Derrière la grille fermée, devant la vaste esplanade de l'école d'Enseignement supérieur, attendent impatiemment quelques douzaines d'aspirants au Vrai. Chacun d'eux espère bientôt rencontrer le maître et se soumettre à un examen d'entrée. Le maître est reconnu à travers le monde pour sa sagesse accomplie et son aptitude à aider les autres à l'acquérir eux-mêmes.

On bavarde avec anxiété. Chacun sait déjà que très peu d'étudiants sont acceptés, mais sans connaître toutefois les véritables motifs. Toutes les dix minutes, les grilles s'ouvrent pour laisser sortir trois ou quatre candidats qui maugréent sans retenue.

« Ils se moquent de nous ? »

« Je savais bien que je n'aurais pas dû venir ! »

« On n'a pas le droit d'agir ainsi ! »

« Ce maître est un imposteur ; il nous demande l'impossible ! »

Et tandis que les étudiants maussades s'en vont, on invite un autre groupe de candidats à entrer.

Cette fois, un groupe de cinq franchit le seuil. Les deux derniers à passer la grille forment un couple de jeunes mariés, nerveux, mais animés d'une grande détermination. Ils attachent un grand prix à cette épreuve. Après tout, quelques mois auparavant, ils ont admis que le monde, tel qu'il est, est un lieu stérile. Tous deux s'entendent pour dire qu'il doit exister quelque chose de plus, et ils sont fermement décidés à le trouver. L'école du Vrai leur indiquera sans doute la voie à suivre.

Mais, un instant plus tard, leurs espoirs s'effondrent. Incrédules, ils soupirent et gémissent avec tous les autres, fixant, bouche bée, l'obstacle qui s'interpose entre eux et la réalisation de leur rêve.

Devant eux se dresse une gigantesque barrière blanche haute de six mètres ! Un grand panneau fixé à l'un des montants annonce :

Entrée interdite ! Pour accéder à l'École d'enseignement supérieur, on doit franchir cet obstacle en se servant de sa seule force.

Et, comme si cela ne suffisait pas, une dernière phrase fait déborder le vase :

Interdiction de se servir d'une échelle ou d'une perche. Un seul essai est autorisé.

En moins de dix secondes, les cinq candidats comprennent qu'ils ont échoué et, en moins de temps encore, ils se perdent en lamentations et en geignements, exactement comme les candidats qui les ont précédés quelques minutes plus tôt.

Le petit groupe capitule et s'en va comme un seul homme, entraînant le jeune couple dans son sillage. Ni lui ni elle ne comprend ce qui leur arrive jusqu'à ce que, parvenus à quelques kilomètres de l'école, la furie collective qui les a emportés s'éloigne. Maintenant seuls, ils s'assoient au bord de la route.

Au bout de quelque temps, abasourdis par les événements qu'ils viennent de vivre, ils réfléchissent, puis se regardent l'un l'autre dans les yeux. Il leur faut prendre une décision. Abandonner leur quête ? Retourner à leur ancienne vie ? Espérer que tout ira quand même pour le mieux ? Tenter l'impossible ? Doivent-ils prendre leur courage à deux mains et retourner à l'école du Vrai, puis solliciter un entretien avec le maître et découvrir le moyen de franchir l'obstacle incroyablement haut qui se dressait devant eux ?

Quelques secondes plus tard, ils se mettent en route vers l'école.

À leur arrivée, il n'y a plus personne devant la grille. La chose ne les étonne guère, car ils ont croisé des tas de candidats mécontents. Mais, bizarrement, la grille de l'entrée est maintenant grande ouverte. Ils entrent.

La barrière est toujours là; il leur semble même qu'elle est plus haute encore. Et puis après ? Il n'y a personne en vue. La femme parle la première, mettant fin au silence qui les entoure : « Il y a quelqu'un ? » Personne ne répond.

Le jeune homme prend dans la sienne la main de son épouse. Ils respirent profondément, puis, n'écoutant que leur courage, ils s'engagèrent *sous* l'obstacle, passant outre aux interdictions inscrite sur le panneau, et entrent dans l'école. Cette fois, c'est l'homme qui parle, avec fermeté et assurance : « Il y a quelqu'un ? Nous sommes venus pour voir le maître ! »

Aussitôt leur répond une voix douce qui les fait sursauter :

« Et pourquoi désirez-vous voir le maître ? »

« Nous voulons savoir comment franchir l'obstacle gigantesque qui est là », fait le jeune homme en pointant du doigt la barrière qui se trouve maintenant derrière eux. Puis, entourant sa femme de son bras et l'attirant à lui, il ajoute : «*Je vous en prie*, nous voulons subir l'examen d'entrée même si nous sommes presque sûrs d'échouer. N'y a-t-il pas un moyen...? » En rencontrant les yeux du maître, ses yeux finissent sa phrase à sa place. Puis, le jeune homme regarde à nouveau son épouse. Ils se sourient tristement, acceptant leur défaire. Comment peuvent-ils deviner que ce qu'ils vont bientôt entendre les bouleversera ?

« Mais vous avez déjà subi l'examen avec succès », dit le maître. « Vous êtes les bienvenus ici pour y apprendre tout ce que vous pourrez. »

Mentalement, le jeune homme s'écrie : « Quoi ? », mais, heureusement, il se contente de dire tout bas : « Je ne comprends pas... nous n'avons même pas subi l'examen... comment aurions-nous pu l'avoir réussi ? »

« Non, non », fait le maître en souriant, car il voit bien qu'ils ne comprennent pas ce qui se passe. « Vous avez échoué à l'examen que *vous pensiez subir*, et qui *n'est pas du tout le véritable examen* », dit-il, tout sourire. Il leur fait signe de le suivre dans la cour intérieure et, tandis qu'il parle, le jeune couple le suit.

« Dans la vie supérieure que vous cherchez, plusieurs obstacles se dressent entre vous et votre réussite. Certains sont petits, d'autres plus grands. Mais il y a *un* obstacle qui empêche toute croissance intérieure et ferme la porte de la vraie vie à l'aspirant qui se laisse prendre au dépourvu. C'est *ce que nous croyons déjà savoir de ce voyage vers nous-même.* Cette fausse certitude, et l'orgueil qui la suit comme son ombre, est ce qui nous empêche d'apprendre les vérités que nous devons assimiler. »

Il regarde le jeune couple bien en face pour s'assurer que les deux le comprennent bien, puis il fait une pause avant de poursuivre son importante leçon : « Voyez-vous, il faut être doté d'un esprit particulier pour franchir cet obstacle... il faut accepter *de passer par-dessous.* »

Se tournant de nouveau vers le jeune homme et la jeune femme pour être bien certain qu'ils comprennent le sens profond de ses paroles, il conclue poliment son explication et prend congé d'eux : « C'est pourquoi vous êtes maintenant les bienvenus, tous les deux ! Puissent vos études vous être profitables. » Sur ces mots, il s'éloigne.

◆ ◆ ◆

S'AFFRANCHIR DE LA LASSITUDE ET DE LA FRUSTRATION

Plus je deviens conscient et capable de voir, plus mes pensées se succèdent avec rapidité. Certains jours, ma lassitude est telle que j'aurais besoin de fuir cet éveil et de prendre des vacances. Peut-il arriver qu'on en fasse trop ?

Demandez-vous si le soleil doit se reposer de la nuit ou si ces deux « puissances » n'alternent pas plutôt en toute harmonie ? Tout ce qui cherche à vous convaincre de prendre des vacances appartient au moi qui préfère dormir sa vie plutôt que la vivre.

Rester vigilant ressemble parfois à un match de lutte qui m'oppose à moi-même mais où mon concurrent a le dessus et me jette jour après jour hors de l'arène. Comment puis-je dominer mon adversaire ?

Luttez ! Ne vous inquiétez pas du résultat ni de qui a le dessus. Ne savez-vous pas que « vous avez déjà gagné la bataille » ? C'est vrai, je vous l'assure. Nous devons accepter le combat, accepter de subir tout ce que nous devons subir pour comprendre enfin qu'il n'y a rien que « nous » devions subir. C'est un paradoxe intéressant. Mais si nous restons dans l'arène de la réalité, le prix en vaut la peine !

Je suis arrivé à un point dans mes moments de méditation où mes pensées et mes émotions me submergent totalement. Chaque matin, je multiplie les excuses, et je me sens impuissant ou je me blâme d'échouer. Puis, je me sens perdu, comme si Dieu m'avait trompé, et je ne sais que faire. Aidez-moi !

Vous traversez une étape importante de votre travail. Je sais que c'est difficile à comprendre, mais votre perception des pensées et des émotions conflictuelles qui vous rongent est précisément le fruit de vos efforts. Ceux d'entre nous qui aspirent à se transformer doivent comprendre avant tout que rien en nous ne désire cette transformation. Il n'est pas facile de combattre les ténèbres intérieures qui nous gouvernent, notamment ce sentiment d'échec ou d'impuissance qui nous étreint lorsque nous nous fixons de nouveaux objectifs. Mais la présence de ces états négatifs que vous décrivez est souvent l'indice que ce que nous nous efforçons de faire est juste et vrai pour nous. Les voix intérieures qui vous parlent de l'ampleur de votre éclairement ou de vos ténèbres font partie de ce dont vous devez vous débarrasser, non pas de ce que vous devez accueillir. Osez assumer seul votre désir d'atteindre le Vrai. Il vous soutiendra.

Je peux maintenant identifier mes dialogues intérieurs négatifs, mais quand je parviens à préférer la vie de Dieu à la fausse impression de vivre que me procurent ces discussions intérieures, je réintègre les ténèbres, je m'endors à moi-même et je vais de frustration en frustration. J'ai beau tenter de me convaincre que les retards de Dieu ne sont pas synonymes de refus de Dieu, ce n'est pas facile !

Tout dialogue intérieur négatif s'accompagne de l'étrange sentiment d'identité né de ce que nous sommes en même temps les deux extrémités d'un même bâton. Nous devons nous hisser au-dessus de l'expérience qu'engendre mécaniquement cet échelon de la vie. Plus vous prendrez du recul, plus vous pressentirez l'échelon suivant du moi qui désire être lui-même et non pas se livrer bataille. Persévérez.

Je constate que, dans ma quête spirituelle, je me suis libéré des justifications, ou des « solutions », que j'apportais à tous mes problèmes. J'avais l'habitude de changer d'emploi pour résoudre mes ennuis professionnels, et maintenant, je vois bien que ce jeu des chaises musicales ne peut pas améliorer ma vie. Un grand nombre des mes soupapes précédentes ne me sont plus d'aucune utilité. Lorsque je blâme quelqu'un d'autre, j'en vois bien la futilité. L'ennui est que je me sens très frustré... je n'ai plus aucune excuse !

Bravo ! Vous êtes parvenu au point exact où vous deviez aller pour pouvoir changer. Restez où vous êtes. La voie ne se dévoile qu'à ceux qui ne peuvent pas la voir.

Tout ce que je dois faire pour mon développement spirituel m'écrase. N'y a-t-il pas un moyen plus simple de découvrir notre moi véritable?

L'une des premières et des plus importantes leçons que nous devons apprendre (et apprendre, et apprendre encore) est de faire ce qui est en notre pouvoir et ne pas nous épuiser à tenter de faire ce qui nous dépasse. Par exemple, vous ne pouvez pas faire en sorte que les émotions qui vous submergent s'apaisent en leur résistant ou en souhaitant qu'elles disparaissent. Mais, *oui*, vous pouvez admettre que toute émotion négative ne dispose que du pouvoir que vous lui conférez en refusant de la voir telle qu'elle est, c'est-à-dire un moi imposteur qui cherche à vous dominer pour vous faire tourner en rond. Renoncez aux émotions qui semblent vous signaler vos côtés négatifs. Elles n'existent pas plus que le « moi » qui voudrait les combattre.

Comment éviter le découragement et la perte d'enthousiasme dans notre recherche de complétude? Lorsque je lis des ouvrages de spiritualité, ou que j'entends des propos sages, j'ai envie d'apprendre, mais, bien vite, je perds mon enthousiasme et j'oublie même à quel point m'avait stimulé ma recherche de liberté. Est-ce normal?

Si étrange que cela puisse paraître, il est tout à fait normal de ne plus s'enthousiasmer pour l'éveil. Ce sentiment de deuil est une étape nécessaire dans la voie supérieure. Pendant plusieurs années, une personne recherchera sa complétude, sa spiritualité, stimulée par une volonté en partie inconsciente de trouver une plénitude dans le moi et les émotions qui se soumettent à cette volonté. C'est normal. Mais à force d'étudier, ce moi et les désirs qu'ils engendrent s'estompent et semblent emporter notre zèle avec eux. C'est là une étape fort intéressante. Mais si nous persistons en dépit de cette tiédeur, nous constatons que quelque chose en nous travaillait à notre place et continuera de le faire si nous lui en donnons l'occasion. Avec le temps, plus nous constatons la réalité de cette découverte, plus notre foi se raffermit. Une intelligence œuvre en notre faveur, elle travaille en nous, et les objectifs qu'elle nous fixe sont plus grands que ceux que nous nous fixons nous-même.

LA VRAIE MESURE DE LA CROISSANCE SPIRITUELLE

Je crois approcher de l' « éclairement », mais, rationnellement, je me dis que seul un saint pourrait atteindre cet état. Il me paraît inaccessible au commun des mortels qui doit gagner sa vie et élever sa famille. Comment puis-je constater mes progrès ?

Certes, la « vie éclairée » et le perfectionnement de soi ne sont peut-être pas le fait des masses, mais rien, dans le Vrai, n'empêche le commun des mortels d'entrer en rapport avec le Vrai/Dieu. Quiconque voudra vous faire croire qu'une vie de bonté, d'innocence et de sainteté n'est pas à votre portée ne vit pas dans la réalité. La vie place chacun de nous en position d'apprendre les leçons nécessaires à l'éveil spirituel. N'enviez la vie de personne. Efforcez-vous plutôt de découvrir le Vrai qui vous attend dans la vôtre. En ce qui concerne vos progrès : ne restez pas à l'affût de votre développement. Lorsque nous nous transformons, l'un des premiers changements que nous constatons est que nous avons cessé de nous croire « meilleurs » ou « pires » que les autres.

Y a-t-il un moyen facile de savoir si nous progressons dans nos travaux spirituels ? J'ai souvent l'impression que les changements que je constate sont provisoires ou superficiels.

Le faux moi tente toujours de se mesurer à ce qu'il espère réaliser ou à ce qu'il croit avoir réussi. Je crois que c'est saint Paul qui disait : « L'espoir des choses visibles n'est pas l'espoir. » Nous devons espérer dans l'invisible. Autrement dit, notre travail doit trouver son fondement dans ce que nous ne pouvons plus continuer à être, dans ce à quoi nous ne pouvons plus sciemment nous consacrer. Nous ne devons pas chercher à nous reconnaître dans ce champ de découverte où nous espérons entrer. C'est là une des raisons pour lesquelles nous devons progresser seuls – pas forcément au sens physique du terme (bien que cela soit souvent le cas au début), mais bien en acceptant de prendre du recul par rapport aux pensées qui aspirent à recréer notre moi familier.

Plus je fouille les notions supérieures, plus je connais des moments de grande lucidité. Pourtant, les progrès que je crois avoir accomplis dans un domaine particulier subissent souvent des attaques encore plus violentes qu'auparavant de la part d'un moi négatif que j'ignorais héberger. Pouvez-vous m'expliquer ce qui se passe ?

Voici qui vous encouragera : tout notre travail dépend déjà de lois qui, si nous les comprenons, sont des garanties de succès. Par exemple, vous pouvez être certain que tout moment de grâce spirituelle ou de révélation sera suivi de l'invasion de puissances contraires. Satan était présent à la Dernière Cène. Le problème n'est pas que ces puissances contraires se manifestent avec régularité, mais bien qu'elles trouvent à s'identifier à quelqu'un.

Est-il possible que certains aspects inconscients d'un individu lui fassent croire qu'il progresse dans sa quête spirituelle quand ce n'est pas le cas ?

Bien entendu. Ces moi mensongers sont pratiquement toujours au travail. Mais, plus précisément (et plus utilement), notre véritable progrès spirituel vient de ce que nous nous affranchissons du besoin d'évaluer notre progrès. Nous aspirons à nous délivrer de ce moi rationnel qui se délecte dans la comparaison, non pas à nous affirmer par lui. Quand cela nous devient clair, rien ne peut plus nous tromper.

Est-il normal qu'au cours de notre périple spirituel nous perdions plus de batailles que nous n'en gagnions et que nous ayons l'impression de régresser plus que jamais après avoir traversé une période de croissance authentique ?

C'est tout à fait normal de croire que vous perdez plus de batailles que vous n'en gagnez pendant votre long voyage. Ne vous en préoccupez pas. Un jour, vous aurez l'immense joie de découvrir (si vous persistez) que le « vous » qui perd ou gagne n'existe pas. Ne perdez pas le Vrai de vue.

Plus je m'efforce de mettre en pratique les principes du Vrai, plus mon cerveau s'acharne à me « polluer » avec des idées négatives. Comment faire pour savoir si nous nous améliorons ou si nous régressons ?

Gardez les yeux fixés sur votre objectif, non pas sur les moi qui vous répètent que vous ratez votre cible. L'impression de « régresser » est tout à fait normale et n'a rien d'inattendu : elle est engendrée par votre « ennemi intime » qui fait tout ce qu'il peut pour vous garder prisonnier de ses ténèbres. Ce siège est l'indice infaillible de votre progrès, même si vous pensez le contraire. L'on peut dire que le « diable » échoue parce qu'il dévoile son jeu. Continuez. Persistez. Étudiez. Si vous persévérez, vous verrez que ces forces qui vous attaquent sont depuis toujours impuissantes à vous vaincre.

APPRENDRE À LÂCHER PRISE

Que signifie au juste « lâcher prise », et comment puis-je lâcher prise quand m'envahissent des états négatifs telle la colère ?

Nous sommes tous dotés d'un libre arbitre particulier, mais nous ne le comprenons pas et, plus important encore, nous ignorons à quoi il peut servir. L'attention est une fenêtre qui relie l'individu à ce qu'il pense. L'éveil auquel nous travaillons nous indique le lieu où réside notre attention. Quand nous comprenons que la souffrance dépend de l'ignorance de ce que nous approuvons intérieurement – c'est-à-dire le lieu où réside notre attention, mais sans nous –, nous pouvons lâcher prise tout naturellement et sans effort.

Je suis arrivé à un point, dans ma méditation, où j'ai peur de l'inconnu et j'appréhende de continuer. Surmonter la peur qui m'empêche de lâcher prise, voilà le défi que je dois relever. Y a-t-il un moyen productif d'envisager cette épreuve, qui me donnerait la force de persévérer ?

Lorsque nous prions sincèrement pour quelque chose de supérieur, notre prière est entendue. La peur (de l'« inconnu ») est l'œuvre des ténèbres qui empêchent la naissance en nous d'un état où la peur ne peut survivre. Assimilez cela. Lâchez prise.

Après avoir lu *Les clés pour lâcher prise,* je m'y suis essayé. J'étais surchargé de travail. J'ai lâché prise et j'ai réglé chaque cas un à un. Je n'avais pas ressenti une telle énergie depuis des années... mais, ça n'a pas duré. Devons-nous continuer de lâcher prise pour que cette énergie ne nous quitte pas ?

Nous dépensons à tort notre énergie à combattre des moulins à vent. Lorsque nous nous réveillons, fût-ce de façon minime, et que nous quittons la foule désordonnée de nos pensées au lieu de nous acharner à tenter de la contrôler, toute l'énergie indispensable à notre moi véritable revient faire la loi et assurer notre bien-être physique et psychologique. Continuez !

Si le fait de voir le faux et de lâcher prise conduit au Vrai, est-il possible qu'en quittant ce que l'on n'aime pas on trouve ce que l'on aime ?

Oui. N'est-ce pas mystérieux que, tels que nous sommes, ce que nous « aimons » se moque de nous et de notre aspiration à une vie supérieure plus heureuse ? La négation est ici un bon guide. Quand nous savons ce que nous ne voulons plus et que nous nous efforçons de nous en défaire, nous faisons place au nouveau et nous nous dégageons de l'emprise des moi qui s'agrippent à ce qui nous restreint et nous détruit.

Chaque fois que je parviens presque à faire taire mes pensées, j'ai une réaction spontanée qui me terrifie... la sensation a beau être immensément agréable, elle est si soudaine et si forte que j'ai l'impression d'être aspiré par un trou noir. Que pensez-vous de cette réaction et comment puis-je la surmonter ?

Votre cas n'est pas unique. Plusieurs aspects de nous sont terrifiés lorsque nous lâchons prise. La raison en est que notre moi actuel ne se « connaît » qu'en fonction de ce qu'il envisage ou de ce qui lui résiste. Quand nous lâchons prise, nous nions délibérément ce moi qui est le produit de ces oppositions. Plus vous comprendrez le fonctionnement mécanique de ce niveau de votre être, plus vous prendrez du recul face à ses peurs et plus vous parviendrez à lâcher prise. Continuez à vérifier la température de l'eau. Vous êtes dans la bonne voie.

Quelle différence y a-t-il entre « lâcher prise » et « s'éveiller » à soi-même ?

Ces deux états du moi vont main dans la main et, tout en étant différents, ils font partie l'un de l'autre. L'esprit tend à voir en tout une relation de cause à effet. Nous lâchons prise à la mesure de ce que nous ne pouvons plus préserver en nous-mêmes. Quand nous nous débarrassons de la sorte de certaines parties de nous, « l'espace » que celles-ci occupaient accueille une énergie nouvelle et supérieure, nettement plus consciente et attentive que ne l'était notre ancien moi, et, par conséquent, plus éveillée. Ainsi, pas à pas, nous nous approchons du but.

QUELQUES RÉVÉLATIONS QUI VOUS AIDERONT À RECOMMENCER VOTRE VIE

Je ressens le besoin d'une plus grande application dans mon travail spirituel, mais cette « sensation » me vient d'habitude quand j'avoue ma paresse et reconnais que je suis tout à fait bien là où je suis. Que faire pour m'éveiller à ce que je devrais faire au lieu d'être tout simplement dégoûté de mon manque de discipline ?

Il nous est impossible de ne pas multiplier nos efforts quand nous constatons que notre confort, notre sommeil spirituel ne mènent nulle part, sinon à dépendre de plus en plus des parts de nous qui sont en chute libre. Aucun homme et aucune femme ne se laisserait aller sciemment à la dégénérescence. Fuyez le moi qui a tendance à toujours opter pour la facilité, et votre désir de vous hisser au-dessus de lui en sera renforcé. Vos aspirations feront le reste.

J'hésite entre la recherche passive et la recherche active : permettre à la lumière d'entrer en moi ou chercher des réponses et des principes de vie.

Il suffit de réfléchir un brin pour constater que ces deux méthodes ne s'excluent pas l'une l'autre, mais s'harmonisent, de même que, lorsque nous respirons, l'inspiration alterne avec l'expiration. Vous devriez, d'une part, toujours laisser la lumière vous montrer le chemin et vous aider à rester éveillé et réceptif. D'autre part, si vous accomplissez cette première moitié du travail, les découvertes qui en résulteront vous inciteront à rechercher d'autres façons de permettre à la lumière de vous guider.

Comment se fait-il qu'après deux ou trois semaines de travail spirituel intense je réintègre tout à coup mon ancien moi et je me retrouve à la case départ ? Comment puis-je mettre fin à ce cercle vicieux pour poursuivre ma quête avec constance ?

Le simple fait de prendre conscience de cette rupture montre que vous êtes au seuil d'une percée. Notre nature endormie, notre faux moi est trop soumis à ses désirs pour être capable de constance. C'est pourquoi nous finissons rarement ce que nous entreprenons et éprouvons de la difficulté à suivre une ligne droite. La prise de conscience de cette tendance marque le début de sa fin, mais vous savez déjà que vous devrez déployer des efforts particuliers pour vaincre vos résistances périodiques. Souvenez-vous de vous-même. Si vous surmontez vos résistances, vous serez gratifié d'une énergie nouvelle qui vous aidera à faire le prochain pas.

Que faire pour passer à l'étape suivante de notre développement, pour parvenir à un échelon supérieur ?

La vie nous donne toujours les réponses que nous cherchons. Par exemple, la nature a horreur du vide. Cela signifie que, partout où un vide existe, la nature le comblera. Appliquez ce secret à votre vie spirituelle. Lorsque nous nous détournons de nos pensées et de nos émotions habituelles, un vide se crée. Habituellement, nous ressentons alors le besoin de combler ce vide en faisant appel à une solution familière (par exemple, une solution qui a démontré son efficacité ou dont nous croyons à l'efficacité). Mais si nous plaçons les principes supérieurs au-dessus de notre désir de familiarité, si nous renonçons au réconfort de nos propres réponses, une compréhension supérieure se dévoile. Réfléchissez à cela.

Lorsque je me mets au travail et que je fais face aux obstacles habituels, j'entends une voix intérieure qui m'incite à attendre et à recommencer plus tard. Pouvez-vous m'indiquer une façon de ne pas perdre mon élan ?

Certes, certaines circonstances favorisent notre travail spirituel, mais il est tout aussi vrai que l'effort que nous déployons pour demeurer en état d'éveil transforme le contexte de notre étude. Le meilleur moment pour commencer, le seul, en fait, c'est maintenant. Habituez-vous à toujours être conscient de la présence, en vous, de la Personne provisoirement en charge qui tend à tout remettre au lendemain. Faites-le. Maintenant.

Mon auto-examen a donné lieu à des transformations inappréciables, mais, depuis quelque temps, je me sens prisonnier d'une zone de confort où je n'ai pas du tout envie de révéler mon faux moi au grand jour. Comment faire pour me remettre en route ? Ai-je besoin d'une quelconque secousse ?

Oui. Ceci vous aidera sans doute : lorsque vous parvenez à faire le silence en vous, demandez sincèrement à Dieu de vous aider à comprendre ce que vous devez comprendre. Donnez-vous entièrement à ce souhait. Si vous vous réveillez complètement dans l'instant, vous prendrez conscience des aspects de vous-même qui, vous le savez ou le devinez, ne devraient pas résider en vous. Ce sera un bon début et cela vous aidera à enclencher la réalisation de votre désir.

Un petit fragment de moi souhaite trouver le Vrai et le mettre en pratique, mais le reste de moi veut dormir ou feindre la bonté. Comment puis-je faire en sorte que ce petit fragment grandisse ?

Efforcez-vous de voir le plus possible ce que signifierait rester tel que vous êtes. Non seulement y trouverez-vous une motivation, mais vous créerez ainsi les circonstances qui favoriseront réellement votre évolution spirituelle. Plus nous comprenons que nous ne pouvons pas nous en tenir à ce que nous sommes, plus nous nous épanouissons, car nous voyons clairement ce qui, en nous, n'a plus sa raison d'être.

Au début de ma quête spirituelle, je voulais prendre sur le fait mes pensées en bataille, et quand j'y parvenais, j'en éprouvais une satisfaction certaine. Mais ce « plaisir » s'est estompé. Maintenant, ma quête ne représente plus qu'une très lourde tâche. Est-ce normal ?

Lorsque le désir enthousiaste de transformation cède la place au besoin de métamorphose intérieure authentique, l'aspirant est mis en face de sa première « épreuve ». Quand vous aurez franchi ce seuil, vous découvrirez de plus en plus souvent des aspects de vous qui vous viennent en aide et favorisent votre délivrance. Ce qui suit exigera sans doute de vous un acte de foi, mais réfléchissez-y : il n'existe en réalité aucun autre moi que la relation que nous avons avec nous-mêmes en toute circonstance. Certaines puissances nous appuient et d'autres nous opposent. Notre travail consiste à développer et, tôt ou tard, à réaliser une alliance supérieure. Les circonstances extérieures de notre vie se transforment à mesure que se transforment les rapports que nous entretenons avec nous-mêmes.

Chaque matin, je demande que me soit révélée une vérité nouvelle et supérieure, et ce qui m'est donné suscite mon étonnement. Parfois, ces découvertes sont douloureuses ; parfois, elles me remplissent de joie. Mais la surprise est toujours de la partie. Je me dis alors : « Que tout cela est clair ! Comment ai-je pu ne pas le voir avant aujourd'hui ? »

L'un des aspects les plus fascinants de la quête intérieure est que notre moi nouveau donne lieu à des expériences nouvelles. Notre moi en éveil ne connaît pas la répétition : chaque instant que nous vivons est « neuf ». Même nos supposées « mauvaises » expériences sont inédites, car elles nous apprennent quelque chose de nouveau à notre sujet.

L'idée de souhaiter apprendre chaque jour quelque chose de nouveau et de vrai à mon sujet me plaît beaucoup. Quelle belle façon de s'éveiller le matin... quel espoir !

Votre persistance vous ouvrira chaque matin les portes d'un monde nouveau. Ce ne sont pas là de vains mots, je vous assure, mais une réalité incontournable de cette vie supérieure qui attend tous ceux qui en font la demande.

◆ ◆ ◆

Libérez-vous des fausses certitudes et des dieux factices

Le début de la délivrance de soi ressemble à une source minuscule qui jaillit au beau milieu du désert. L'émergence d'une eau pure permet à la vie de s'épanouir là où il n'y a que sable et aridité. Ainsi jaillit du plus profond de nous le désir d'être vrai, épanoui et libre. Mais quand ces eaux spirituelles montent à la surface et nourrissent notre besoin de liberté absolue, elles se heurtent aux braises brûlantes d'un ancien désir ou à la dureté d'un conditionnement rationnel et pétrifié. L'esprit rencontre la matière, les contraires primordiaux en expansion et en contraction s'affrontent, et nous voici sur le terrain de leur combat. Ces vérités sont évidentes pour qui sait les voir, et leur découverte plante le décor de la tâche qui nous attend.

Nous devons, en premier lieu, comprendre ce qui se passe en nous et ce qui nous arrive chaque fois que nos purs élans spirituels se heurtent à la nature innée et négative du faux moi. Plus particulièrement, il nous faut prendre conscience du fait que les aspirations réflexes du moi inférieur ne gomment pas notre désir de liberté, mais orientent celui-ci dans la mauvaise direction en nous inspirant une quête qui, loin d'étancher notre soif, l'avivera. Cette révélation spirituelle importante montre pourquoi il nous est indispensable de placer notre quête de vision intérieure au-dessus de tout le reste. Tant que nous persistons à croire qu'un désir, quelle que soit sa nature, peut nous affranchir des conséquences négative d'un autre désir, nous resterons à notre insu à leur service et au service des faux dieux qu'ils inventent pour puiser en eux une satisfaction provisoire.

Nous énumérons ci-dessous vingt-cinq fausses certitudes courantes. Aucune d'elles ne saurait exister sans qu'une puissance factice lui donne naissance. Ces puissances factices sont de faux dieux. Il nous revient, par notre travail et nos pratiques, d'inonder de lumière leurs refuges secrets. Mais avant d'entreprendre cette important examen, il importe de clarifier certains termes.

« Qu'est-ce qu'une fausse certitude ? »

Une fausse certitude est une idée qui affirme la vérité du faux.

« Qu'est-ce qu'un dieu factice ? »

Un dieu factice est une idée, ou une image mentale, dont l'existence nous procure une vision erronée de la vie, principalement par l'entremise de sa promesse persistante mais irréalisable de nous renforcer, nous sécuriser ou nous rendre heureux.

« Que signifie servir un dieu factice ? »

Les dieux factices n'ont rien d'autre à donner que leur fausse nature qui, comme leur non-existence, ne renferme rien d'authentique ou de permanent. Ainsi, bien que ces puissances mensongères vous offrent quelque chose de durable et d'authentique en vous incitant à croire aux certitudes que nous énumérons ci-dessous, elles ne livrent rien d'autre que des promesses irréalisables et des déceptions !

« Quel enseignement puis-je tirer de tout ceci ? »

Examinez de près les quatre révélations qui suivent. Il importe que vous y réfléchissiez par vous-même. Quand vous les laisserez vous montrer la véritable nature des « puissances » qui poussent le moi captif à tourner en rond, vous serez en mesure de trouver la porte de sortie qui vous dégagera de ces gouffres psychologiques.

- Les fausses certitudes engendrent de faux besoins.
- Les faux besoins engendrent des désirs compulsifs.
- Les désirs sont cause de souffrance.
- L'intensification de la souffrance nous incite à rechercher une solution à nos problèmes. L'espoir et le désespoir nous orientent vers la même fausse certitude qui nous a d'abord trahi. Aussitôt naît un dieu factice, un dieu non seulement impuissant à nous délivrer, mais aussi inhérent à notre anxiété et à notre affliction !

« Quels bienfaits personnels puis-je retirer de cet exercice spirituel ? »

Toutes nos anxiétés, les peurs et les violences de notre vie intérieure résultent de ce que nous confondons et accueillons la fausse vie des dieux factices comme s'il s'agissait de la nôtre. Nous devenons leurs serviteurs dans l'espoir douloureux et vain que l'un d'eux tiendra un jour sa promesse. Cela équivaut à se persuader qu'une dictature renoncera un jour à sa propre tyrannie. Mais lorsqu'on élimine ces idées fausses, le cycle de la souffrance prend fin naturellement et cède la place à une force authentique, à une maîtrise imperturbable, à une compassion renouvelée, à la confiance. Ce ne sont là que quelques-unes des récompenses qui viennent à ceux qui percent à jour les idées fausses.

« Comment puis-je tirer le meilleur parti possible de cette pratique ? »

Pour obtenir les meilleurs résultats, faites de chacune des idées fausses qui suivent l'objet d'une méditation distincte. Mieux encore, ne vous arrêtez qu'à un énoncé à la fois et, avant de le lire, remémorez-vous le titre de l'exercice : « Vingt-cinq idées fausses qui vous entraînent au service de dieux factices. » Cette approche est particulièrement efficace, car elle vous rappellera vingt-cinq fois que le but de cet auto-examen est de vous révéler un détail que vous ignoriez à votre sujet. N'oubliez pas le verbe clé : *révéler.*

Quoi que nous découvrions en nous, nous ne devons jamais perdre de vue que la révélation de soi et l'élévation spirituelle sont les deux ailes d'un même oiseau. Pour que cet exercice parvienne à vous hisser au-delà des influences et des meurtrissures intérieures de vos dieux factices, vous devez prendre conscience de ces moi invisibles qui croient vraies ces fausses certitudes.

Enfin, certaines de ces fausses certitudes sembleront s'appliquer à vous et d'autres non. Ou bien, vous serez d'avis que certaines ne s'appliquent à vous que dans une proportion très faible. Quelle que soit votre réaction, sachez que vous n'avez aucune raison d'appréhender vos découvertes ou d'y résister. La peur constitue un excellent exemple des répercussions de ces fausses certitudes. Croyez-vous vraiment que ce que vous ne voyez pas ne peut pas vous faire de mal ? Allons donc ! Si vous tombez à la mer, croyez-vous que les requins à l'affût ne vous verront pas si vous fermez les yeux ?

Souvenez-vous de ceci : les fausses certitudes et les dieux factices ne peuvent survivre que dans l'obscurité. Il importe de comprendre que certaines des fausses certitudes énumérées ci-dessous sont plus subtiles que d'autres, et qu'elles sont par conséquent plus difficiles à identifier. Ce serait un manque de maturité spirituelle que de s'attendre à ce qu'un dieu factice se dresse devant vous et se révèle tel qu'il est. D'autre part, en guise de mode d'emploi spirituel, sachez que ce qui est factice tend à affirmer sa réalité. Ainsi, si vous percevez en vous quelque protestation intérieure en cours de lecture, remémorez-vous ces mots immortels de Shakespeare : « Il m'apparaît que vous protestez trop ! »

Vingt-cinq fausses certitudes qui vous entraînent au service de dieux factices

1. Modifier mentalement un passé douloureux suffit à nous en affranchir.
2. Plus on se hâte, plus on est productif.
3. La colère, la vengeance ou le ressentiment sont des réactions positives au mal qu'on nous a fait.
4. Le passé est responsable de notre colère et de nos souffrances présentes.
5. Le consensus d'opinion est une preuve d'intelligence.
6. Le fait de sembler maître de soi est synonyme de maîtrise de soi.
7. Faire partie d'un groupe rehausse notre courage et notre sentiment de sécurité.
8. Le plaisir que procure la flatterie ne peut pas nous faire du tort.
9. La vie joue en faveur de certaines personnes et contre d'autres, si bien que nous ne sommes pas les artisans de nos défaites ou de nos triomphes.
10. Plus nous persuadons les autres de notre importance, plus nous sommes importants.
11. Le mal n'existe pas.
12. Le développement spirituel est le résultat de notre évolution et non pas d'un travail délibéré, ce qui démontre l'inutilité du travail intérieur.
13. Si les autres adhèrent à votre point de vue, cela prouve que vous avez raison.
14. Certaines personnes que vous connaissez sont heureuses, car elles ont trouvé ici-bas la satisfaction à laquelle vous aspirez.

15. L'imitation de ceux qui ont réussi est la clé de la réussite.
16. Demain sera meilleur !
17. Ceux qui vous louent le font parce que vous êtes dignes de louange.
18. La solitude est synonyme d'esseulement.
19. On peut tourner le dos à tout ce qu'on veut à tout moment.
20. Pardonner à ceux qui nous ont fait souffrir exige du temps.
21. Il vaut mieux feindre la compréhension que de montrer que l'on ne comprend pas.
22. Le fait de pouvoir identifier les erreurs d'autrui, ou les lui indiquer, justifie qu'on le fasse.
23. L'acceptation de certains états d'esprit négatifs est normale et indispensable à notre bien-être.
24. Un esprit serein et tranquille ne saurait être productif.
25. Dans certains domaines de l'existence, il est impossible de repartir de zéro.

Le désir de connaître sa propre vérité exige de nous un éveil intérieur. À mesure que notre regard intérieur découvre les nombreux univers qui résident en nous et les nombreuses étendues de leurs pensées, de leurs émotions et de leurs forces amies ou ennemies, nous devenons des étrangers dans un monde inconnu. Nous comprenons que sont à l'œuvre en nous des lois nouvelles que mettent en application des maîtres invisibles ; nous constatons l'existence d'inexplicables niveaux de conscience qui engendrent la paix, le conflit, la captivité ou la liberté. À mesure que nos yeux s'habituent à la lumière qui enveloppe ce royaume intérieur, nous comprenons que nous sommes l'univers même dont nous aspirons à triompher.

Cet aperçu inimaginable nous transporte, au-delà même de la simple idée de Dieu, dans la seule vie qui soit la sienne et dont on comprend enfin qu'elle est aussi la nôtre. Dans la lumière de plus en plus vive de cette révélation, la peur, la haine et la colère nous abandonnent peu à peu, car nous ne ressentons plus le besoin de ces vieux accessoires qui, jusque-là, avaient régi notre univers. Nous sommes des êtres libres, car le Vrai nous a enseigné que le moi qui « se croit » entier ne peut jamais satisfaire son désir, tandis que le moi qui *est* déjà n'a rien d'autre à faire que de se secouer, de se réveiller et de cesser d'imaginer ce qu'il n'est pas.

TABLE DES MATIÈRES

Cet ouvrage a été achevé d'imprimer
au Canada en février 2001.